Python으로 배우는 데이터 과학 분석

| 최정인 · 구은희 · 박미현 지음

Applied Data Science Analysis with Python

도서출판 홍릉

저자소개

최정인 junginchoi@changwon.ac.kr

이화여자대학교 컴퓨터공학과 공학박사
부산대학교 소프트웨어교육센터 초빙교수
아주대학교 인공지능융합학과 강의전담
서울대학교 기초교육원 강의조교수
現) 국립창원대학교 사림아너스학부 조교수

구은희 ehgoo@ajou.ac.kr

단국대학교 전자컴퓨터공학과 공학박사
서일대학교 정보통신과 강의전담
(주) 도넛시스템 LSI 책임연구원
(주) 이너트론 이동통신 연구소 수석연구원
現) 아주대학교 다산학부대학 부교수

박미현 mihyunpark@pusan.ac.kr

이화여자대학교 컴퓨터교육학 석사
부경대학교 교육공학 박사
(주) 장기신용은행 정보지원부
現) 부산대학교 소프트웨어융합교육원 초빙교수
저서 : [인문사회예체능계열 전공자를 위한] 컴퓨팅사고와 인공지능(부산대학교출판문화원), 알면 편리한 워드프로세서 파워업(부산대학교출판문화원) 외 다수.

Applied Data Science Analysis with Python

Python으로 배우는

데이터 과학 분석

인 쇄 : 2025년 8월 11일 초판 1쇄
발 행 : 2025년 8월 20일 초판 1쇄

저 자 : 최정인 · 구은희 · 박미현
발행인 : 송 준
발행처 : 도서출판 홍릉
주 소 : 01093 서울시 강북구 인수봉로 50길 10
등 록 : 1976년 10월 21일 제5-66호

전 화 : 02-999-2274~5, 903-7037
팩 스 : 02-905-6729
e-mail : hongpub@hongpub.co.kr
http://www.hongpub.co.kr
ISBN : 979-11-5600-984-9
979-11-5600-982-5(set)

본 도서는 2025년도 과학기술 정보통신부 및 정보통신기획평가원의 'SW중심대학사업(국립창원대학교, 부산대학교, 아주대학교)' 지원을 받아 진행되었습니다. (2022-0-01077, 2023-0-00041, 2024-0-00020)

본 결과물의 내용을 전재할 수 없으며, 인용(재사용)할 때에는 반드시 과학 기술정보통신부와 정보통신기획평가원이 지원한 'SW중심대학'의 결과물이라는 출처를 밝혀야 합니다.

서문

데이터를 아는 사람에서, 데이터를 다루는 사람으로

여러분은 지금까지 데이터를 어떻게 바라보셨나요?

뉴스에서 '빅데이터', 'AI', '데이터 기반 의사결정'이라는 말은 들어봤지만, 나와는 조금 먼 이야기처럼 느껴지진 않으셨나요?

하지만 사실 우리는 이미 매일, 아주 자연스럽게 데이터를 사용하며 살고 있습니다. 아침에 일어나 스마트폰 알람을 끄는 순간부터, 유튜브에서 추천 영상을 보고, 길을 찾기 위해 내비게이션을 켜고, 온라인 쇼핑몰에서 마음에 들 만한 상품을 추천받는 순간까지 이 모든 것은 데이터를 기반으로 작동합니다.

더 나아가 병원에서는 환자의 건강 상태를 분석하고, 기업에서는 소비자의 행동을 예측하며, 국가에서는 정책을 수립하는 데까지 데이터를 활용합니다. 이렇게 데이터를 둘러싼 환경은 빠르게 변하고 있고, 앞으로는 누구나 데이터를 이해하고 다룰 수 있는 능력이 점점 더 중요해질 것입니다.

바로 이 지점에서, 이 책이 여러분의 여정을 함께하고자 합니다.

처음부터 함께 시작합니다

이 책은 프로그래밍을 처음 접하는 분들, 통계에 두려움을 느꼈던 분들, 그리고 전공과 상관없이 '데이터를 배우고 싶다'는 마음만 가지고 있는 분들을 위한 가장 친절한 데이터 과학 입문서입니다. 데이터 과학을 배우려는 분들이 가장 많이 겪는 어려움은 다음과 같습니다:

- "프로그래밍은 한 번도 해본 적 없어요."
- "수학을 잘 못해서 데이터 분석이 걱정돼요."
- "어디서부터 시작해야 할지 모르겠어요."

이 책은 바로 이런 분들을 위한 책입니다.

이 책에서는 쉬운 언어로 설명하고, 실생활 사례로 개념을 이해하며, 직접 실습을 통해 몸으로 익히는 방식으로 데이터 과학의 기초를 다져갑니다.

Python, 누구에게나 열려 있는 도구

데이터 과학을 배우는 데 가장 많이 쓰이는 도구가 바로 Python(파이썬) 입니다.

Python은 비교적 문법이 단순하고 직관적이기 때문에 프로그래밍을 처음 접하는 분들에게도 부담 없이 배울 수 있습니다.

이 책에서는 Python 설치부터 Google Colab이라는 무료 온라인 코딩 환경을 사용하는 방법까지 아주 기초적인 단계부터 함께 시작합니다. Colab에서는 프로그램을 따로 설치하지 않아도 웹 브라우저만 있으면 바로 코드를 실행해볼 수 있어, 누구나 쉽게 실습에 참여할 수 있습니다.

거북이를 움직여 그림을 그리는 간단한 실습부터 시작해, 점차 변수, 자료형, 조건문, 반복문, 함수와 모듈 같은 프로그래밍의 기본 개념을 익히게 됩니다. 이 과정을 통해 단순히 '문법을 외우는' 것이 아니라, '생각을 코드로 표현하는 방법'을 배워나가게 됩니다.

실생활과 연결된 진짜 데이터 분석

기초 프로그래밍 개념을 익힌 후에는 본격적으로 데이터를 다루는 기술을 배우게 됩니다. 먼저 리스트, 튜플, 딕셔너리, 집합 같은 다양한 데이터 구조를 배우며 데이터를 어떻게 저장하고 활용할 수 있는지 연습합니다. 그다음에는 Numpy를 통해 수치 데이터를 효율적으로 처리하고, Pandas를 통해 표 형식의 데이터를 불러오고 정리하며, 시각화 도구인 Matplotlib과 Seaborn을 통해 데이터의 흐름을 눈으로 확인하게 됩니다. 여기까지 배우고 나면 여러분은 이미 꽤 많은 것을 할 수 있게 됩니다. 예를 들어,

- 건강검진 데이터를 불러와 혈압과 BMI의 관계를 분석하거나,
- 뉴스 사이트에서 최신 기사를 자동으로 가져와 트렌드를 파악하거나,
- 다양한 형태의 데이터를 그래프로 시각화해보고 의미를 찾아보는 작업도 가능해집니다.

여기서 중요한 건, 모든 학습이 실생활과 연결되어 있다는 점입니다.

단순한 이론이 아니라, 지금 당장 사용할 수 있는 기술을 배우는 것이죠.

학습의 흐름: 두 권으로 나눈 여정

이 책은 학습자의 부담을 줄이고, 점진적으로 능력을 키워갈 수 있도록 총 두 권으로 구성되어 있습니다.

제1권: Python으로 배우는 데이터 과학 기초

Part 1. 데이터와 만나다

데이터가 세상을 어떻게 바꾸고 있는지, Python은 어떤 도구인지 이해합니다. Colab 사용법부터 변수, 자료형, 입력과 출력, 연산자까지 가장 기초적인 내용부터 시작합니다.

Part 2. 프로그래밍의 철학

조건문, 반복문, 함수, 모듈을 통해 프로그래밍 사고방식을 배웁니다. 단순히 문법을 배우는 것이 아니라, 문제를 효율적으로 해결하는 방법을 배웁니다.

Part 3. 데이터 구조

리스트와 튜플, 딕셔너리와 집합 같은 Python의 기본 자료구조를 배우고, 람다 함수나 리스트 컴프리헨션 같이 데이터를 다루는 다양한 기법도 익힙니다.

Part 4. 데이터 과학을 시작하다

Numpy를 활용해 수치 데이터를 다루고, Pandas로 데이터프레임을 탐색하고 집계하며, 다양한 그래프를 직접 그려보며 데이터 분석의 첫 단계를 경험합니다.

제2권: Python으로 배우는 데이터 과학 분석

Part 1. 데이터를 통해 세상을 열다

웹 스크래핑과 Open API를 이용해 실제 웹 데이터(예: 뉴스, 기상청, 환율 등)를 가져오는 법을 배웁니다. 정규표현식을 활용해 복잡한 텍스트 데이터를 깔끔하게 정리하는 기술도 익히게 됩니다.

Part 2. 통찰을 완성하다

이제는 단순히 데이터를 보는 것을 넘어서 관계를 해석하고 의미를 찾아내는 통계 분석을 배우게 됩니다. 상관관계, 회귀 분석, 정규분포, 가설 검정, ANOVA(분산분석)와 같은 분석 방법을 Python으로 직접 구현해보고, 시각화하여 결과를 해석하는 능력을 기릅니다.

이 책을 통해 여러분은...

1. 프로그래밍 없이 살던 사람에서, 직접 데이터를 다루는 사람으로

Python의 기본부터 실습을 통해 자연스럽게 익히게 됩니다.

2. 데이터를 '읽는' 사람에서, 데이터를 '분석하고 해석하는' 사람으로

Pandas, Matplotlib, Scipy 등 주요 라이브러리를 활용해 데이터를 실질적으로 분석합니다.

3. 세상을 수동적으로 바라보는 사람에서, 데이터를 통해 이해하고 설명하는 사람으로

건강, 뉴스, 사회, 경제 등 다양한 분야의 데이터를 직접 다루며 세상을 해석하는 눈을 갖게 됩니다.

데이터를 다룬다는 것은 단순히 컴퓨터 앞에 앉아 숫자를 처리하는 일이 아닙니다.

그 안에는 문제를 바라보는 사고방식, 삶을 해석하는 시각, 그리고 더 나은 결정을 내리는 능력이 담겨 있습니다.

이 책은 여러분이 그런 능력을 갖출 수 있도록 끝까지 함께할 것입니다. 처음부터 어렵지 않게, 그리고 실생활과 연결된 예제를 통해 실용적으로 배울 수 있도록 구성했습니다. 무엇보다, 여러분이 데이터와 친구가 될 수 있도록 돕는 것이 이 책의 가장 큰 목표입니다.

지금, 데이터를 통해 세상을 이해하는 여정을 시작해보세요.

여러분의 첫걸음에 이 책이 든든한 동반자가 되어드리겠습니다.

준비되셨나요? 함께 시작해봅시다.

차례

PART 1
데이터를 통해 세상을 열다

PART

2

통찰을
완성하다

제3장

숫자의 관계를 탐구하다: 상관 관계와 회귀 분석 ········· 73

제4장

데이터를 예측하다: 확률과 추론 ········· 104

Python으로 배우는
데이터 과학 분석

Applied Data Science Analysis with Python

최정인 · 구은희 · 박미현 지음

PART

1

데이터를 통해 세상을 열다

HTTP://Python.org

우리가 살아가는 세상은 수많은 데이터로 가득 차 있다. 뉴스 기사, 날씨 정보, SNS 글, 쇼핑몰의 가격표까지, 눈에 보이지 않지만 우리 일상은 데이터로 흘러가고 있다. 이제는 이런 데이터를 단순히 보는 것을 넘어, 직접 수집하고 분석하며, 새로운 가치를 만들어내는 능력이 중요해졌다.

Part 5에서는 바로 이 "데이터와 세상을 연결하는 방법"을 함께 배워본다. 웹사이트에서 원하는 정보를 자동으로 가져오고, 그 데이터를 예쁘게 가공하고, 심지어 외부 서비스(웹스크래핑 또는 OpenAPI)를 통해 실시간 정보까지 받아와서 나만의 데이터를 만들 수 있다.

이번 장을 통해서 익혀볼 기술들은 아래와 같다.

- 웹 스크래핑: 웹사이트에서 원하는 정보를 자동으로 추출하는 기술이다. 반복적인 작업을 컴퓨터가 대신해주며, 빠르게 많은 정보를 수집할 수 있다.
- Open API 활용: 데이터 제공자와 대화하듯 정보를 요청하면 실시간으로 응답을 받을 수 있다. 마치 데이터 자판기처럼 원하는 정보를 손쉽게 가져올 수 있다.
- 정규표현식(Regex): 복잡한 문장 속에서 전화번호, 이메일, 특정 키워드 등 패턴을 찾아내는 마법 같은 도구이다.

이러한 기술들을 익히면 여러분들은 다음과 같은 분석 작업을 할 수 있다.

- 뉴스 사이트에서 내가 좋아하는 키워드가 포함된 기사만 자동으로 모으기
- 날씨 정보를 가져와서 직접 그래프로 시각화하기
- 공공데이터포털의 최신 데이터를 이용해 실시간으로 정보 분석하기
- 정규표현식으로 복잡한 텍스트에서 원하는 정보만 쏙쏙 뽑아내기

이제 데이터는 전문가들만 다루는 영역이 아니다. 우리가 관심 있는 분야(예: 여행, 맛집, 주식, 날씨, 문화 등)에서 필요한 정보를 직접 수집하고, 정리하고, 분석해볼 수 있다. 이를 통해 데이터가 단순한 숫자와 글자가 아닌, 세상을 보는 창이 될 수 있다는 것을 경험할 수 있을 것이다.

CHAPTER 1

웹에서 지식을 끌어오다: 크롤링의 세계

인터넷은 정보의 보고이다. 무수히 많은 웹페이지가 매 순간 생성되고, 그 안에는 데이터가 흘러넘친다. 필요한 정보를 얻기 위해 사람이 일일이 웹사이트를 방문하고 내용을 확인하는 것은 비효율적이다. 이때 필요한 것이 바로 웹 스크래핑이다.

웹 스크래핑은 컴퓨터가 웹사이트를 자동으로 탐색하며 원하는 데이터를 가져오는 기술이다. 이를 활용하면 방대한 양의 정보를 손쉽게 수집하고 분석할 수 있다. 가격 비교, 뉴스 수집, 데이터 분석 등 다양한 분야에서 웹 스크래핑은 필수적인 도구가 되어 가고 있다.

이 장에서는 웹 스크래핑의 기본 개념을 익히고, 실제로 데이터를 가져오는 방법을 살펴본다. 단순한 텍스트 수집부터 구조화된 데이터 추출까지, 웹에서 원하는 정보를 효율적으로 끌어오는 방법을 알아보자.

1 웹 스크래핑 개요

1.1 웹 스크래핑이란?

웹 스크래핑(Web Scraping)은 컴퓨터가 웹사이트에 자동으로 접속하여 원하는 정보를 수집하는 기술이다. 사람이 웹사이트를 방문해 정보를 복사하고 붙여넣는 과정을, 컴퓨터가 대신 수행하는 것이라고 이해하면 된다.

예를 들어, 여러 쇼핑몰을 직접 방문해 가격을 비교하는 일은 시간이 많이 걸리는 작업이다. 그러나 웹 스크래핑을 이용하면 특정 상품의 가격을 자동으로 수집하여 한눈에 비교할 수 있다.

이처럼 웹 스크래핑은 정보를 빠르게 수집하고 정리하는 데 매우 유용하다. 웹 스크래핑은 단순한 텍스트뿐만 아니라 이미지, 표, 링크, 댓글 등의 다양한 형태의 데이터도 수집할 수 있다. 이를 활용하면 뉴스 기사 수집, 시장 분석, 가격 비교, 연구자료 확보 등 다양한 분야에 적용할 수 있다.

1.2 웹 스크래핑의 주요 특징

웹 스크래핑은 사람 대신 컴퓨터가 정보를 자동으로 찾아주는 편리한 기술이다. 반복적인 작업에서 벗어나 시간을 절약할 수 있으며, 다음과 같은 특징을 갖고 있다.

① **자동화** : 웹페이지를 클릭하거나 내용을 복사하는 일을 사람이 하지 않고 컴퓨터가 자동으로 수행한다. 마치 로봇 비서가 대신 일해주는 것과 같으며, 필요한 정보를 한 번에 수집할 수 있다.

② **대량 데이터 수집** : 수많은 웹페이지에서 정보를 하나씩 모으는 일은 매우 번거롭다. 하지만 웹 스크래핑을 사용하면 짧은 시간 안에 수천 개의 데이터를 수집할 수 있다.

③ **구조화된 데이터로 변환** :웹에서 가져온 데이터는 보통 HTML 형식이라 분석하기 어렵다. 웹 스크래핑은 이 데이터를 CSV, Excel, JSON 같은 정리된 형태로 변환할 수 있어 활용도가 높다.

④ **웹사이트 구조 변화에 대응** : 웹사이트의 구조가 바뀌면 크롤링 프로그램도 수정이 필요하다. 그러나 웹페이지의 구조를 이해하고 적절한 방법을 적용하면 쉽게 대응할 수 있다.

1.3 웹 스크래핑과 웹 크롤링의 차이

웹 스크래핑과 웹 크롤링은 비슷한 개념처럼 보이지만 실제로는 다르다. 간단히 말해, 웹 크롤링은 웹페이지들을 자동으로 탐색하는 과정이고, 웹 스크래핑은 그 안에서 필요한 정보를 추출하는 과정이다.

도서관에 비유하자면, 웹 크롤링은 책이 어디 있는지 찾아다니는 일이고, 웹 스크래핑은 책에서 필요한 내용을 복사해오는 일이라고 할 수 있다.

- **웹 크롤링(Web Crawling)** : 여러 웹페이지를 자동으로 방문하여 필요한 정보를 찾아다니는 과정이다. 보통 검색 엔진(예: 구글, 네이버)이 인터넷에 있는 수많은 웹사이트를 스캔하면서 정보를 모으는 데 사용된다. 웹 크롤러(Crawler) 또는 스파이더(Spider)라는 프로그램이 이 역할을 수행한다.
- **웹 스크래핑(Web Scraping)** : 웹페이지에서 특정 정보를 추출하는 과정이다. 웹 크롤러가 찾아낸 웹페이지에서 필요한 데이터만 골라서 가져오는 것이 목적이다. 예를 들어, 특정 뉴스 사이트에서 기사 제목과 내용을 긁어오는 것이 웹 스크래핑이다.

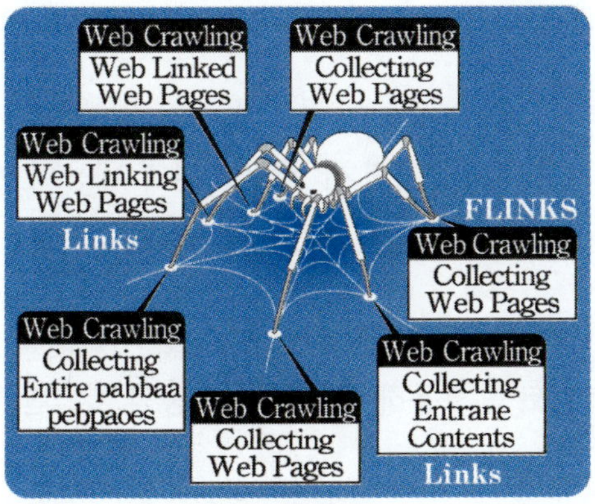

웹크롤링

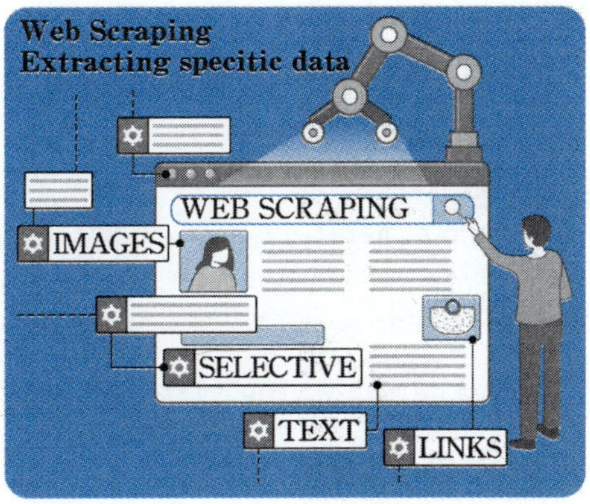

웹스크래핑

웹 크롤링과 웹 스크래핑의 차이를 정리하면 다음과 같다.

구분	웹 크롤링	웹 스크래핑
목적	여러 웹페이지를 자동으로 방문하고 탐색함	특정 웹페이지에서 원하는 정보를 추출함
사용 예시	검색 엔진이 웹사이트 정보를 수집하는 과정	뉴스 사이트에서 기사 제목과 내용을 가져오는 작업
주된 도구	Scrapy, Selenium	BeautifulSoup, requests
데이터 추출 방식	전체 사이트를 크롤링하면서 링크를 따라감	지정된 요소(텍스트, 이미지, 표 등)만 추출함

즉, 웹 크롤링과 웹 스크래핑은 서로 독립적인 개념이 아니라, 웹 크롤링을 하면서 웹 스크래핑을 함께 사용하는 경우가 많다. 실제로는 웹 크롤링을 통해 여러 페이지를 모으고, 그다음 웹 스크래핑으로 원하는 정보를 뽑아내는 방식으로 함께 사용되는 경우가 많다.

이처럼 웹 크롤링과 웹 스크래핑은 인터넷에서 데이터를 자동으로 수집하는 데 필수적인 기술이며, 두 개념을 적절히 조합하면 더욱 강력한 데이터 수집 시스템을 만들 수 있다.

1.4 웹 스크래핑의 유형

웹 스크래핑은 웹사이트의 동작 방식에 따라 크게 두 가지로 나뉜다.

하나는 정적인 웹사이트를 대상으로 하는 정적 웹 스크래핑이고, 다른 하나는 동적으로 내용을 불러오는 사이트를 대상으로 하는 동적 웹 스크래핑이다.

① 정적 웹 스크래핑 (Static Web Scraping)

정적 웹 스크래핑은 웹페이지의 내용이 한 번 로드되면 변하지 않는 경우에 사용된다. 즉, 사용자가 웹사이트를 방문했을 때 이미 모든 데이터가 포함된 HTML 코드가 존재하고, 이 HTML 코드가 바뀌지 않는다면 정적 웹 스크래핑을 사용할 수 있다.

예를 들어, 블로그의 글 목록 페이지나 단순한 뉴스 기사 페이지처럼 한 번 로드된 후 내용이 변하지 않는 경우가 이에 해당한다. 이런 경우에는 웹페이지의 HTML 코드를 그대로 가져와서 필요한 정보를 추출하면 된다.

이 방식은 빠르고 간단하지만, 웹사이트가 자바스크립트를 사용하여 데이터를 동적으로 변경하는 경우에는 사용할 수 없다.

② 동적 웹 스크래핑 (Dynamic Web Scraping)

동적 웹 스크래핑은 웹사이트가 사용자의 행동(예: 버튼 클릭, 스크롤 등)에 따라 데이터를 불러오는 경우에 사용된다. 요즘 많은 웹사이트가 정적인 HTML이 아니라 자바스크립트를 사용하여 데이터를 로드하는 방식으로 동작하기 때문에, 정적 웹 스크래핑으로는 원하는 데이터를 가져올 수 없는 경우가 많다.

예를 들어, 쇼핑몰에서 '더 보기' 버튼을 눌러야만 추가 상품 목록이 로딩되거나, 뉴스 사이트에서 일정 시간 후 새로운 기사가 자동으로 추가되는 경우가 있다. 이런 경우에는 단순히 HTML을 가져오는 것으로는 데이터를 확보할 수 없기 때문에, 브라우저를 자동으로 조작하여 필요한 데이터를 불러오는 방식이 필요하다.

동적 웹 스크래핑은 웹사이트의 동작 방식을 분석하고, 적절한 도구를 사용하여 데이터를 가져오는 과정이 필요하다. 따라서, 웹사이트가 어떤 방식으로 데이터를 제공하는지 이해하고, 정적 또는 동적 스크래핑 중 적절한 방식을 선택하는 것이 중요하다.

1.5 웹 스크래핑의 활용 사례

웹 크롤링(웹 스크래핑 포함)은 여러 분야에서 강력한 도구로 활용된다. 우리가 일상적으로 접하는 많은 서비스가 웹 크롤링을 기반으로 동작하고 있다.

① 금융 데이터 분석 : 주식 시장 데이터, 환율, 가상화폐 시세 등 금융 관련 정보를 자동으로 수집하여 분석하는 데 활용된다. 예를 들어, 투자자가 특정 주식의 과거 시세를 분석하여 투자 전략을 세울 수 있다.

② 뉴스 및 미디어 분석 : 다양한 뉴스 사이트에서 최신 기사를 수집하여 트렌드를 분석하거나, 특정

주제의 뉴스만 모아서 볼 수 있도록 하는 서비스에 사용된다.

③ **쇼핑몰 가격 비교** : 여러 쇼핑몰에서 같은 상품의 가격을 비교하여 최저가를 찾는 사이트나 애플리케이션이 웹 크롤링을 이용한다. 소비자들은 이를 통해 손쉽게 가격 비교를 할 수 있다.

④ **소셜 미디어 분석** : 트위터, 인스타그램, 페이스북 등의 데이터를 수집하여 인기 키워드 분석, 마케팅 전략 수립 등에 활용된다.

⑤ **부동산 데이터 수집** : 여러 부동산 사이트에서 매물 정보를 수집하여 시세를 분석하거나 특정 지역의 부동산 트렌드를 파악하는 데 사용된다.

1.6 웹 스크래핑의 법적 이슈 및 주의사항

웹 스크래핑을 할 때는 반드시 법적 문제를 고려해야 한다. 무분별한 웹 크롤링 또는 웹 스크래핑은 법적 분쟁을 초래할 수 있으며, 서버에 과부하를 주어 차단될 수도 있다.

① **웹사이트 이용 약관 준수** : 많은 웹사이트는 robots.txt라는 파일을 통해 크롤링이 허용되는지 여부를 명시하고 있다. 이를 준수하지 않으면 웹사이트 운영자의 정책을 위반할 수 있다.

② **개인정보 보호법 준수** : 웹사이트에서 개인정보(예: 이메일, 전화번호)를 수집하는 것은 법적으로 문제가 될 수 있다. 개인정보를 수집하기 전에 반드시 법적 요건을 확인해야 한다.

> **정보통신망 이용촉진 및 정보보호 등에 관한 법률**
>
> [시행 2024. 1. 23.] [법률 제20069호, 2024. 1. 23., 일부개정]
>
> **제48조(정보통신망 침해행위 등의 금지)** ① 누구든지 정당한 접근권한 없이 또는 허용된 접근권한을 넘어 정보통신망에 침입하여서는 아니 된다.
>
> ② 누구든지 정당한 사유 없이 정보통신시스템, 데이터 또는 프로그램 등을 훼손·멸실·변경·위조하거나 그 운용을 방해할 수 있는 프로그램(이하 "악성프로그램"이라 한다)을 전달 또는 유포하여서는 아니 된다.
>
> ③ 누구든지 정보통신망의 안정적 운영을 방해할 목적으로 대량의 신호 또는 데이터를 보내거나 부정한 명령을 처리하도록 하는 등의 방법으로 정보통신망에 장애가 발생하게 하여서는 아니 된다.
>
> ④ 누구든지 정당한 사유 없이 정보통신망의 정상적인 보호·인증 절차를 우회하여 정보통신망에 접근할 수 있도록 하는 프로그램이나 기술적 장치 등을 정보통신망 또는 이와 관련된 정보시스템에 설치하거나 이를 전달·유포하여서는 아니 된다. <신설 2024. 1. 23.>
>
> [전문개정 2008. 6. 13.]

③ **저작권 문제 고려** : 뉴스 기사, 블로그 포스트, 이미지 등의 데이터를 무단으로 크롤링하여 사용할 경우 저작권을 침해할 수 있다. 크롤링한 데이터를 상업적으로 활용하기 전에 사용 권한을 확인해야 한다.

④ 서버 부하 방지 : 너무 짧은 간격으로 많은 요청을 보내면 웹사이트의 서버에 과부하를 주게 되어 IP가 차단될 수 있다. 적절한 간격을 두고 요청을 보내는 것이 중요하다.

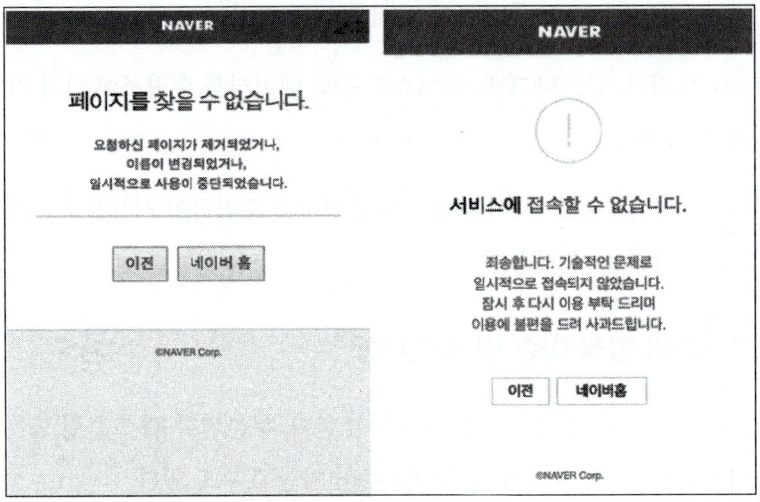

웹 스크래핑은 강력한 도구이지만, 올바르게 사용해야만 긍정적인 효과를 얻을 수 있다. 웹사이트의 정책을 존중하고 법적 문제를 피하면서 효과적으로 활용하는 것이 중요하다.

2 HTML과 웹 페이지 이해

2.1 HTML 구조와 태그 기본

웹 스크래핑을 하기 위해서는 먼저 웹페이지가 어떻게 만들어졌는지를 이해해야 한다. 웹사이트는 기본적으로 HTML이라는 언어로 구성되어 있으며, HTML은 웹페이지의 뼈대나 틀을 만드는 역할을 한다. 우리가 웹사이트에서 보는 제목, 문단, 이미지, 버튼, 링크 등 모든 화면 요소들은 HTML 태그라고 불리는 코드로 만들어져 있다.

① HTML이란?

HTML(HyperText Markup Language)은 웹 문서의 구조를 정의하는 마크업 언어이다. 웹브라우저는 HTML 코드를 읽어서 화면에 텍스트나 이미지 등을 보여준다.

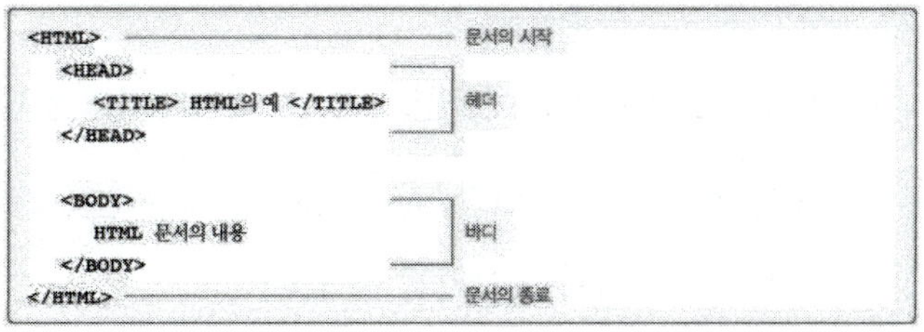

② HTML 태그란?

HTML 태그는 대부분 열리는 태그(opening tag)와 닫히는 태그(closing tag)로 이루어져 있다. 그리고 각 < > (꺾쇠 괄호) 안에 태그 이름을 적어서 문서 구조를 만든다.

예를 들어, 다음과 같은 HTML 코드가 있다고 하자.

HTML 예시 코드

```
<!DOCTYPE html>
<html>
  <head>
    <title>나의 첫 웹페이지</title>
  </head>
  <body>
    <h1>안녕하세요!</h1>
    <p>이건 나의 첫 번째 웹페이지입니다.</p>
    <img src="cat.jpg" alt="귀여운 고양이">
    <p><a href="https://www.google.com">구글로 가기</a></p>
  </body>
</html>
```

위 코드의 각 요소를 하나씩 살펴보자.

① <!DOCTYPE html> : 이 문서가 HTML 문서임을 선언한다.

② <html>~</html> : HTML 문서의 시작과 끝을 감싼다.

③ <head>~</head> : 웹페이지의 설정 정보(제목, 스타일 등)를 포함한다.

④ <title>~</title> : 브라우저 탭에 표시될 제목을 설정한다.

⑤ <body>~</body> : 화면에 실제로 표시될 내용을 담는다.

⑥ <h1>~</h1> : 제목을 나타낸다. <h1>부터<h6>까지 가능하고, <h1>이 가장 큰 제목을 나타낸다.

⑦ <p> : 문단(paragraph)을 나타내며, 줄바꿈 역할도 한다.

⑧ <img src="…"> : 웹 페이지에 그림을 삽입한다.

⑨ <a href = "…"> : 다른 페이지나 사이트로 이동할 수 있는 하이퍼링크를 만든다.

이 HTML 코드를 메모장에 입력한 뒤 파일명을 "test.html"로 저장하고, 해당 파일을 더블클릭하여 열면 웹브라우저를 통해 웹페이지 결과를 확인할 수 있다.

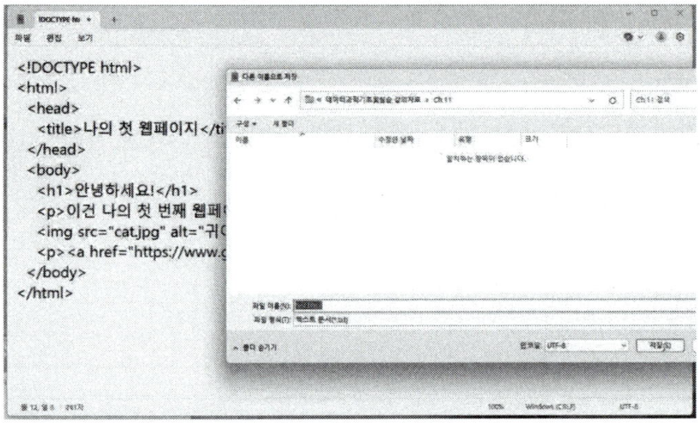

2.2 자주 사용하는 HTML 태그

웹 스크래핑을 할 때는 어떤 정보가 어떤 태그로 감싸져 있는지를 파악하는 능력이 중요하다. 아래는 웹사이트에서 자주 등장하는 HTML 태그들과 그 역할이다.

태그	역할	사용 예시
〈h1〉~〈h6〉	제목 서체(headline)	〈h1〉파이썬〈/h1〉
〈p〉	문단 나눔(Paragraph)	〈p〉파이썬은〈/p〉 〈p〉쉬워요〈/p〉
〈a href="주소"〉	링크 연결(Anchor)	〈a href="http://www.naver.com"〉네이버〈/a〉
〈img〉	이미지 삽입(image)	〈img src="http://www.naver.com/main.jpg"〉
〈ul〉, 〈ol〉	목록 작성((un)ordered list)	〈ul〉〈li〉다음〈/li〉〈li〉네이버〈/li〉〈/ul〉
〈span〉	문장 또는 문단 내 구역 지정	〈span style="color:red"〉구역〈/span〉
〈button〉	버튼 생성	〈button〉확인〈/button〉
〈input〉	사용자 입력이 가능한 텍스트 상자	〈input type="text"〉
〈br〉	줄바꿈	파이썬〈br〉좋아요
〈b〉	글자 모양 굵게 변경(bold)	저는〈b〉파이썬〈/b〉 배웠어요.
〈table〉	표 시작	표 전체 틀을 나타냄
〈tr〉	행(row)	표의 한 줄을 나타냄
〈th〉	표 제목 셀	보통 맨 위에 위치하며, 글씨가 굵고 가운데 정렬됨

〈td〉	일반 셀	실제 데이터가 들어간 칸
〈!-- 주석--〉	주석(설명) 작성	〈!-- 아무런 기능이 없어요 --〉

이런 태그들을 잘 알고 있으면, 웹페이지에서 필요한 정보가 어디에 들어 있는지 빠르게 파악할 수 있다. 예를 들어 뉴스 기사 제목이 <h1> 태그로 감싸져 있다면, 웹 스크래핑 시 <h1> 태그의 텍스트를 추출하면 된다.

2.3 CSS와의 연결: 웹 디자인의 시작

CSS(Cascading Style Sheets)는 HTML 요소의 모양과 배치를 꾸며주는 언어이다. 즉, 웹페이지는 HTML로 구조를 만들고, CSS로 디자인을 입힌다.

이때 id와 class는 HTML 요소에 붙는 속성(attribute)으로, 웹페이지의 디자인과 데이터 추출 모두에 중요한 역할을 한다.

이 속성들은 크게 두 가지 역할을 한다.

- CSS 스타일을 지정하기 위해 사용됨(예: 제목은 파란색, 본문은 회색으로 설정)
- 스크래핑할 때 원하는 요소를 정확하게 찾기 위해 사용됨(예: 기사 본문이 들어 있는 부분만 추출하기)

<style> 태그는 웹페이지 안에서 CSS 코드를 작성할 때 사용하는 태그이며, 일반적으로 HTML 문서의 <head> 태그 안에 작성한다.

CSS에서 id 선택자는 앞에 # 기호를 붙여 사용하며, class 선택자는 앞에 .(점)을 붙여 사용한다.

```
<style>
#main-title {
  color: blue;
  font-size: 24px;
}

.summary {
  color: gray;
  font-style: italic;
}
</style>
```

① id 속성: 고유한 식별자

id는 하나의 HTML 요소에 고유한 이름을 부여하는 속성이다. 웹페이지 안에서 같은 id를 가진 요소는 단 하나만 존재해야 한다.

예시 코드

```
<h1 id="main-title">뉴스 제목</h1>
```

위의 예시에서 id="main-title"은 이 제목 요소를 유일하게 구분하는 이름이다. CSS나 JavaScript, 웹 스크래핑 도구는 이 id를 이용해 해당 요소를 정확하게 찾아낼 수 있다.

이 코드는 위 css 코드와 연결하여, id가 main-title인 요소의 글자색을 파란색으로, 글자 크기를 24픽셀로 설정한다.

② class 속성: 그룹 지정

class는 여러 HTML 요소에 같은 이름을 부여해 그룹으로 묶는 역할을 한다. 동일한 class 이름은 웹페이지 안에서 여러 번 사용 가능하다.

예시 코드

```
<p class="summary">요약 문장입니다.</p>
<p class="summary">또 다른 요약입니다.</p>
```

위와 같이 여러 문단에 "summary"라는 class를 지정하면, 스타일을 한꺼번에 적용하거나 스크래핑 도구로 한꺼번에 선택할 수 있다.

이 코드는 위 css코드와 연결하여, class="summary"인 모든 요소의 글자색을 회색으로, 글꼴 스타일을 이탤릭체로 바꾼다.

구분	id	class
의미	특정 요소를 고유하게 식별	여러 요소를 그룹으로 묶음
사용 횟수	하나의 문서에서 한 번만 사용	여러 번 사용 가능
CSS 표기법	#id명	.class명
웹 스크래핑	특정 요소 하나를 정확히 찾을 때 사용	비슷한 요소들을 한꺼번에 찾을 때 사용

웹 스크래핑에서는 HTML 태그뿐 아니라 id나 class 정보를 활용하면 더 정확하고 빠르게 원하는 데이터를 추출할 수 있다. 따라서 웹페이지를 분석할 때는 눈에 보이는 내용만이 아니라, 태그에 어

떤 속성(attribute)이 붙어 있는지까지 살펴보는 습관이 중요하다.

3 웹 스크래핑 처리 순서

웹 스크래핑을 효과적으로 수행하려면 올바른 순서를 따르는 것이 중요하다. 웹에서 원하는 데이터를 가져오는 데 필요한 과정은 크게 HTML 문서 요청 → HTML 문서 분석하기 → 원하는 데이터 추출하기 → 찾은 데이터 가공 및 저장하기의 4단계로 나눌 수 있다. 각 단계를 하나씩 살펴보자.

웹스크래핑 처리 순서

3.1 1단계: HTML 문서 요청

웹 스크래핑의 첫 번째 단계는 웹페이지에 요청을 보내 HTML 문서를 가져오는 것이다. 웹사이트는 HTML 문서를 통해 정보를 제공하며, 이를 가져와 분석하는 것이 스크래핑의 시작이다.

웹 스크래핑을 하기 전 컴퓨터에 아래 라이브러리를 설치해두어야 한다.

설치 코드

```
pip install requests
pip install beautifulsoup4
```

① 대상 웹사이트 URL 확인하기

- 먼저, 데이터를 가져오고 싶은 웹사이트를 정해야 한다. 예를 들어 네이버 증권 시장지표 사이트에서 실시간 미국 달러 환율 데이터를 가져와 보자.
- 해당 웹사이트의 URL(https://finance.naver.com/marketindex/)을 확인한다.
- 웹사이트가 자동화된 접근을 차단하지 않도록 headers를 설정하여 브라우저에서 접속한 것처럼 보이게 한다. 즉, 웹사이트가 사람인지 로봇인지 구분하기 위해 User-Agent라는 정보를 필요로 하므로 함께 설정한다.

② 웹페이지 요청하기

- requests 같은 라이브러리를 사용하여 웹사이트에 요청을 보낸다.

③ request 결과 확인

- 정상적으로 요청이 처리되었는지 상태 코드를 확인한다.
- 200 응답 코드가 반환되면 정상적으로 HTML을 가져온 것이다.

입력 코드

```
#HTML 문서 요청

import requests
# 대상 웹사이트 URL 확인
url = 'https://finance.naver.com/marketindex/'
headers = {"User-Agent": "Mozilla/5.0"}
# 웹페이지 요청
response = requests.get(url, headers=headers)
response.encoding = 'euc-kr'  # 네이버 금융은 EUC-KR 인코딩 사용
# request 결과 확인
if response.status_code == 200:
    print("HTML 문서 요청 성공!")
else:
    print("HTML 문서 요청 실패...")
```

3.2 2단계: HTML 문서 분석하기

HTML 문서를 가져왔으면 이제 원하는 정보를 찾기 위해 문서를 분석해야 한다. 이 과정에서는 HTML 구조를 이해하고, 크롬 개발자 도구를 활용하여 필요한 태그를 찾는 과정이 포함된다.

① HTML 기본 구조 이해하기

- HTML은 <html>, <head>, <body> 등의 태그로 이루어져 있다.
- 우리가 실제로 보는 화면 정보는 <body> 안에 있다.
- 예를 들어 제목은 <h1>, 문장은 <p>, 링크는 <a> 태그로 감싸져 있다.

② 크롬 개발자 도구 활용하기

- 크롬 브라우저에서 원하는 웹페이지로 이동한다.

- 웹페이지 아무 데서나 마우스 오른쪽 클릭 → 검사(Inspect) 클릭 또는 단축키(F12)를 누른다.
- 화면 오른쪽에 나타난 개발자 도구 창 상단에서 ① 마우스 커서 모양의 버튼( )을 누르고, ② 웹 페이지에서 가져오고 싶은 정보(미달러 환율)를 클릭하면, ③개발자 도구에서 해당 부분의 HTML 코드가 강조된다.

  이때 마우스 커서 모양의 버튼( )을 '요소 선택 도구(Select an element)'라고 한다.

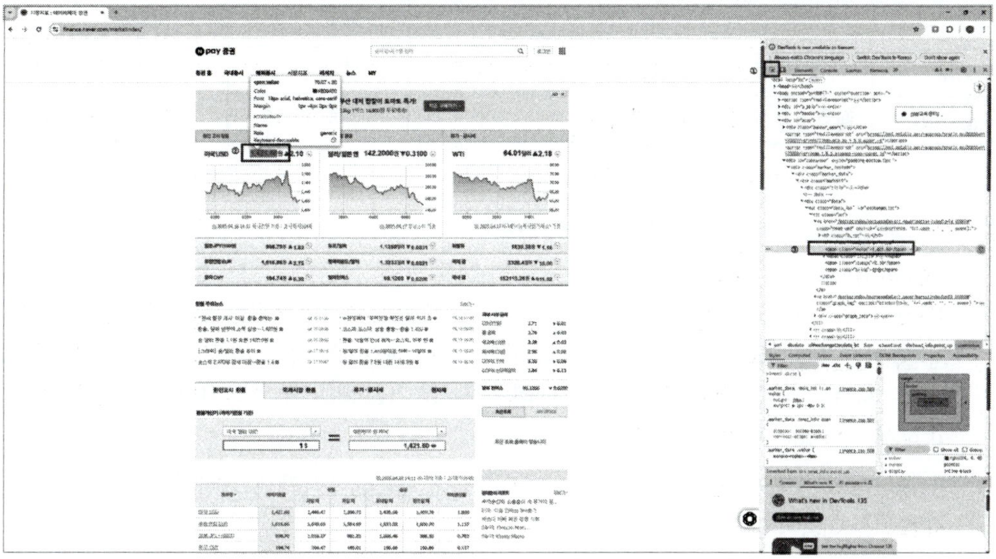

- 개발자 도구 창에서 원하는 정보(미달러 환율)가 어떤 태그(<span>, <div>, <p> 등) 안에 둘러싸여 있는지 확인하고, class나 id 속성이 붙어 있는지도 본다. 예를 들어 미달러 환율이 <span class="value"> 1,422.20 </span> 안에 들어 있다면, class 명 'value'를 기억해두자.

3.3 3단계: 원하는 데이터 추출하기

HTML 문서를 분석한 후에는 원하는 데이터를 추출하는 과정이 필요하다. 이때 BeautifulSoup 라이브러리를 활용하면 HTML 문서를 쉽게 탐색하고 데이터를 가져올 수 있다.

① HTML 문서 파싱하기(읽을 수 있는 형태로 바꾸기)

BeautifulSoup을 사용하여 HTML을 파싱하면 태그를 쉽게 추출할 수 있다.

```
from bs4 import BeautifulSoup
soup = BeautifulSoup(response.text, "html.parser")
```

이렇게 하면 soup이라는 변수에 웹페이지 전체 구조가 저장된다. 여기서 파서(parser)란 HTML 문서를 읽어서 해석해 주는 도구이다. BeautifulSoup은 직접 HTML을 분석하지 않고, 이 파서(parser)를 통해 웹페이지를 해석한다.

파서(parser)의 종류로 아래와 같이 세 가지를 비교해 볼 수 있다.

파서 이름	특징 요약	속도	설치 여부	권장 상황
'html.parser'	파이썬 내장 파서	보통	기본 제공	간단하게 시작할 때
'lxml'	매우 빠르고 강력함	매우 빠름	설치 필요	실전용, 대용량 페이지
'html5lib'	웹브라우저 수준의 정확함	느림	설치 필요	복잡한 구조의 HTML

Beautiful Soup – "예쁘고 맛있는 HTML 스프?"

라이브러리 Beautiful Soup의 이름은 tag soup에서 유래한다. tag soup이란 구조적으로 잘못된 문법의 HTML 웹 문서를 일컫는 용어다. HTML 문서는 오류에 유연하게 대응할 수 있기에 웹 개발자들이 엄격하게 규칙을 따르지 않는 경우가 많았다. HTML과 텍스트가 마구잡이로 뒤섞이고 닫는 태그도 제대로 지켜지지 않을 때도 있었다. 이런 더러운 구조를 가진 웹문서를 두고 마구 뒤섞인 수프와 같다고 해서 tag soup란 이름이 붙었다.

BeautifulSoup은 지저분한 HTML tag soup을 아름답고 깨끗하게 정리(clean)해 주는 도구라는 의미에서 붙여진 이름이다.

"Beautiful Soup"는 사실 루이스 캐럴의 동화 "이상한 나라의 앨리스(Alice in Wonderland)"의 속편인 "거울 나라의 앨리스(Through the Looking-Glass)"에 나오는 시(詩)의 제목이다. 등장 캐릭터인 거북 수프(Turtle Soup)가 부르는 노래 제목이 바로 "Beautiful Soup"이다.

"Beautiful Soup, so rich and green,

Waiting in a hot tureen! …"

②원하는 태그와 클래스 선택하기

find()와 select()는 BeautifulSoup의 메소드로써 특정 태그로 감싸져 있는 데이터를 가져올 수 있다.

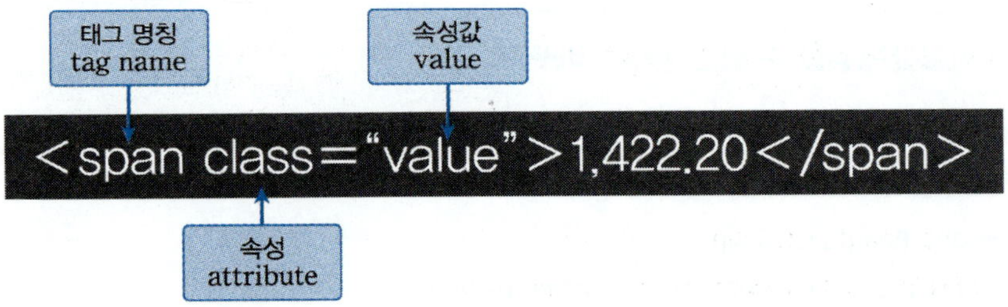

find()와 select() 메소드의 특징은 다음과 같다.

find() / find_all() - 태그와 속성으로 데이터 가져오기

- 특징 : 조건에 맞는 태그 이름이나 속성, 속성값을 특정하여 데이터를 찾을 수 있다.
- find()는 조건에 맞는 태그 1개만 찾을 때 사용, find_all()은 조건에 맞는 모든 태그를 찾을 때 사용
- 사용법 :

  soup.find('span') : 태그만 특정

  soup.find('span', class_='value') : 태그와 속성 모두 특정

  soup.find('span', {class:'vlaue'}) : 태그와 속성 모두 특정

  soup.find(class_='value') : 속성만 특정

select() / select_one() - css 선택자로 데이터 가져오기

- 특징 : select는 CSS selector로 tag 객체를 찾아 반환한다. 이는 CSS에서 HTML을 태깅하는 방법을 활용한 메소드이다.
- 가장 첫 번째 결과를 반환하는 select_one()은 find()에, 전체 결과를 리스트로 반환하는 select()는 find_all()에 대응한다.
- 사용법 : select()와 select_one()의 사용법은 같음

  soup.select('span') : 태그만 특정

  soup.select('#value') : 태그 id 특정 (id를 특정할 땐 속성값 앞에 # 붙임)

  soup.select('.value') : 태그 class 특정 (class를 특정할 땐 속성값 앞에 . 붙임)

  soup.select('span.value') : 태그이름과 id나 class를 함께 특정

- select는 find처럼 태그 이름, 속성, 속성값을 특정하는 방식은 같다. 하지만 CSS는 이 외에도 다양한 선택자(selector)를 갖기 때문에 여러 요소를 조합하여 태그를 특정하기 쉽다. 예를 들어 태그 하위 경로까지 지정하고 싶을 때, find의 경우 반복적으로 코드를 작성해야 하지만, select는 한 번에 하위 경로를 지정할 수 있어서 더 유연하고 강력하다.

```
#find
usd_tag = soup.find('ul', id='exchangeList').find('li', class_='on').find('a', class_=
['head', 'usd']).find('div', class_='head_info').find('span', class_='value')
#select
usd_tag = soup.select_one('#exchangeList > li.on > a.head.usd > div.head_info > span.va
lue')
```

3.3 찾은 데이터 가공 및 저장하기

```
# 결과 출력
if usd_tag:
    print(f"현재 미국 USD 환율: {usd_tag.text} 원")
else:
    print("미국 환율 정보를 가져올 수 없습니다.")
```

text 속성을 이용하면 use_tag 내에 있는 문자열만 추출할 수 있다.

전체 코드

```
import requests
from bs4 import BeautifulSoup

# URL 지정
url = 'https://finance.naver.com/marketindex/'

# 웹페이지 요청
headers = {"User-Agent": "Mozilla/5.0"}
response = requests.get(url, headers=headers)
response.encoding = 'euc-kr'  # 네이버 금융은 EUC-KR 인코딩 사용

# HTML 파싱
soup = BeautifulSoup(response.text, 'html.parser')

# 미국 환율 요소 선택 (CSS 선택자)
usd_tag = soup.select_one('span.value')
# 상위 경로까지 특정하는 경우
usd_tag = soup.select_one('#exchangeList > li.on > a.head.usd > div.head_info > span.va
lue')

# 결과 출력
if usd_tag:
    print(f"현재 미국 USD 환율: {usd_tag.text} 원")
else:
    print("미국 환율 정보를 가져올 수 없습니다.")
```

뉴스 기사 제목, 상품 정보 등 여러 개의 데이터를 가져와야 하는 경우 find_all()이나 select()를 사용

하여 리스트 형태로 저장할 수 있다. 다음 예제에서는 하나의 웹페이지에서 여러 개의 데이터를 리스트로 가져오는 방법에 대해 알아보도록 한다.

4 다음(daum) 사이트 [연예] 랭킹 뉴스기사 스크래핑

웹 스크래핑을 통해 다음(daum) 사이트의 [연예] 랭킹 뉴스 기사 제목을 가져오는 과정을 단계별로 실습해 보자. 이 과정은 앞서 설명한 바와 같이 크게 HTML 문서 요청 → HTML 문서 분석하기 → 원하는 데이터 추출하기 → 찾은 데이터 가공 및 저장하기의 4단계로 진행된다.

4.1 1단계: HTML 문서 요청

웹 스크래핑의 첫 번째 단계는 웹페이지의 HTML을 가져오는 것이다. 웹사이트는 HTML 문서를 통해 정보를 제공하며, 이를 가져와 분석하는 것이 스크래핑의 시작이다.

① 스크래핑할 웹사이트 확인하기

- 다음(daum) 사이트 [연예]-[랭킹]-[많이 본] 페이지 (https://entertain.daum.net/ranking/popular")를 방문한다.
- 이 페이지에는 여러 뉴스 기사 제목이 나열되어 있으며, 이 기사 제목들을 가져오는 것이 목표이다.

② 웹페이지의 HTML 가져오기

- 파이썬의 requests 라이브러리를 사용하여 웹사이트에 요청을 보내고 HTML 문서를 가져온다.
- 네이버(naver)나 다음(daum)과 같은 대형 웹사이트는 자동화된 접근을 차단할 수 있으므로, User-Agent를 설정하여 브라우저에서 접속한 것처럼 보이게 한다.

```
import requests
url = "https://entertain.daum.net/ranking/popular"
headers = {"User-Agent": "Mozilla/5.0"}
response = requests.get(url, headers=headers)
print(response.text)  # HTML 내용 확인
```

③ HTML 문서 요청이 성공했는지 확인하기

- response.status_code가 200이면 정상적으로 HTML을 가져온 것이다.
- print(response.text)를 실행하면 페이지의 HTML 코드가 출력되며, HTML 내부에서 필요한 정보를 찾을 수 있다.

```
if response.status_code == 200:
    print("HTML 문서 요청 성공!")
else:
    print("HTML 문서 요청 실패...")
```

4.2 2단계: HTML 문서 분석하기

이제 가져온 HTML 문서에서 필요한 정보를 찾아야 한다. 이 과정에서는 크롬 개발자 도구를 활용하여 HTML 구조를 분석한다.

① 크롬 개발자 도구 실행하기

- 크롬 브라우저에서 F12 키를 누르거나 마우스 우클릭 후 검사(Inspect)를 선택하면 개발자 도구가 열린다.
- 기사 제목이 있는 부분을 클릭하면 해당 HTML 코드가 강조 표시된다.

② 기사 제목이 포함된 태그 확인하기

- 개발자 도구에서 기사 제목을 확인하면 <a> 태그 내부에 제목이 포함된 것을 볼 수 있고, 그 상위 태그는 <strong class="tit_thumb">인 것을 확인할 수 있다.

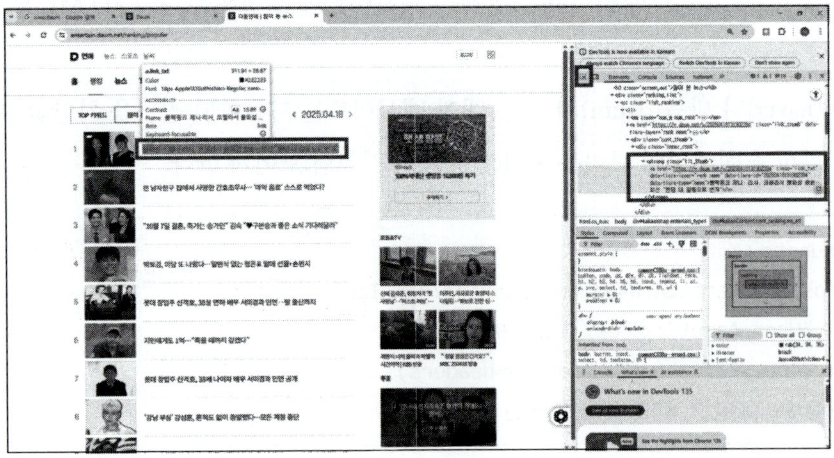

4.3 3단계: 원하는 데이터 추출하기

이제 BeautifulSoup 라이브러리를 사용하여 기사 제목을 가져오는 과정을 진행한다.

① BeautifulSoup을 활용하여 HTML 파싱하기

- BeautifulSoup을 사용하면 HTML 문서를 쉽게 탐색하고 필요한 요소를 추출할 수 있다.

```
from bs4 import BeautifulSoup
soup = BeautifulSoup(response.text, "html.parser")
```

② 기사 제목을 포함한 요소 찾기

- 앞서 개발자 도구에서 확인한 태그를 soup.find_all("strong", class_="tit_thumb") 명령어를 사용하여 기사 제목을 가져온다. 페이지에 있는 기사 제목들을 모두 가져오기 위해서 find_all() 메소드를 이용한다.

```
titles = soup.find_all("strong", class_="tit_thumb")
```

4.4 4단계: 찾은 데이터 가공 및 저장하기

추출한 데이터를 보기 좋게 정리하고, CSV 파일로 저장하여 활용할 수 있도록 한다.

① 뉴스 제목 한 줄씩 리스트로 모으기

- 뉴스 제목을 한 줄씩 꺼내어, 글자만 깔끔하게 정리해서 리스트로 저장한다. 즉, titles라는 목록 안에 있는 HTML 태그들에서 텍스트만 추출하고, 앞뒤 공백을 제거해서 cleaned_titles라는 새 리스트에 넣는다.
- .strip()을 사용하여 기사 제목의 앞뒤 공백을 제거할 수 있다.

```
cleaned_titles = [title.text.strip() for title in titles]
```

② CSV 파일로 저장하기

- 추출한 데이터를 csv 파일로 저장하면 엑셀에서 쉽게 열어볼 수 있다.

```
file_name = "다음 연예 뉴스.csv"

with open(file_name, "w", encoding="utf-8-sig") as file:
    for title in cleaned_titles:
        file.write(title + "\n")
print(f"데이터 수집 완료! '{file_name}' 파일이 저장되었습니다.")
```

③ 저장한 CSV 파일 확인하기

- "다음 연예 뉴스.csv" 파일이 정상적으로 생성되었는지 확인한다.
- 엑셀에서 열어보면 기사 제목이 깔끔하게 정리되어 있다.

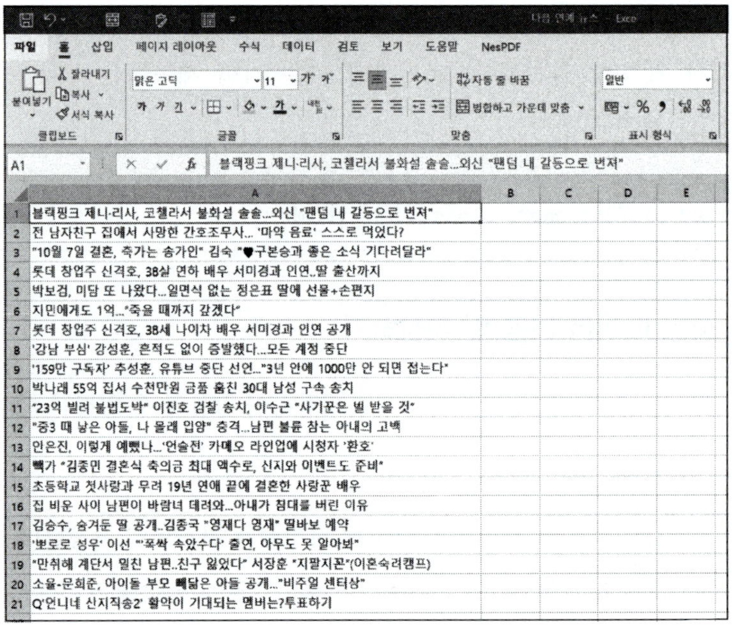

전체 코드

```
import requests
from bs4 import BeautifulSoup

# 1.HTML 문서 요청 및 추출하기
url = "https://entertain.daum.net/ranking/popular"
headers = {"User-Agent": "Mozilla/5.0"}
response = requests.get(url, headers=headers)
```

```
# 정상적으로 HTML을 가져왔는지 확인
if response.status_code == 200:
    print("HTML 문서 요청 성공!")
else:
    print("HTML 문서 요청 실패...")

# 2.HTML 문서 분석하기
soup = BeautifulSoup(response.text, "html.parser")

# 3.원하는 데이터 추출하기 (기사 제목)
titles = soup.find_all("strong", class_="tit_thumb")

# 4.데이터 정제 및 가공 (제목과 링크 저장)
cleaned_titles = [title.text.strip() for title in titles]

# 5.CSV 파일로 저장하기
file_name = "다음 연예 뉴스.csv"
with open(file_name, "w", newline="", encoding="utf-8-sig") as file:
    for title in cleaned_titles:
        file.write(title + "\n")
print(f"데이터 수집 완료! '{file_name}' 파일이 저장되었습니다.")
```

크롬 개발자 도구

웹 스크래핑을 하려면 웹페이지의 HTML 구조를 분석하는 것이 가장 중요하다. 하지만 HTML 코드가 길고 복잡할 때, 어디에서 필요한 데이터를 찾아야 할지 막막할 수 있다. 이럴 때 사용하는 강력한 도구가 바로 크롬 개발자 도구(Chrome DevTools)이다.

크롬 개발자 도구는 웹페이지의 HTML 코드, CSS 스타일, 네트워크 요청 등을 실시간으로 확인할 수 있는 도구이다. 이 도구를 활용하면 웹사이트의 구조를 쉽게 파악하고, 스크래핑할 데이터를 포함하고 있는 태그를 빠르게 찾을 수 있다.

▸ **크롬 개발자 도구 실행하기**

- 웹페이지에서 마우스 오른쪽 버튼 클릭 → '검사' 선택

  스크래핑하려는 데이터가 있는 웹페이지에서 마우스 오른쪽 버튼을 클릭한 뒤, '검사(Inspect)'를 선택하면 개발자 도구가 열린다.
- 키보드 단축키 사용

  F12 또는 Ctrl + Shift + I (Windows, Linux), Cmd + Option + I (Mac) 단축키를 사용하면 바로 개발자 도구가 실행된다.

▶ **HTML 코드 분석하기**

개발자 도구를 열면 화면 오른쪽(또는 하단)에 Elements(요소) 패널이 나타난다. 여기에서 웹페이지의 HTML 구조를 확인할 수 있다. 원하는 요소는 다음의 2가지 방법으로 찾을 수 있다.

– '요소 선택기' 아이콘( ) 사용(Ctrl + Shift + C)

개발자 도구 왼쪽 상단에 있는 '화살표 모양 아이콘'을 클릭한 후, 웹페이지에서 원하는 데이터를 클릭하면 해당 요소의 HTML 코드가 자동으로 강조된다.

– HTML 코드 직접 탐색

Elements 패널에서 직접 HTML 태그를 펼쳐보면서 원하는 요소를 찾을 수도 있다.

5 기상청 웹 데이터 가져와서 그래프로 그리기

우리가 일상에서 자주 확인하는 정보 중 하나는 바로 날씨이다. 기상청 웹사이트에서는 전국 주요 도시의 현재 기온과 습도 등을 실시간으로 확인할 수 있는데, 이 데이터를 직접 가져와서 그래프 형태로 시각화해보면 데이터 수집, 전처리, 분석, 시각화까지의 흐름을 자연스럽게 익힐 수 있다.

이 절에서는 기상청 웹페이지를 웹 스크래핑하고, 데이터를 정리한 뒤, 그래프를 그리는 전체 과정을 실습해 본다. 처리 과정은 아래와 같다.

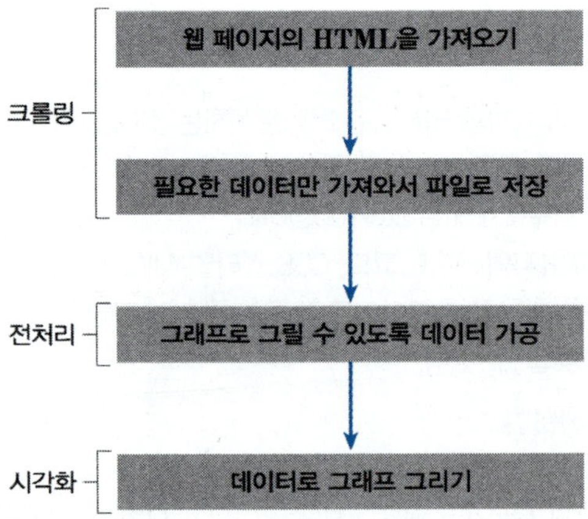

5.1 기상청 웹사이트 접속 및 구조 파악하기

기상청에서 제공하는 전국 도시별 관측 자료는 아래 주소에서 확인할 수 있다:

https://www.weather.go.kr/w/obs-climate/land/city-obs.do

해당 페이지에서 현재 기온, 습도, 강수량 등이 포함된 표가 보이는데, 이 표가 우리가 가져올 대상이다. 브라우저에서 F12를 눌러 개발자 도구를 열고 각 도시의 현재 기온과 습도를 찾아보면, id="weather_table"라는 테이블 태그로 전체 데이터를 담고 있다는 것을 확인할 수 있다.

5.2 Python을 이용해 HTML 데이터 가져오기

먼저 필요한 라이브러리를 설치하고, 웹 페이지의 HTML 코드를 파이썬으로 요청해서 가져온다.

```
pip install requests
pip install beautifulsoup4
```

다음은 HTML을 가져오는 코드이다:

```
import requests
from bs4 import BeautifulSoup
url = "https://www.weather.go.kr/w/obs-climate/land/city-obs.do"
headers = {"User-Agent": "Mozilla/5.0"}
response = requests.get(url, headers=headers)
soup = BeautifulSoup(response.content, "html.parser")
```

이제 soup 객체를 통해 HTML 태그에서 원하는 데이터를 추출할 수 있다.

5.3 테이블에서 날씨 정보 추출하기

기상청 웹사이트에서 우리가 필요한 정보는 다음과 같다:

- 도시명
- 현재기온
- 습도

이를 추출하는 코드는 다음과 같다:

```
weather_table = soup.find("table", id="weather_table")
rows = weather_table.find_all("tr")

weather_data = []
for row in rows[2:]:  # 첫 두 줄은 헤더이므로 생략
    cols = row.find_all("td")
    link = row.find("a")
    if len(cols) >= 1 and link:
        city = link.text.strip()     #도시명
        temp = cols[4].text.strip()  #현재 기온
        humid = cols[9].text.strip() #습도
        weather_data.append([city, temp, humid])
```

5.4 데이터 가공

추출된 데이터를 데이터 프레임의 형태로 바꾼 후 특별시 및 광역시 데이터만 다시 추출한다. 추출된 기온과 습도는 문자열 형태이므로 숫자로 바꾸어 준다.

```
# 시각화할 데이터 가공
df = pd.DataFrame(weather_data)
df.columns = ["도시", "기온", "습도"]

# 특별시 및 광역시 목록
cities = ["서울", "부산", "대구", "인천", "광주", "대전", "울산", "세종"]
#특별시 및 광역시에 해당하는 도시만 추출
df_city = df[df["도시"].isin(cities)]

# 문자열 → 숫자 변환 (에러 방지를 위해)
df_city["기온"] = pd.to_numeric(df_city["기온"])
df_city["습도"] = pd.to_numeric(df_city["습도"])
```

5.5 데이터 시각화: 그래프로 표현하기

데이터 시각화를 위한 라이브러리 및 한글 처리를 위한 설정을 해 준 후, 이중 축을 가지는 막대그래프(기온)와 선그래프(습도)로 시각화해보자.

```
# 데이터 시각화를 위한 처리
import pandas as pd
import matplotlib.pyplot as plt
import seaborn as sns
# 한글 폰트 설정
plt.rcParams['font.family'] = 'Malgun Gothic'
plt.rcParams['axes.unicode_minus'] = False

## 그래프 그리기
# 기본 축 생성
fig, ax1 = plt.subplots(figsize=(8, 5))

# 왼쪽 y축: 기온 (막대 그래프)
sns.barplot(
    data=df_city,
    x="도시",
    y="기온",
    hue="도시",
    alpha=0.6,
    ax=ax1
)

ax1.set_ylabel("기온 (℃)", fontsize=12)
ax1.set_ylim(0, 40)
ax1.set_title("도시별 기온과 습도", fontsize=14)

# 오른쪽 y축 생성
ax2 = ax1.twinx()

# 두 번째 y축: 습도 (선 그래프)
sns.lineplot(
    data=df_city,
    x="도시",
    y="습도",
    marker="o",
    markersize=10,
    linewidth=3,
    color="red",
    ax=ax2
```

```
)
ax2.set_ylabel("습도(%)", fontsize=12)
ax2.set_ylim(0, 100)

# 그래프 출력
plt.tight_layout()
plt.show()
```

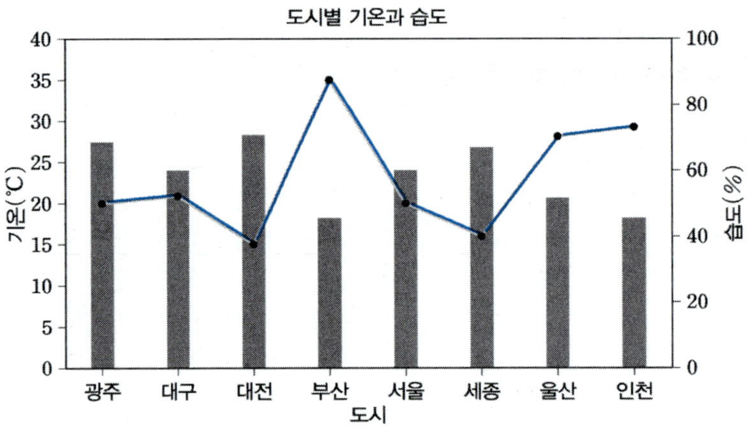

전체 코드

```
import requests
from bs4 import BeautifulSoup

#웹스크래핑
url = "https://www.weather.go.kr/w/obs-climate/land/city-obs.do"
headers = {"User-Agent": "Mozilla/5.0"}
response = requests.get(url, headers=headers)

soup = BeautifulSoup(response.content, "html.parser")

weather_table = soup.find("table", id="weather_table")
rows = weather_table.find_all("tr")

weather_data = []

for row in rows[2:]:  # 첫 줄은 헤더이므로 생략
    cols = row.find_all("td")
```

```
        link = row.find("a")
        if len(cols) >= 1 and link:
            city = link.text.strip()
            temp = cols[4].text.strip()
            humid = cols[9].text.strip()
            weather_data.append([city, temp, humid])

# 시각화를 위한 데이터 가공
df = pd.DataFrame(weather_data)
df.columns = ["도시", "기온", "습도"]

# 특별시 및 광역시 목록
cities = ["서울", "부산", "대구", "인천", "광주", "대전", "울산", "세종"]
df_city = df[df["도시"].isin(cities)]

# 문자열 → 숫자 변환 (에러 방지를 위해)
df_city["기온"] = pd.to_numeric(df_city["기온"])
df_city["습도"] = pd.to_numeric(df_city["습도"])

# 데이터 시각화를 위한 처리
import pandas as pd
import matplotlib.pyplot as plt
import seaborn as sns
# 한글 폰트 설정
plt.rcParams['font.family'] = 'Malgun Gothic'
plt.rcParams['axes.unicode_minus'] = False

# 그래프 그리기
# 기본 축 생성
fig, ax1 = plt.subplots(figsize=(8, 5))

# 첫 번째 y축: 기온 (막대 그래프)
sns.barplot(
    data=df_city,
    x="도시",
    y="기온",
    hue="도시",
    alpha=0.6,
    ax=ax1
```

```
)
ax1.set_ylabel("기온 (℃)", fontsize=12)
ax1.set_ylim(0, 40)
ax1.set_title("도시별 기온과 습도", fontsize=14)

# 두 번째 y축 생성
ax2 = ax1.twinx()

# 두 번째 y축: 습도 (선 그래프)
sns.lineplot(
    data=df_city,
    x="도시",
    y="습도",
    marker="o",
    markersize=10,
    linewidth=3,
    color="red",
    ax=ax2
)
ax2.set_ylabel("습도(%)", fontsize=12)
ax2.set_ylim(0, 100)

# 그래프 출력
plt.tight_layout()
plt.show()
```

❐ 주요 개념 요약

1. 웹 스크래핑 개요

- 웹 스크래핑(Web Scraping)은 사람이 직접 웹사이트에서 정보를 복사하지 않고, 컴퓨터가 자동으로 원하는 정보를 수집하는 기술이다. 활용 예시: 뉴스 수집, 가격 비교, 시장 분석 등
- 주요 특징 :

  ① 반복 작업 자동화

  ② 대량 데이터 수집

  ③ 구조화된 데이터로 변환 가능 (HTML → CSV, Excel 등)

  ④ 웹사이트 구조 변경에도 유연하게 대응 가능
- 웹 크롤링과의 차이:

  ① 크롤링은 여러 페이지를 찾아다니는 작업 (책장 탐색)

  ② 스크래핑은 필요한 정보를 뽑는 작업 (책에서 내용 복사)

2. HTML과 웹 페이지 이해

- 웹사이트는 기본적으로 HTML이라는 언어로 구성된다.
- HTML은 웹페이지의 구조(뼈대)를 담당하고, 우리가 보는 화면은 다양한 태그(tag)로 이루어져 있다.
- 자주 사용하는 HTML 태그:

  ① <h1>~<h6>: 제목

  ② <p>: 문단

  ③ <a>: 링크

  ④ <img>: 이미지

  ⑤ <table>, <tr>, <td>: 표 구조
- CSS와의 관계:

  ① CSS는 HTML을 꾸며주는 언어이다.

  ② HTML 태그에 붙은 id나 class 속성을 통해 스타일을 지정하거나, 데이터를 특정해서 스크래핑할 수 있다.

3. 웹 스크래핑 처리 순서

- 웹에서 원하는 데이터를 가져오기 위한 4단계 절차:

① HTML 문서 요청 : 웹사이트에 접속하여 HTML 문서를 받아온다 (requests 라이브러리 사용).

② HTML 문서 분석 : 개발자 도구(F12)를 통해 필요한 정보가 들어 있는 태그, class, id 등을 파악한다.

③ 원하는 데이터 추출 : BeautifulSoup으로 HTML을 분석하고 find(), select() 등으로 필요한 정보 추출

④ 찾은 데이터 가공 및 저장 : 텍스트 정리, 리스트 저장, CSV 파일로 저장 등

4. 다음(daum) 사이트 [연예] 랭킹 뉴스기사 스크래핑

- 실습 예제를 통해 HTML 요청 → 분석 → 제목 추출 → 저장 과정을 수행함
- 주요 포인트:

① 기사 제목이 포함된 태그: <strong class="tit_thumb">

② 텍스트만 추출: .text.strip()

③ 결과는 CSV 파일로 저장하여 엑셀에서 확인 가능

5. 기상청 웹 데이터 가져와서 그래프로 그리기

- 기상청 웹사이트에서 도시별 기온과 습도 데이터를 스크래핑
- HTML 테이블의 id="weather_table"에서 데이터 추출
- 전국 도시 중 특별시·광역시만 필터링하여 정리
- 시각화:

① matplotlib, seaborn을 이용하여 이중 축 그래프 생성

② 기온: 막대 그래프 / 습도: 선 그래프

01 영화 예매 순위 추출

영화 사이트(https://www.moviechart.co.kr/rank/realtime/index/image)에 접속해서 아래와 같이 [예매순위] 기준으로 영화 타이틀, 예매율, 개봉일을 추출해서 csv파일로 저장한다.

〈웹 페이지〉

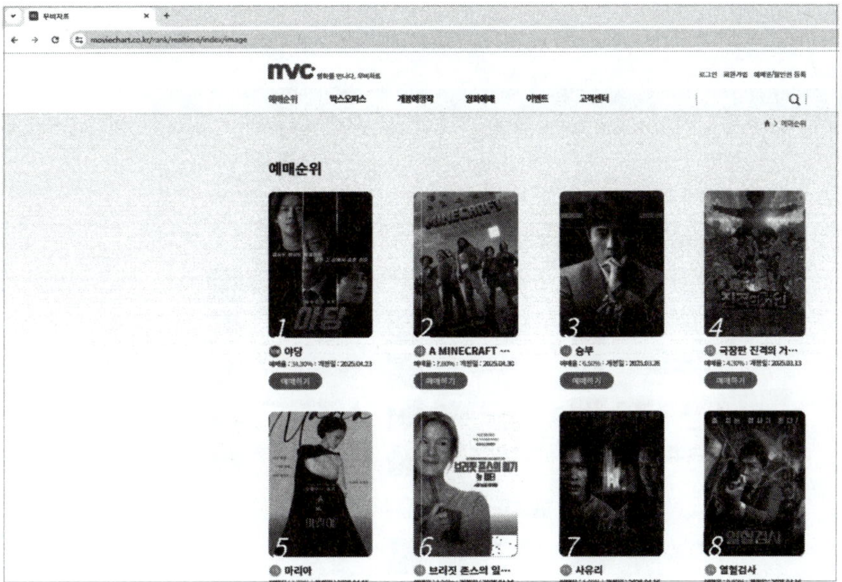

〈출력 결과〉

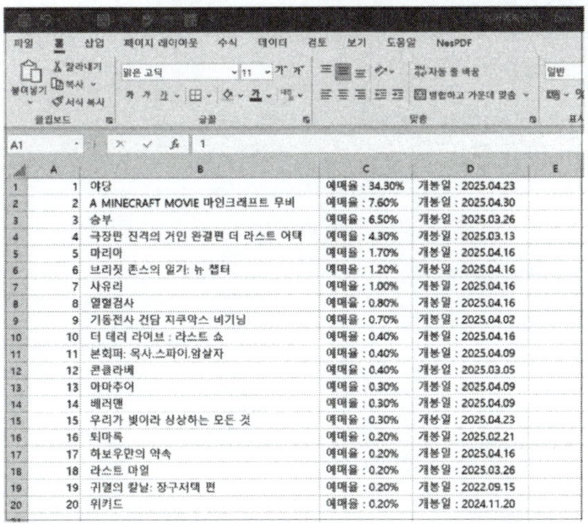

	A	B	C	D
1	1	야당	예매율 : 34.30%	개봉일 : 2025.04.23
2	2	A MINECRAFT MOVIE 마인크래프트 무비	예매율 : 7.60%	개봉일 : 2025.04.30
3	3	승부	예매율 : 6.50%	개봉일 : 2025.03.26
4	4	극장판 진격의 거인 완결편 더 라스트 어택	예매율 : 4.30%	개봉일 : 2025.03.13
5	5	마리아	예매율 : 1.70%	개봉일 : 2025.04.16
6	6	브리짓 존스의 일기: 뉴 챕터	예매율 : 1.20%	개봉일 : 2025.04.16
7	7	사유리	예매율 : 1.00%	개봉일 : 2025.04.16
8	8	열혈검사	예매율 : 0.80%	개봉일 : 2025.04.16
9	9	기동전사 건담 지쿠악스 비기닝	예매율 : 0.70%	개봉일 : 2025.04.02
10	10	더 데리 라이브 : 라스트 쇼	예매율 : 0.40%	개봉일 : 2025.04.16
11	11	본회퍼: 목사.스파이.암살자	예매율 : 0.40%	개봉일 : 2025.04.09
12	12	콘클라베	예매율 : 0.40%	개봉일 : 2025.03.05
13	13	아마추어	예매율 : 0.30%	개봉일 : 2025.04.09
14	14	배러맨	예매율 : 0.30%	개봉일 : 2025.04.09
15	15	우리가 빛이라 상상하는 모든 것	예매율 : 0.30%	개봉일 : 2025.04.23
16	16	퇴마록	예매율 : 0.20%	개봉일 : 2025.02.21
17	17	하보우만의 약속	예매율 : 0.20%	개봉일 : 2025.04.16
18	18	라스트 마일	예매율 : 0.20%	개봉일 : 2025.03.26
19	19	귀멸의 칼날: 장구저택 편	예매율 : 0.20%	개봉일 : 2022.09.15
20	20	위키드	예매율 : 0.20%	개봉일 : 2024.11.20

02 네이버 조회수 Top10 뉴스 추출

언론사별 랭킹 뉴스(https://news.naver.com/main/ranking/popularDay.naver) 페이지에서 언론사별 조회수 높은 기사들을 모두 스크래핑해서 가져온 후 조회수 높은 10개의 기사를 csv 파일로 내보낸다.

단, 언론사 이름과 언론사 코드를 매개변수로 하여 언론사별 뉴스 기사를 스크래핑하는 함수를 작성해서 처리한다.

〈웹 페이지〉

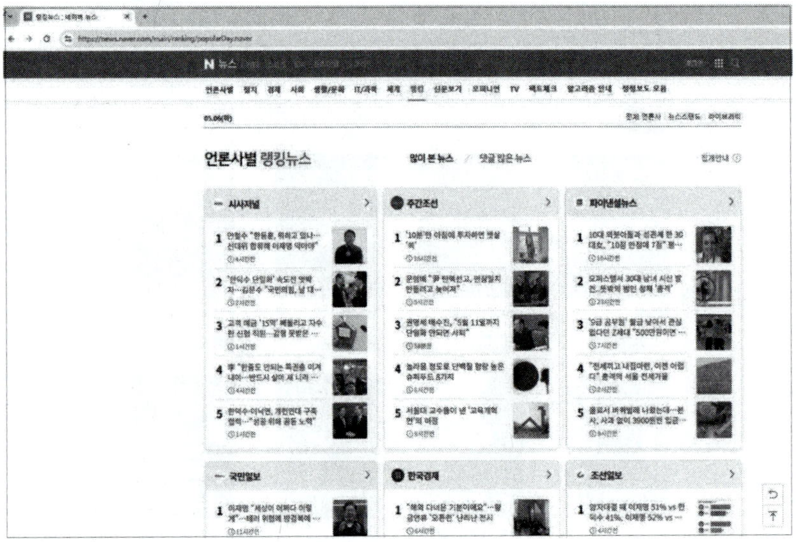

〈출력 결과〉

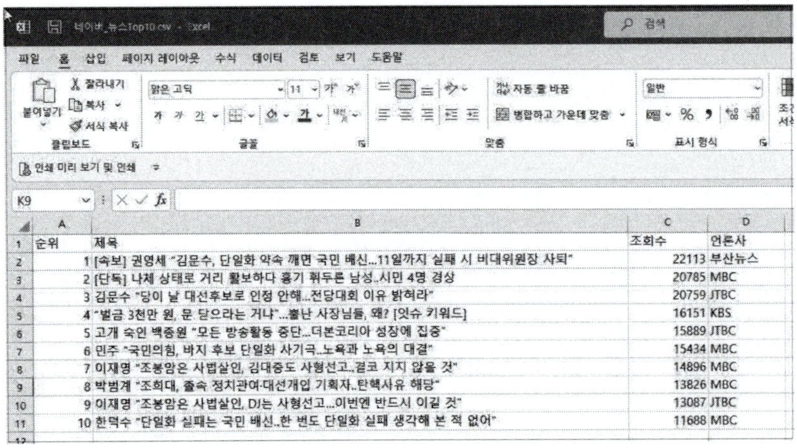

순위	제목	조회수	언론사
1	[속보] 권영세 "김문수, 단일화 약속 깨면 국민 배신...11일까지 실패 시 비대위원장 사퇴"	22113	부산뉴스
2	[단독] 나체 상태로 거리 활보하다 흉기 휘두른 남성..시민 4명 경상	20785	MBC
3	김문수 "당이 날 대선후보로 인정 안해...전당대회 이유 밝혀라"	20759	JTBC
4	"벌금 3천만 원, 문 닫으라는 거냐"...뿔난 사장님들, 왜? [잇슈 키워드]	16151	KBS
5	고개 숙인 백종원 "모든 방송활동 중단...더본코리아 성장에 집중"	15889	JTBC
6	민주 "국민의힘, 바지 후보 단일화 사기극..노욕과 노욕의 대결"	15434	MBC
7	이재명 "조봉암은 사법살인, 김대중도 사형선고..결코 지지 않을 것"	14896	MBC
8	박범계 "조희대, 출속 정치관여·대선개입 기획자..탄핵사유 해당"	13826	MBC
9	이재명 "조봉암은 사법살인, DJ는 사형선고...이번엔 반드시 이길 것"	13087	JTBC
10	한덕수 "단일화 실패는 국민 배신..한 번도 단일화 실패 생각해 본 적 없어"	11688	MBC

정답코드

01 영화 예매 순위 추출

```
from urllib.request import urlopen
from bs4 import BeautifulSoup as bs

# 1. URL 데이터 가져오기
url = "https://www.moviechart.co.kr/rank/realtime/index/image"
htmldata = urlopen(url)
# 2. BeautifulSoup 객체 생성
html = bs(htmldata, 'html.parser')
# 3. movie-info 데이터 추출
div = html.find_all("div", class_="movie-info")

#4. csv파일로 저장
file_name = "영화예배순위.csv"

with open(file_name, "w", newline="", encoding="utf-8-sig") as file:
# 5. 타이틀, 예매율, 개봉일 추출
    for idx, info in enumerate(div, start= 1):
        title = info.find("h3").get_text()
        ticketing = info.find("li", class_="ticketing").get_text()
        launch = info.find("li", class_="movie-launch").get_text()
        file.write(f"{idx}, {title}, {ticketing}, {launch} \n")

print(f"'{file_name}' 파일이 저장되었습니다.")
```

02 네이버 조회수 Top10 뉴스 추출

```
# scraping  관련 모듈 불러오기
import requests
from bs4 import BeautifulSoup
import pandas as pd

#함수를 작성해서 각 언론사별 뉴스 기사 스크래핑
def getNewsData(press, code):
    url = f"https://media.naver.com/press/{code}/ranking?/type=popular"
```

```
    webpage = requests.get(url).text

    soup = BeautifulSoup(webpage, 'html.parser')

    data = []
    for item in soup.select('li.as_thumb'):
        rank = item.select_one('em.list_ranking_num').text
        title = item.select_one('strong.list_title').text
        views = item.select_one('span.list_view').text
        data.append({'순위':rank, '제목':title, '조회수': views})

    df = pd.DataFrame(data)
    df['조회수'] = df['조회수'].str.replace('\n조회수\n', '').str.replace('\n', '
').str.replace(',', '').str.strip()
    df['조회수'] = df['조회수'].astype(int)  #조회수는 정수 타입으로 치환
    df['언론사'] = press

    return df

#언론사별 URL 주소로 코드 확인 후 딕셔너리로 구성 후 함수 호출
pressCode = {'MBC':'214', '연합뉴스':'422', 'KBS':'056', 'JTBC':'437', '부산뉴스
':'082'}

news_dt = pd.DataFrame()

for k, v in pressCode.items():
    news_dt = pd.concat([news_dt, getNewsData(k, v)])

# 조회수 높은 기사 10개 추출
news_top10 = news_dt.sort_values(by="조회수",ascending=False).head(10)
news_top10 = news_top10.reset_index(drop=True)  # 인덱스 재설정
news_top10['순위']= news_top10.index + 1 #순위 재설정
print(news_top10)

#4. csv파일로 저장
file_name = "네이버_뉴스Top10.csv"
news_top10.to_csv(file_name, index=False, encoding='utf-8-sig')
print(f"'{file_name}' 파일이 저장되었습니다.")
```

CHAPTER 2

데이터를 가져오고 가다듬다: Open API와 정규표현식

우리는 일상적으로 스마트폰 앱을 통해 날씨를 확인하거나, 포털에서 최신 뉴스를 검색하고, 지하철 도착 시간 등을 확인하곤 한다. 이처럼 다양한 웹 서비스들은 인터넷에 흩어져 있는 정보를 가져와 사용자에게 보여준다. 그런데 이 데이터들은 해당 앱에서 생성한 데이터가 아니라, 그 이면에는 공공기관으로부터 데이터를 '요청하고 받아오는' 기술이 작동한다.

바로 그 중심에 있는 것이 Open API이다. API는 '응용 프로그램 인터페이스'라는 뜻으로, 프로그램 간에 데이터를 주고받을 수 있게 해주는 통로이다. 특히 Open API는 누구나 사용할 수 있도록 공개된 API를 말한다. 이를 이용하면 프로그램이 자동으로 공공기관으로부터 데이터를 받아올 수 있다. 마치 정해진 규칙에 따라 작동하는 '데이터 자판기'처럼, 원하는 정보를 필요한 시점에 자동으로 가져올 수 있다.

Open API는 데이터를 활용하는 방식을 크게 바꾸어 놓았다. 과거에는 데이터를 수작업으로 복사하거나, 웹사이트를 일일이 확인해야 했다면, 이제는 몇 줄의 코드만으로 실시간 정보를 수집할 수 있다. 예를 들어 교통 상황, 미세먼지 수치, 도서 정보, 영화 상영 시간 등은 이미 다양한 기관이나 기업에서 Open API 형태로 제공하고 있다. 이러한 API를 활용하면 나만의 프로그램이나 앱에서 외부 데이터를 쉽게 가져와 활용할 수 있다.

이번 장에서는 Open API가 무엇인지, 어떻게 작동하는지, 그리고 실제로 데이터를 가져와 활용하는 방법까지 차근차근 살펴보려고 한다. 또한 Open API를 통해 가져온 데이터에서 필요한 정보만 골라내는 데 유용한 도구인 '정규표현식'도 함께 배워보자.

1 Open API란?

1.1 데이터를 문 두드려 받아오는 방법, Open API

우리는 인터넷에서 많은 정보를 검색하거나 앱을 통해 다양한 기능을 이용하곤 한다. 날씨, 뉴스, 영화 정보, 버스 도착 시간 등도 그중 하나다. 그런데 이런 정보는 단순히 웹페이지에만 있는 것이 아니다.

Open API를 이용하면 사람이 직접 보지 않고도, 프로그램이 자동으로 필요한 정보를 가져올 수 있다. Open API는 말 그대로 누구에게나 열려 있는(Application Programming Interface) 데이터 통로이다. 프로그래밍을 통해 필요한 데이터를 요청하면, 그에 대한 응답을 받아 사용할 수 있는 기능이다. 마치 "데이터 자판기"처럼, 버튼을 누르면 원하는 정보를 정해진 형식으로 받아올 수 있는 구조이다.

Open API는 우리가 모르는 사이에도 이미 많이 쓰이고 있다. 예를 들어 "부산시 미세먼지 수치"를 실시간으로 받아오거나, "기후 변화" 관련 뉴스를 자동으로 수집하는 것도 Open API를 이용하면 가능하다.

활용 예시	설명
공공데이터포털 API	정부가 제공하는 건강, 교통, 기상 등의 다양한 데이터를 제공한다.
기상청 API	오늘, 내일, 주간 날씨 정보를 자동으로 받아올 수 있다.
네이버 뉴스 검색 API	원하는 키워드에 맞는 뉴스 기사를 실시간으로 불러올 수 있다.
버스/지하철 도착 정보 API	앱에서 실시간으로 버스가 어디쯤 왔는지 알려주는 기능이 여기에 해당한다.

정리하자면, Open API는 업데이트가 빈번하고 이용자가 많은 대용량 데이터를 제공해야 할 때 사용할 수 있다. 날씨나 교통 정보 등 실시간 업데이트되는 데이터를 제공 받을 수 있고, 소프트웨어 개발자나 사용자들이 쉽게 활용할 수 있어 개발 비용 절감, 개발 기간 단축 등 다양한 장점이 있다.

1.2 Open API에서의 Request와 Response

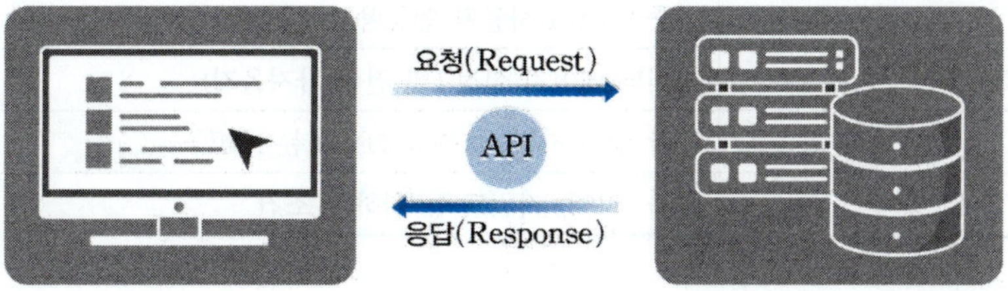

Open API 프로세스를 쉽게 설명하자면, API는 대화창구이고, request는 질문을 던지고 response는 답변을 받는 것이라고 할 수 있다. 즉 Open API는 마치 데이터를 제공해주는 공공기관 사무실과 같은 역할을 하며, 이때 우리가 무언가를 요청하는 행위가 바로 request이고, 그에 대한 답변으로 돌아오는 데이터가 response이다.

① Request (요청): "무엇을 원하나요?"

Request(요청)는 우리가 API 서버에게 보내는 질문서와 같다. 이 질문은 보통 URL + 요청 파라미터(parameter)의 조합으로 구성된다. 공공데이터 포털에서 대기정보 API 데이터를 가져오는 예시를 들어 설명하면 다음과 같다.

```
http://apis.data.go.kr/B552584/.../getAirData
?serviceKey=인증키
&sidoName=서울
&returnType=json
```

이 주소는 다음과 같은 요청을 의미한다:

- 어디로? → getAirData API 주소로
- 누가? → serviceKey로 인증된 사용자가
- 무엇을? → 서울의 대기 정보를
- 어떻게 받을까? → json 형식으로 응답 원함

자주 쓰이는 요청(request) 요소

요소	설명
serviceKey	인증키 (API 사용자 인증용)
pageNo, numOfRows	데이터 페이지 설정 (몇 건씩 가져올지)
returnType	응답 형식 지정 (보통 JSON 또는 XML)
기타 필터	날짜, 지역, 키워드 등 원하는 조건

② Response (응답): "여기 있습니다!"

Response(응답)는 서버가 보낸 답변서이다. 우리가 보낸 요청에 대해, 서버는 해당하는 데이터를 찾아 돌려준다.

응답의 형태

응답은 보통 두 가지 형식 중 하나로 온다:

형식	설명
JSON	사람이 읽기 쉽고, 파이썬에서 다루기 편한 딕셔너리 형식 (요즘 대부분 사용)
XML	태그 형식의 응답, 예전 시스템에서 자주 사용됨

JSON과 XML은 둘 다 인터넷에서 데이터를 주고받기 위한 형식이다. 예를 들어, 날씨 정보, 뉴스 기사, 상품 목록 같은 데이터를 웹사이트나 앱, 프로그램끼리 주고받을 때 사용된다. 즉, 사람이 아닌 컴퓨터끼리 데이터를 이해하고 주고받는 공통 언어라고 할 수 있다.

③ JSON 형식

Open API를 통해 데이터를 요청하면, 서버에서는 보통 JSON 형식으로 응답한다. JSON(JavaScript Object Notation)은 자바스크립트 문법을 바탕으로 만들어진, 간단하고 가벼운 데이터 표현 방식이다.

특징

- 사람도 읽기 쉽고, 컴퓨터도 이해하기 쉽다.
- 중괄호 {}와 대괄호 []를 이용한 간단한 구조
- 파이썬의 딕셔너리와 거의 같은 구조

예시 (날씨 정보)

예를 들어 날씨 정보를 요청했을 때 다음과 같은 형태로 응답이 올 수 있다.

```
{
  "지역": "서울",
  "기온": 17.5,
  "습도": 55,
  "날씨": "맑음"
}
```

④ XML형식

XML (eXtensible Markup Language)은 HTML처럼 태그를 이용해서 데이터를 표현하는 방식이다. HTML과 비슷한 생김새지만, 의미는 다르다.

특징

- <태그>를 이용해 데이터를 감싼다
- 사람이 읽기엔 조금 복잡하지만, 구조화는 잘 되어 있다
- 예전 시스템이나 공공기관에서 많이 사용한다

예시 (같은 날씨 정보)

```
<날씨정보>
  <지역>서울</지역>
  <날씨>맑음</날씨>
  <기온>22</기온>
  <습도>45</습도>
</날씨정보>
```

JSON은 간단하고 빠르며, 요즘 웹과 앱에서 가장 널리 쓰이는 형식이다. 반면, XML은 구조화는 뛰어나지만 복잡하고 길며, 주로 공공기관, 금융기관 등에서 많이 사용된다. 다시 말해 JSON이 요즘 세대의 언어라면, XML은 오래된 시스템과의 연결 고리라고 할 수 있다.

Json과 XML의 차이를 정리하면 다음과 같다.

항목	JSON	XML
구조	{} 와 []	〈태그〉
가독성	간단하고 보기 쉽다	다소 복잡하고 길다
데이터 크기	짧고 가볍다	상대적으로 길고 무겁다
사용 언어	자바스크립트 기반, 파이썬과도 잘 맞음	HTML 계열, 다양한 언어 지원
파싱(분석) 속도	빠르다	느릴 수 있음
활용도	최신 웹서비스, API, 앱 등	정부, 은행, 오래된 시스템 등
확장성	제한적	자유롭게 태그를 정의할 수 있음

2 파이썬으로 Open API 데이터 가져오기

2.1 실습 준비: 공공데이터포털에서 API 키 발급받기

Open API를 사용하려면 보통 개인 키(API Key)를 발급받아야 한다. 이 키는 마치 본인을 인증하는 비밀번호처럼, 데이터를 요청할 때 함께 사용된다. 예를 들어 공공데이터포털에서 API 키를 발급받아 데이터를 가져오는 과정을 실습해 보자.

발급 절차 (예: 공공데이터포털)

① 공공데이터 포털에 접속, 회원가입 후 로그인한다. (https://www.data.go.kr/)

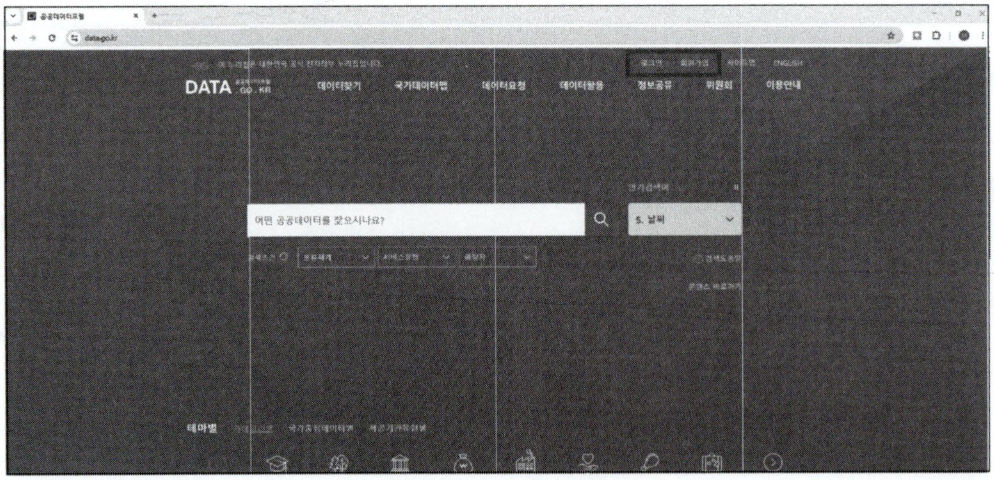

② 원하는 자료를 검색한다.(예: 미분양, 미세먼지..)

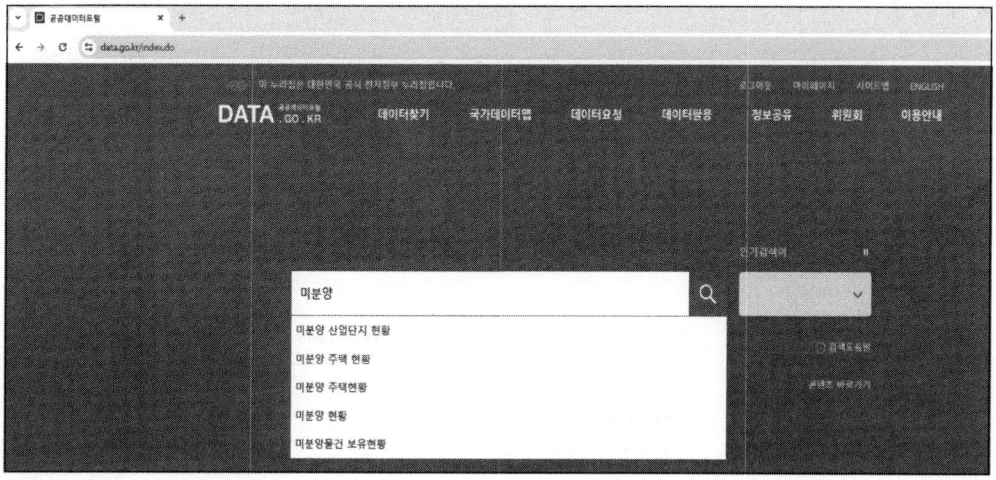

③ 검색된 데이터 중 [오픈 API]를 선택한다. 그 중 "부산광역시_공동주택 미분양 현황" 옆에 있는 [활용신청] 버튼을 클릭한다.

④ OpenAPI 개발계정 신청 페이지에서 “활용목적 선택” 항목을 아래와 같이 입력하고 [활용신청] 버튼을 누른다.

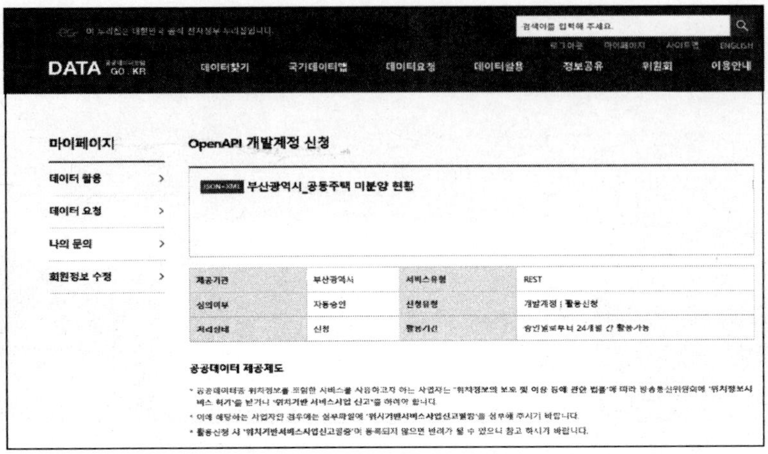

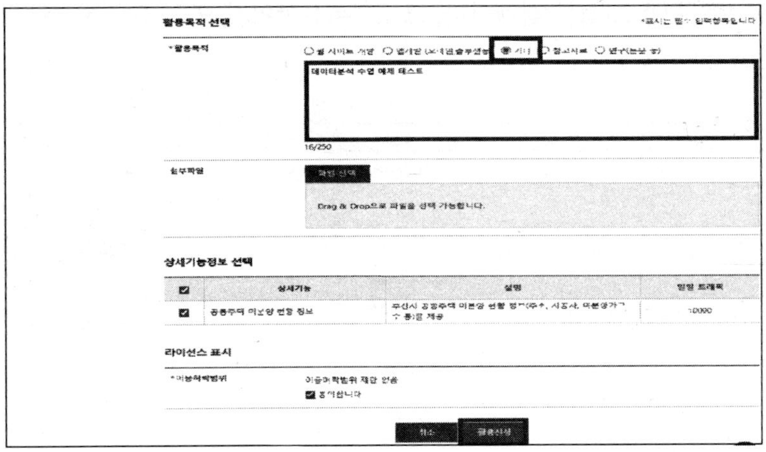

⑤ 승인 후 [마이페이지]-[데이터 활용]-[인증키 발급현황]에서 신규발급된 인증키를 확인한다.

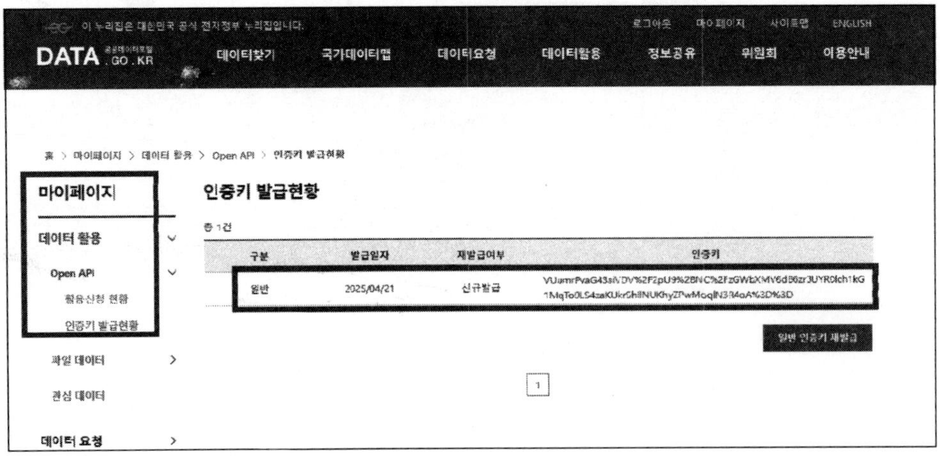

⑥ 발급된 코드를 이용하여 프로그램이 자동으로 데이터를 가져올 수 있다.

2.2 참고 문서 및 파이썬 샘플 코드 확인하기

① [마이페이지]-[데이터 활용]-[Open API]-[활용신청 현황]에서 승인된 '부산광역시_공동주택 미분양 현황'을 클릭한다.

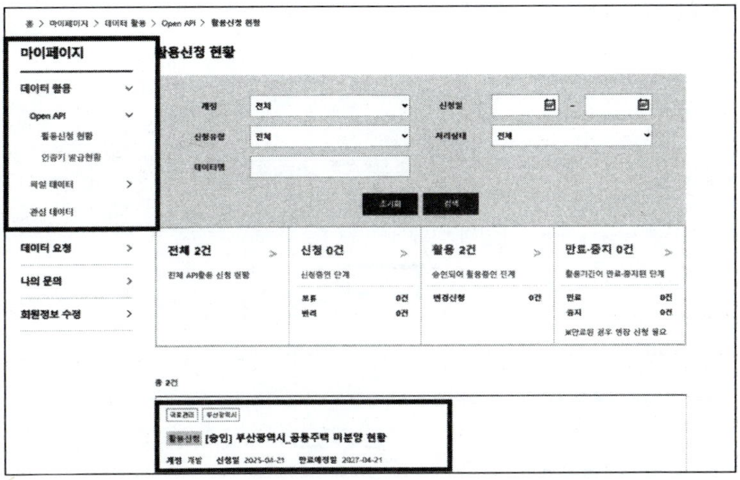

② 개발계정 상세보기 페이지에 나온 [기본 정보] 및 [서비스 정보]를 확인한다. 특히 [서비스 정보] "부산 공동주택 미분양 현황 정보 서비스.docx"를 다운받아 해당 자료에서 제공하는 코드 및 설명을 반드시 읽어보아야 한다.

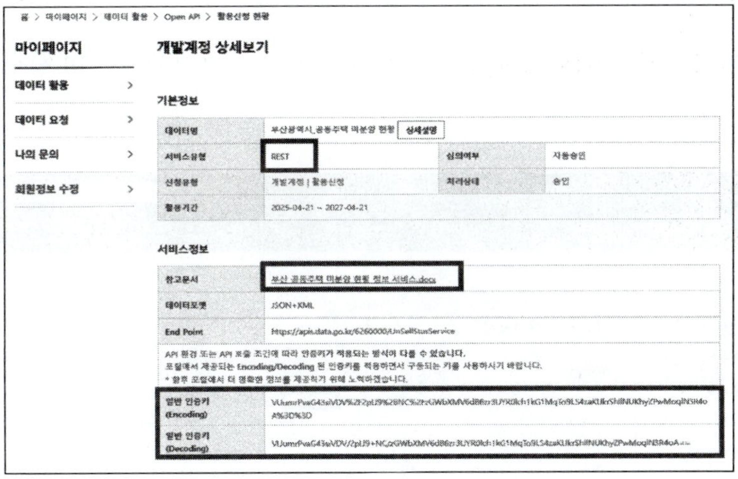

③ 페이지 중간에 있는 [활용신청 상세기능정보]에서 제공하는 [미리보기]를 이용하면 어떠한 정보를 API로 가져올 수 있는지 미리 확인할 수 있다.

화면에 나타난 요청변수(Result Parameter) 항목에서 ServiceKey는 '일반 인증키(Encoding)'를 복사/붙여넣기한 후, [미리보기] 버튼을 누르면 제공되는 데이터를 미리 확인할 수 있다

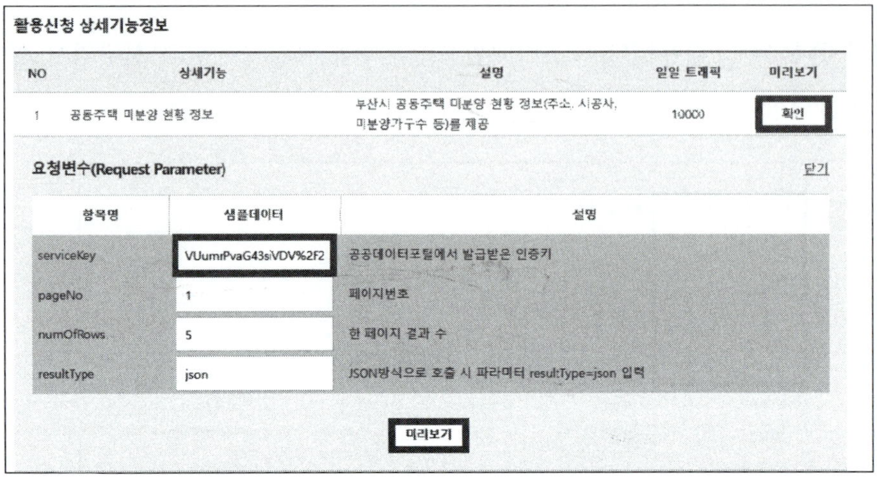

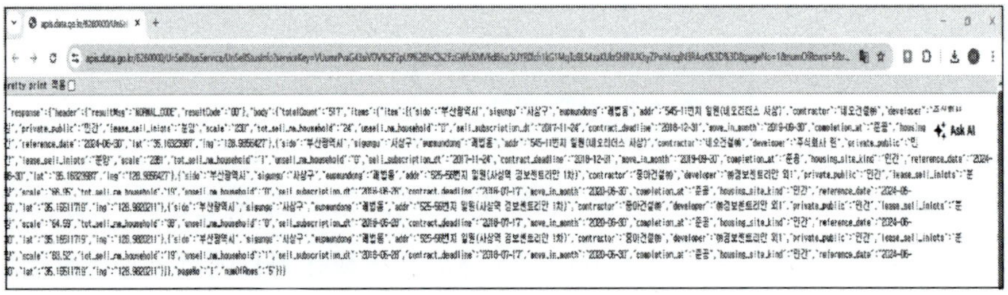

2.3 파이썬 코드로 Open API 데이터 가져오기

① [개발계정 상세보기]-[기본 정보]에서 [상세설명] 버튼을 누르면 [오픈API 상세] 페이지가 열린다.

② [오픈API 상세] 페이지에서 스크롤바를 내리면 요청변수(Request Parameter)와 출력결과(Response Element)에 대한 자세한 설명을 확인할 수 있다.

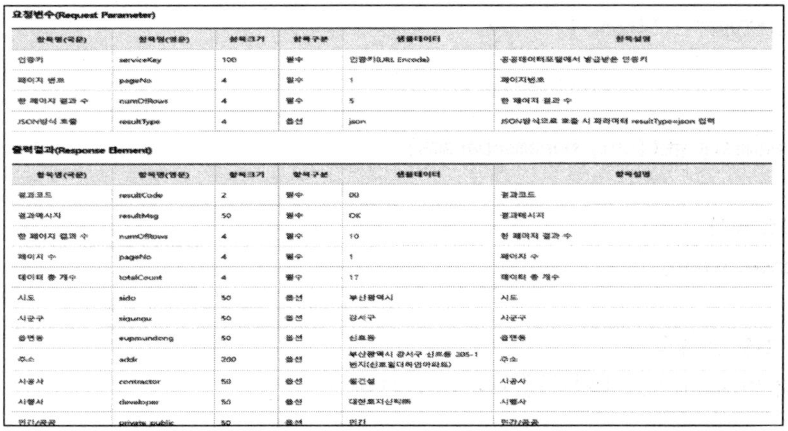

③ [오픈API 상세] 페이지 하단에는 다양한 프로그램 언어별로 오픈 API 샘플 코드를 제공한다. 파이썬(Python)을 선택하고 샘플 코드를 복사한다.

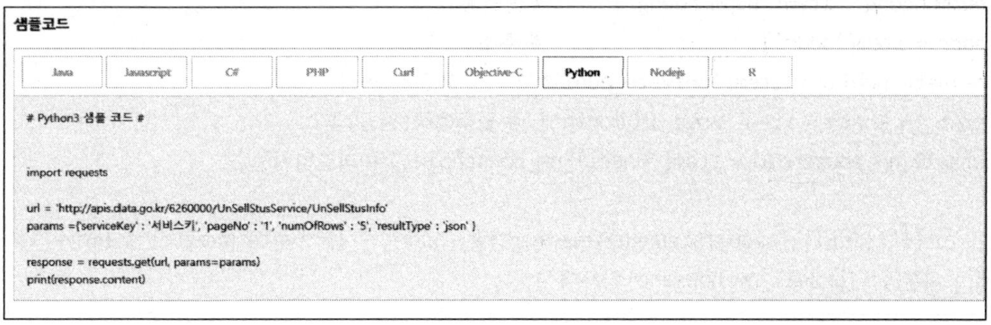

④ 공공데이터 포털에서 제공하는 파이썬 샘플코드를 바탕으로 아래와 같이 코드를 작성해 본다.

Open API를 실행하기 전 컴퓨터에 아래 라이브러리를 설치해두어야 한다.

설치 코드

```
pip install requests
```

입력 코드

```
# Python3 샘플 코드 #
import requests

url = 'http://apis.data.go.kr/6260000/UnSellStusService/UnSellStusInfo'
params ={'serviceKey' : 'VUumrPvaG43siVDV/2pU9+NC/zGWbXMV6dB6zr3UYR0lch1kG1MqTo9LS4za
KUkrShIlNUKhyZPwMoqlN3R4oA==', #본인의 인증키 붙여넣기
        'pageNo' : '1',
        'numOfRows' : '100',
        'resultType' : 'json' }

# API 요청
response = requests.get(url, params=params)

# JSON 데이터로 파싱
data = response.json()

# 필요한 정보 추출 및 출력
items = data['response']['body']['items']['item']

for idx, item in enumerate(items, start=1):
    sido = item['sido']                         # 시도
    sigungu = item['sigungu']                   # 시군구
    eupmundong = item['eupmundong']             # 읍면동
    addr = item['addr']                         # 주소
    private_public = item['private_public']     # 민간/공공
    move_in_month = item['move_in_month']  # 입주예정(준공)월
    unsell_nm_household = item['unsell_nm_household'] # 미분양가구수

    print(f"[{idx}] {sido}{sigungu}{eupmundong}{addr} | {private_public} | {move_in_mo
nth} | 미분양: {unsell_nm_household}세대")
```

출력 결과

```
[1] 부산광역시사상구괘법동545-11번지 일원(네오리더스 사상) | 민간 | 2019-09-30 | 미분양: 0세대
[2] 부산광역시사상구괘법동545-11번지 일원(네오리더스 사상) | 민간 | 2019-09-30 | 미분양: 0세대
[3] 부산광역시사상구괘법동525-56번지 일원(사상역 경보센트리안 1차) | 민간 | 2020-06-30 | 미분양: 0세대
[4] 부산광역시사상구괘법동525-56번지 일원(사상역 경보센트리안 1차) | 민간 | 2020-06-30 | 미분양: 0세대
[5] 부산광역시사상구괘법동525-56번지 일원(사상역 경보센트리안 1차) | 민간 | 2020-06-30 | 미분양: 1세대
[6] 부산광역시사상구괘법동525-56번지 일원(사상역 경보센트리안 1차) | 민간 | 2020-06-30 | 미분양: 0세대
[7] 부산광역시사상구괘법동525-56번지 일원(사상역 경보센트리안 1차) | 민간 | 2020-06-30 | 미분양: 0세대
[8] 부산광역시사상구괘법동525-56번지 일원(사상역 경보센트리안 1차) | 민간 | 2020-06-30 | 미분양: 4세대
[9] 부산광역시사상구괘법동564-8번지 일원(사상역 포르투나 더 테라스) | 민간 | 2020-12-31 | 미분양: 4세대
[10] 부산광역시사상구괘법동564-8번지 일원(사상역 포르투나 더 테라스) | 민간 | 2020-12-31 | 미분양: 1세대
[11] 부산광역시사상구괘법동564-8번지 일원(사상역 포르투나 더 테라스) | 민간 | 2020-12-31 | 미분양: 1세대
[12] 부산광역시사상구괘법동564-8번지 일원(사상역 포르투나 더 테라스) | 민간 | 2020-12-31 | 미분양: 11세대
[13] 부산광역시사상구괘법동564-8번지 일원(사상역 포르투나 더 테라스) | 민간 | 2020-12-31 | 미분양: 2세대
[14] 부산광역시사상구괘법동564-8번지 일원(사상역 포르투나 더 테라스) | 민간 | 2020-12-31 | 미분양: 0세대
[15] 부산광역시사상구괘법동564-8번지 일원(사상역 포르투나 더 테라스) | 민간 | 2020-12-31 | 미분양: 0세대
[16] 부산광역시사상구괘법동564-8번지 일원(사상역 포르투나 더 테라스) | 민간 | 2020-12-31 | 미분양: 0세대
[17] 부산광역시사상구괘법동564-8번지 일원(사상역 포르투나 더 테라스) | 민간 | 2020-12-31 | 미분양: 0세대
[18] 부산광역시사상구괘법동564-8번지 일원(사상역 포르투나 더 테라스) | 민간 | 2020-12-31 | 미분양: 0세대
[19] 부산광역시사상구모라동산91-16번지 일원(구남역모라동원로얄듀크) | 민간 | 2019-02-28 | 미분양: 0세대
[20] 부산광역시사상구모라동산91-16번지 일원(구남역모라동원로얄듀크) | 민간 | 2019-02-28 | 미분양: 2세대
[21] 부산광역시사상구모라동산91-16번지 일원(구남역모라동원로얄듀크) | 민간 | 2019-02-28 | 미분양: 0세대
```

3 정규표현식 기초 다지기

3.1 정규표현식이란?

정규표현식(Regular Expression), 줄여서 Regex(레젝스)는 문자열에서 일정한 규칙(패턴)을 가진 글자들을 찾아내는 방법이다. 사람이 직접 눈으로 찾지 않고, 컴퓨터가 자동으로 원하는 정보를 찾아줄 수 있게 해주는 도구이다.

예를 들어, 아래와 같은 작업을 자동으로 할 수 있다.

- 문장 속에서 핸드폰 번호만 골라내기
- 웹페이지에서 이메일 주소 추출하기
- 텍스트 속에서 날짜나 우편번호 찾기
- 로그파일에서 특정 에러메시지가 들어간 라인 찾기

즉, 정규표현식은 데이터를 정리하거나 분석할 때 필요한 정보만 콕 집어내는 매우 강력한 필터 역할을 해준다.

3.2 정규 표현식 기초 문법

정규표현식은 특수기호를 사용해 패턴을 표현한다. 처음엔 생소할 수 있지만, 몇 가지 기본만 익히면 쉽게 응용할 수 있다.

기호	의미	예시
.	아무 글자 하나	a.b → 'aXb', 'a1b' 등
*	바로 앞 글자가 0번 이상 반복	ba* → 'b', 'ba', 'baaa'
+	앞 글자가 1번 이상 반복	ba+ → 'ba', 'baa', 'baaa'
?	앞 글자가 있을 수도 있고 없을 수도 있음	ba? → 'b', 'ba'
[ ]	대괄호 안의 문자 중 하나	[012] → '0', '1', '2' 중 하나
[^]	대괄호 안 문자를 제외한 것	[^0-9] → 숫자가 아닌 문자
{n, m}	최소 n번, 최대 m번 반복	a{2, 3} → 'aa', 'aaa'
^	문자열 시작	^hello → 'hello'로 시작
$	문자열 끝	world$ → 'world'로 끝
|	두 문자열 중 하나 (OR 기능)	aa|ab → 'aa', 'ab'
( )	소괄호 안의 문자를 하나로 묶음	(abc)+ → 'abc', 'abcabc'

이 규칙들을 조합하면 어떤 패턴이든 쉽게 표현할 수 있다.

3.3 정규표현식 실습 예제

입력 코드1 : 핸드폰 번호 찾기

```
import re

text = "문의는 010-1234-5678 또는 010-8765-4321로 주세요."
pattern = r"\d{3}-\d{4}-\d{4}"  # 숫자3자리-숫자4자리-숫자4자리

result = re.findall(pattern, text)
print(result)  # ['010-1234-5678', '010-8765-4321']
```

입력 코드2 : 이메일 주소 추출

```
import re

text = "메일은 hello@naver.com 또는 contact@daum.net으로 보내세요."
pattern = r"[a-zA-Z0-9._%+-]+@[a-zA-Z0-9.-]+\.[a-z]{2,}"

emails = re.findall(pattern, text)
print(emails)  # ['hello@naver.com', 'contact@daum.net']
```

입력 코드3 : 날짜 형식 추출 (YYYY-MM-DD)

```
import re

text = "회의는 2025-04-22에 예정되어 있습니다."
pattern = r"\d{4}-\d{2}-\d{2}"

dates = re.findall(pattern, text)
print(dates)  # ['2025-04-22']
```

3.4 정규표현식 함수 비교: match vs search vs findall

정규표현식을 사용할 때는 주로 re 모듈을 사용하며, 가장 많이 쓰는 함수 3가지는 다음과 같다.

함수	설명	예시
re.match(패턴, 문자열)	문자열 시작부터 매칭되는 패턴이 있는지 찾음	"hello world"에서 re.match("hello", …)은 찾음
re.search(패턴, 문자열)	문자열 전체에서 처음 발견된 텍스트 하나만 반환	"say hello"에서 re.search("hello", …)
re.findall(패턴, 문자열)	일치하는 모든 항목을 리스트로 반환	"전화: 010-1234-5678, 010-9999-8888"에서 모두 찾기

입력 코드

```
import re

text = "문의는 010-1234-5678 또는 010-8765-4321로 주세요."
pattern = r"\d{3}-\d{4}-\d{4}"  # 숫자3자리-숫자4자리-숫자4자리

result1 = re.match(pattern, text)
print(result1)  # 문자열 시작 부분에 전화번호가 없으므로 None 리턴
result2 = re.search(pattern, text)
print(result2)  # 전화번호 패턴과 일치하는 첫번째 전화번호만 리턴
result3 = re.findall(pattern, text)
print(result3)  # 전화번호 패턴과 일치하는 모든 전화번호 리턴
```

출력 결과

```
None
<re.Match object; span=(4, 17), match='010-1234-5678'>
['010-1234-5678', '010-8765-4321']
```

4 Open API + 정규표현식 연습

지금까지 우리는 Open API를 통해 데이터를 요청하고 받아오는 방법을 배웠고, 또 정규표현식을 사용하여 특정 패턴을 가진 텍스트를 뽑아내는 방법도 익혔다.

이제 이 두 가지 기술을 실제로 함께 활용해보는 실습을 진행해보자.

이번 실습에서는 한국관광공사 캠핑 API를 활용하여 전국 캠핑장 정보를 불러오고, 그중에서 사용자가 원하는 키워드(예: 글램핑, 캠핑, 카라반 등)가 포함된 시설명만 골라서 출력해본다.

4.1 단계 1: 공공데이터 포털에서 캠핑장 데이터 API 활용 신청

① 공공데이터 포털에서 "한국관광공사 캠핑장"을 검색한다.

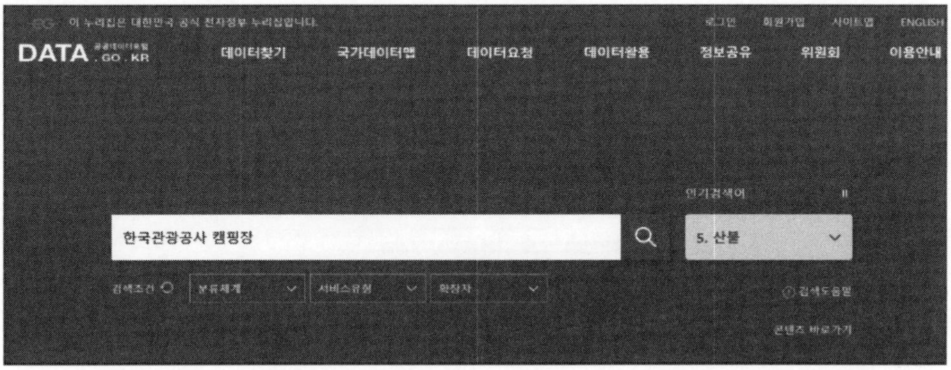

② 검색된 API 데이터 중 "한국관광공사_고캠핑 정보 조회서비스_GW"를 선택한다.

③ 오픈API 상세 페이지에서 [활용신청] 버튼을 눌러 활용 신청한다.

④ [마이페이지]-[데이터활용]-[Open API]-[활용신청 현황]에서 승인된 "한국관광공사_고캠핑 정보 조회서비스_GW"를 선택하여, [계발계정 상세보기]에서 [기본정보] 및 [서비스정보]를 확인하다. 제공된 참고문서 "TourAPI_Guide_(고캠핑)v4.1.zip"도 다운로드 받아서 꼼꼼히 데이터 스펙을 확인한다.

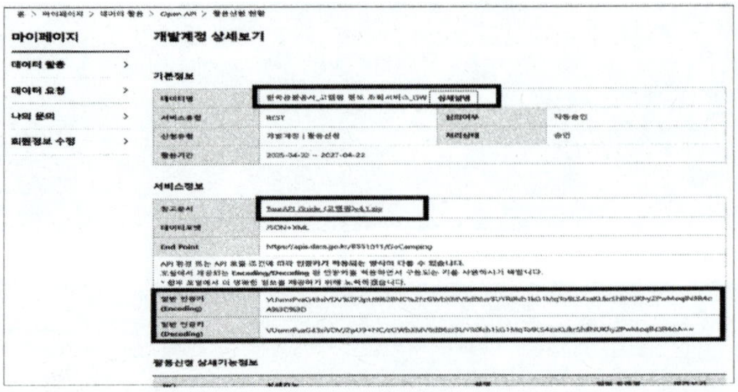

⑤ [활용신청 상세기능정보]에서 [기본 정보 목록 조회]-[미리보기] 버튼을 눌러 인증키를 복사/붙여넣기하여 제공되는 데이터를 미리 확인해 본다.

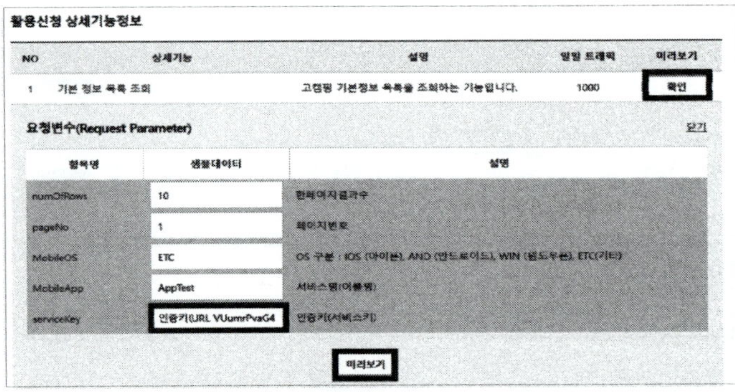

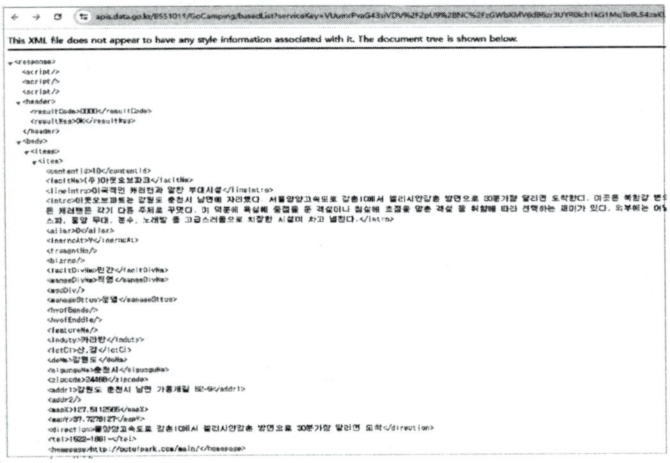

4.2 단계 2: 파이썬 코드를 이용하여 API 데이터 가져오기

① Open API 데이터를 가져오기 위한 필요 모듈을 불러온다.

```
import requests
import xml.etree.ElementTree as ET
import pandas as pd
import re
```

② 공공데이터포털에서 발급받은 나만의 API 인증 키를 입력한다. 이 인증 키가 있어야 데이터를 요청할 수 있다.

```
# 공공데이터포털에서 발급받은 서비스 인증 키
service_key = "VUumrPvaG43siVDV/2pU9+NC/zGWbXMV6dB6zr3UYR0lch1kG1MqTo9LS4zaKUkrShIlNU
KhyZPwMoqlN3R4oA=="
```

③ 데이터를 가져올 URL과 파라미터를 설정한다. 한 번에 100개의 캠핑장 데이터를 요청하도록 설정했으며, MobileApp과 MobileOS는 필수 항목이며, 자유롭게 설정해도 된다.

```
# 캠핑장 API 주소 및 파라미터 설정
url = "http://apis.data.go.kr/B551011/GoCamping/basedList"
params = {
    'numOfRows': 100,
    'pageNo': 1,
    'MobileOS': 'ETC',
    'MobileApp': 'AppTest',
    'serviceKey': service_key,
}
```

④ 캠핑 API에 요청을 보내고 응답을 XML 형식으로 받는다. root는 XML 구조의 최상위 루트를 의미한다.

```
# API 요청 → XML 응답 받기
response = requests.get(url, params=params)
root = ET.fromstring(response.content)
```

⑤ XML 구조 안에서 모든 <item> 요소를 찾는다. 각 시설의 이름(facltNm)과 주소(add41), 전화번호(tel)와 홈페이지주소(homepage)를 출력한다.

```
# item내에 있는 정보 중 캠핑장 이름,주소,전화번호,홈페이지주소 출력
for item in root.findall(".//item"):
  print(item.findtext("facltNm"), ",", item.findtext("addr1"),",", item.findtext("tel
"),",", item.findtext("homepage"))
```

출력 결과

```
(주)아웃오브파크 , 강원도 춘천시 남면 가옹개길 52-9 , 1522-1861- , http://outofpark.com/main/
파크킹 , 경북 김천시 어모면 은림로 62-11 , 054-434-6677 , https://www.instagram.com/amazingpark6211/
봉조살롱 , 강원 횡성군 서원면 서원서로102번길 3-18 , 033-345-3336 , https://www.instagram.com/salon.de.bonj/
힐링피아 카라반 글램핑 풀 캠핑장 , 경기 가평군 설악면 유명산길 61-75 , 010-3148-9970 , http://healingpia.co.kr
우니메이카 태안점 , 충남 태안군 소원면 산간이길 158-24 , 043-1668-3972 ,
뇌운계곡글램핑 , 강원 평창군 평창읍 뇌운계곡로 659-6 , 033-332-0009 , https://pcglamping.modoo.at/
충주 비내캠프 체험학습장 , 충북 충주시 앙성면 학교말2길 50 ,  , http://www.binaecamping.co.kr
솔비치캠핑장 , 충남 태안군 남면 몽산포길 63-23 ,  , https://solbeachcamp.modoo.at/
가온오토캠핑장 , 경북 포항시 북구 죽장면 새마을로 3351 ,  , http://www.gaoncamp.com/
림스 글램핑 , 전남 강진군 강진읍 해강로 1038-30 ,  , http://limsglamping.modoo.at
호미곶유니의바다 카라반캠핑장 , 경북 포항시 남구 호미곶면 해맞이로46번길 134 ,  , http://www.xn--2-9r8eycu16b70nwja.com/main.php
예손캠핑장 , 경북 고령군 덕곡면 가륜장길 20-7 ,  ,
(주)웨이브파크 , 경기 시흥시 거북섬둘레길 42 (정왕동) , 031-431-9600 , https://wavepark.co.kr/facilityCaravan
포에스카라반파크 , 경북 포항시 남구 구룡포읍 동해안로 4166-17 ,  , http://xn--9t4b11duur.com/?intro=OK
약수동산 , 경기 양평군 옥천면 약수동산길 86 , 031-771-4664 , https://www.instagram.com/yaksudongsan
학암포글램핑 , 충청남도 태안군 원북면 방갈리 515-26  , 041-674-5113 ,
더예감스테이 , 경남 산청군 단성면 호암로 702-22 , 055-972-9900 , https://www.instagram.com/the._.yegamstay/
캠프더포레 , 경남 함양군 서상면 부전계곡로 245 ,  , https://camptheforet.modoo.at/
태그하우스 , 인천 강화군 길상면 동검길154번길 24-19 ,  , http://www.태그하우스.com/
양지뜰캠핑장 , 전북 무주군 설천면 보안길 88 , 0507-1321-0532 , http://www.무주양지뜰.com
우리들캠핑장 , 강원 양양군 현북면 법수치길 1168-2 ,  , Instagram.com/wooridul_camping
밤벌캠핑장 , 경기 가평군 설악면 어비산길 15-23 ,  ,
```

전체 코드

```
import requests
import xml.etree.ElementTree as ET
import pandas as pd
import re

# 발급받은 서비스 인증 키
service_key = "VUumrPvaG43siVDV/2pU9+NC/zGWbXMV6dB6zr3UYR0lch1kG1MqTo9LS4zaKUkrShIlNU
KhyZPwMoqlN3R4oA=="

# API 요청 URL 및 파라미터 설정
# url = "http://apis.data.go.kr/B551011/KorService1/areaBasedList1"
url = "http://apis.data.go.kr/B551011/GoCamping/basedList"

params = {
```

```
    'numOfRows': 100,
    'pageNo': 1,
    'MobileOS': 'ETC',
    'MobileApp': 'AppTest',
    'serviceKey': service_key,
}

# API 호출
response = requests.get(url, params=params)
root = ET.fromstring(response.content)

# item내에 있는 정보 중 캠핑장 이름,주소,전화번호,홈페이지주소 출력
for item in root.findall(".//item"):
    print(item.findtext("facltNm"), ",", item.findtext("addr1"),",", item.findtext("te
l"),",", item.findtext("homepage"))
```

4.3 단계 3: 원하는 키워드만 추출하는 코드 추가

① 이전 코드에서 for 문을 이용해서 추출된 모든 캠핑장 정보를 출력하는 부분 앞에 키워드를 입력받고, 키워드가 들어간 시설명만 필터링하도록 코드를 수정한다.

```
# 키워드 입력
keyword = input("찾고싶은 제목 키워드 입력(ex, 캠핑, 글램핑, 카라반) : ")

for item in root.findall(".//item"):
    facltNm = item.findtext("facltNm")
    addr1 = item.findtext("addr1")
    tel = item.findtext("tel")
    homepage = item.findtext("homepage")

    # 제목 키워드 포함 여부
    if re.search(keyword, facltNm) :
        print(facltNm, ",", addr1,",", tel,",", homepage)
```

출력 결과

```
찾고싶은 제목 키워드 입력(ex, 캠핑, 글램핑, 카라반) : 글램핑
힐링피아 카라반 글램핑 풀 캠핑장 , 경기 가평군 설악면 유명산길 61-75 , 010-3148-9970 , http://healingpia.co.kr
뇌운계곡글램핑 , 강원 평창군 평창읍 뇌운계곡로 659-6 , 033-332-0009 , https://pcglamping.modoo.at/
림스 글램핑 , 전남 강진군 강진읍 해강로 1038-30 ,  , http://limsglamping.modoo.at
학암포글램핑 , 충청남도 태안군 원북면 방갈리 515-26  , 041-674-5113 ,
운악산 글램핑 , 경기 포천시 화현면 화동로432번길 92-131 ,  , http://운악산글램핑.com/
포천 글램파크 글램핑 카라반 , 경기 포천시 이동면 화동로 1925-47 ,  ,
담터오지글램핑 , 강원 철원군 동송읍 담터길 350 , 010-5011-1400 , https://cafe.naver.com/ojiglamping
메이플글램핑&카라반 , 경기 포천시 이동면 화동로 2236-25 ,  , https://blog.naver.com/qkrtns100
민트글램핑 , 경기 포천시 이동면 금강로 5846 , 031-535-1100 , www.mintcamping.com
파인벨리펜션 글램핑 2호점 , 경기 포천시 화현면 봉화로 382-1 ,  , http://pglamping.hosting2003.co.kr/
노마드글램핑 , 경기 가평군 상면 원흥길 46-12 , 033-261-1185 , http://nomadglamping.kr/
비토애글램핑2호점(BITOLUV GLAMPING Season2) , 경남 사천시 서포면 토끼로 217 , 0507-1390-8217 , http://www.bitolove2.co.kr
더모스트 글램핑 , 경북 문경시 문경읍 문경대로 2259-9 , 054-572-1300 , https://homp.ddnayo.com/preview/1674
이천 인휴 글램핑 , 경기 이천시 모가면 진상미로1385번길 221-6 , 031-635-9500 , http://inhueglamping.com
```

② 이번에는 전화번호와 홈페이지 주소가 모두 있는 업체들만 출력되도록 전화번호 패턴과 홈페이지 패턴을 이용하여 코드를 수정한다.

```
# 키워드 입력
keyword = input("찾고싶은 제목 키워드 입력(ex, 캠핑, 글램핑, 카라반) : ")

# 정규식 패턴 (전화번호 형태: 숫자-숫자-숫자, 홈페이지: http 또는 www 포함)
phone_pattern = r"\d{2,4}-\d{3,4}-\d{4}"
homepage_pattern = r"(http|www)"

for item in root.findall(".//item"):
    facltNm = item.findtext("facltNm")
    addr1 = item.findtext("addr1")
    tel = item.findtext("tel")
    homepage = item.findtext("homepage")

    # 제목 키워드 포함 여부 + 전화번호/홈페이지 존재 여부 확인
    if re.search(keyword, facltNm) and re.search(phone_pattern, tel) and re.search(home
page_pattern, homepage):
        print(facltNm, ",", addr1,",", tel,",", homepage)
```

출력 결과

```
찾고싶은 제목 키워드 입력(ex, 캠핑, 글램핑, 카라반) : 글램핑
힐링피아 카라반 글램핑 풀 캠핑장 , 경기 가평군 설악면 유명산길 61-75 , 010-3148-9970 , http://healingpia.co.kr
뇌운계곡글램핑 , 강원 평창군 평창읍 뇌운계곡로 659-6 , 033-332-0009 , https://pcglamping.modoo.at/
담터오지글램핑 , 강원 철원군 동송읍 담터길 350 , 010-5011-1400 , https://cafe.naver.com/ojiglamping
민트글램핑 , 경기 포천시 이동면 금강로 5846 , 031-535-1100 , www.mintcamping.com
노마드글램핑 , 경기 가평군 상면 원흥길 46-12 , 033-261-1185 , http://nomadglamping.kr/
비토애글램핑2호점(BITOLUV GLAMPING Season2) , 경남 사천시 서포면 토끼로 217 , 0507-1390-8217 , http://www.bitolove2.co.kr
더모스트 글램핑 , 경북 문경시 문경읍 문경대로 2259-9 , 054-572-1300 , https://homp.ddnayo.com/preview/1674
이천 인휴 글램핑 , 경기 이천시 모가면 진상미로1385번길 221-6 , 031-635-9500 , http://inhueglamping.com
```

전체 코드

```python
import requests
import xml.etree.ElementTree as ET
import pandas as pd
import re

# 발급받은 서비스 인증 키
service_key = "VUumrPvaG43siVDV/2pU9+NC/zGWbXMV6dB6zr3UYR0lch1kG1MqTo9LS4zaKUkrShIlNU
KhyZPwMoq1N3R4oA=="

# API 요청 URL 및 파라미터 설정
# url = "http://apis.data.go.kr/B551011/KorService1/areaBasedList1"
url = "http://apis.data.go.kr/B551011/GoCamping/basedList"

params = {
    'numOfRows': 100,
    'pageNo': 1,
    'MobileOS': 'ETC',
    'MobileApp': 'AppTest',
    'serviceKey': service_key,
}

# API 호출
response = requests.get(url, params=params)
root = ET.fromstring(response.content)

# 키워드 입력
keyword = input("찾고싶은 제목 키워드 입력(ex, 캠핑, 글램핑, 카라반) : ")
```

```
# 정규식 패턴 (전화번호 형태: 숫자-숫자-숫자, 홈페이지: http 또는 www 포함)
phone_pattern = r"\d{2,4}-\d{3,4}-\d{4}"
homepage_pattern = r"(http|www)"

for item in root.findall(".//item"):
    facltNm = item.findtext("facltNm")
    addr1 = item.findtext("addr1")
    tel = item.findtext("tel")
    homepage = item.findtext("homepage")

    # 제목 키워드 포함 여부 + 전화번호/홈페이지 존재 여부 확인
    if re.search(keyword, facltNm) and re.search(phone_pattern, tel) and re.search(home
page_pattern, homepage):
        print(facltNm, ",", addr1,",", tel,",", homepage)
```

❐ 주요 개념 요약

1. Open API란 무엇인가요?

- Open API는 누구나 사용할 수 있는 데이터 통로이다.
- 프로그램이 자동으로 데이터를 요청하면, 서버에서 응답해주는 방식이다.
- 공공데이터포털, 기상청, 네이버 API 등 다양한 실생활 활용 사례가 있다.
- 데이터는 보통 JSON 형식으로 주고받으며, 사람이 읽기 쉬운 구조이다.
- Open API 사용을 위해 서비스 키(API Key)를 발급받아야 한다.

2. 파이썬으로 Open API 사용하기

- 파이썬에서는 requests 라이브러리를 사용해 API 요청을 보낼 수 있다.
- GET 방식으로 URL과 파라미터를 구성하여 데이터를 받아온다.
- 응답 데이터는 JSON 또는 XML 형식이며, 파이썬에서 쉽게 처리할 수 있다.
- 상태 코드(200, 404 등)를 확인해 요청 성공 여부를 알 수 있다.
- 예시: 날씨 정보, 코로나 확진자 수, 미세먼지 농도 등 실시간 데이터 가져오기.

3. 정규표현식 기초 다지기

- 정규표현식(Regex)은 텍스트 속에서 일정한 패턴을 찾기 위한 도구이다.
- 전화번호, 이메일, 날짜 같은 규칙적인 정보를 자동으로 뽑아낼 수 있다.
- 자주 쓰는 기호:

  .: 모든 문자

  *, +, ?: 반복

  [], {}: 범위, 개수

  ^, $: 시작, 끝
- 파이썬의 re 모듈에서 match(), search(), findall()을 사용하여 문자열을 검사한다.

4. Open API + 정규표현식 실전 연습

- Open API로 가져온 데이터에서 정규표현식으로 필요한 정보만 추출할 수 있다.
- 예시 실습:

  - 뉴스 API에서 "기후" 키워드가 포함된 기사만 골라내기

  - 캠핑 API에서 "글램핑"이 포함된 시설만 찾기

  - 식품 회수 API에서 "닭", "계란" 포함된 제품만 추출하기

- 정제된 데이터는 pandas로 관리하고, CSV로 저장할 수 있다.
- 데이터를 수집하고 가공하는 완전한 데이터 분석 흐름을 체험할 수 있다.

실습과제

01 영화진흥위원회 홈페이지에서 일별 박스오피스 API 데이터를 가져와서 csv 파일로 저장한다.

영화진흥위원회 홈페이지
(https://www.kobis.or.kr/kobisopenapi/homepg/main/main.do)에서 회원가입/로그인 한 후 [키 발급/관리] 페이지에서 [키 발급받기] 버튼을 눌러 인증키를 발급받는다.

〈웹 페이지〉

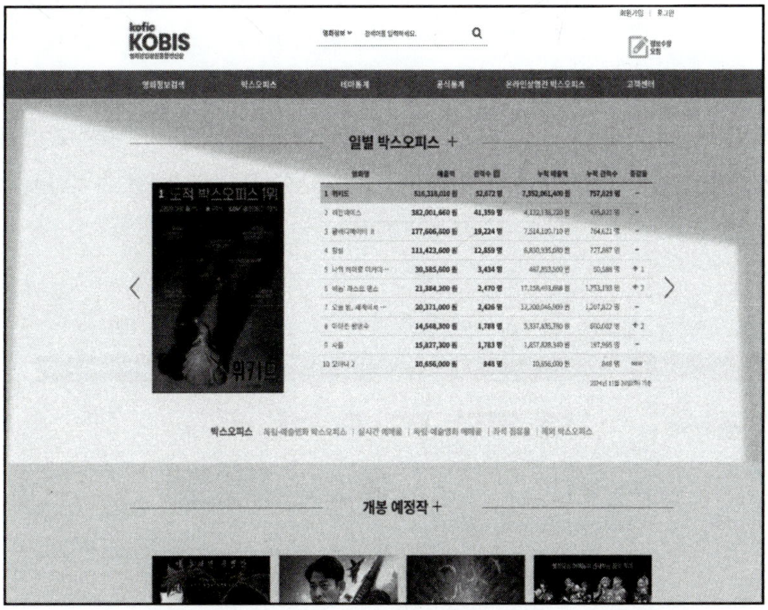

〈키 발급/관리〉

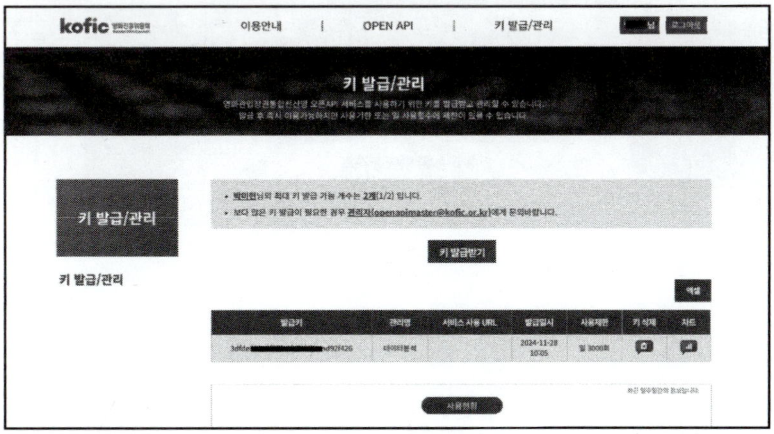

〈출력 결과〉

	A	B	C	D	E
1	개봉일	순위	영화명	매출액	관객수
2	2025-03-26	1	승부	526394860	57728
3	2025-04-16	2	브리짓 존스의 일기: 뉴 챕터	100323000	11147
4	2025-03-13	3	극장판 진격의 거인 완결편 더 라스트 어택	102341460	9901
5	2025-02-28	4	미키 17	49488400	5370
6	2025-03-05	5	콘클라베	24908560	2671
7	2025-03-19	6	플로우	18198600	1985
8	2025-03-26	7	라스트 마일	13500600	1847
9	2025-03-19	8	백설공주	13563580	1617
10	2025-03-19	9	고독한 미식가 더 무비	12479000	1350
11	2006-03-23	10	스윙걸즈	7600000	1030
12					

02 경기도 데이터드림 사이트에서 경기도 맛집 정보 추출

경기도 데이터드림(https://data.gg.go.kr/portal/mainPage.do)에서 "경기도 으뜸 맛집" API 데이를 추출한되, 원하는 키워드가 음식점명이나 메뉴에 있는 데이터만 가져와서 화면에 출력한다.

〈웹 페이지〉

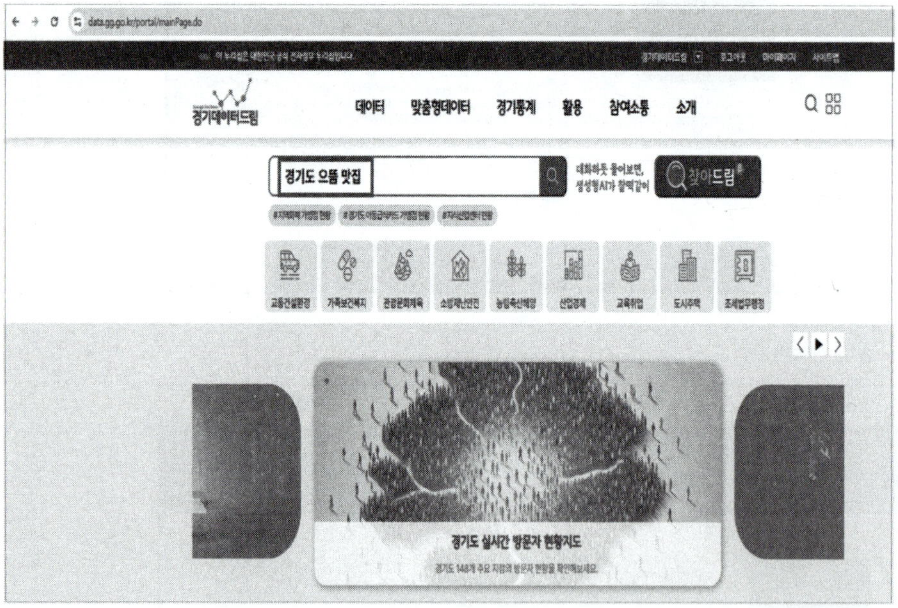

〈출력 결과〉

```
필터링할 음식 키워드 입력(국밥, 칼국수, 비빔밥) : 갈비
[식당명]: 본수원갈비, [메뉴]: 생갈비, [주소]: 경기도 수원시 팔달구 중부대로223번길 41, [전화]: 031-211-5952
[식당명]: 신라갈비, [메뉴]: 생갈비, [주소]: 경기도 수원시 영통구 동수원로 538, [전화]: 031-212-2354
[식당명]: 송풍가든, [메뉴]: 양념갈비, [주소]: 경기도 수원시 장안구 경수대로 1013, [전화]: 031-252-4700
[식당명]: 가보정, [메뉴]: 양념갈비, [주소]: 경기도 수원시 팔달구 장다리로 282, [전화]: 031-238-3883
[식당명]: 한국관, [메뉴]: 수원양념왕갈비, [주소]: 경기도 수원시 팔달구 권선로741번길 16-8, [전화]: 031-217-8889
[식당명]: 명가정, [메뉴]: 소양념갈비, [주소]: 경기도 수원시 권선구 탑동로57번길 29, [전화]: 031-255-9916
[식당명]: 연포갈비, [메뉴]: 양념갈비, [주소]: 경기도 수원시 팔달구 정조로906번길 56-5, [전화]: 031-255-1337
[식당명]: 교하정, [메뉴]: 양념갈비,육회, [주소]: 경기도 파주시 교하로 1290, [전화]: 031-942-7788
[식당명]: 맷돌36 숯불갈비, [메뉴]: 돼지갈비, [주소]: 경기도 남양주시 화도읍 맷돌로 36, [전화]: 031-593-1511
[식당명]: 대호숯불갈비, [메뉴]: 산채정식, 보약 산채밥상, [주소]: 경기도 동두천시 중앙로265번길 19, [전화]: 031-868-00
[식당명]: 황우촌, [메뉴]: 왕갈비, [주소]: 경기도 양주시 백석읍 호명로 103-92, [전화]: 031-826-6692
[식당명]: 고산떡갈비, [메뉴]: 떡갈비, [주소]: 경기도 의정부시 평화로562번길 13, [전화]: 031-842-3006
[식당명]: ㈜푸른소 경복궁, [메뉴]: 생갈비코스, [주소]: 경기도 평택시 조개터로26번길 64, [전화]: 031-655-0567
[식당명]: 갈비장터, [메뉴]: 장터갈비, [주소]: 경기도 포천시 소흘읍 솔모루로58번길 4, [전화]: 031-536-3392
[식당명]: 명지원, [메뉴]: 이동갈비, [주소]: 경기도 포천시 일동면 화동로 1258, [전화]: 031-536-9919
[식당명]: 소꼼닭, [메뉴]: 소꼼닭(양념소갈비살,꼼장어,닭갈비), [주소]: 경기도 시흥시 서촌상가3길 15-6, [전화]:
[식당명]: 안성맞춤한우촌, [메뉴]: 생갈비, [주소]: 경기도 안성시 삼죽면 신미1길 126, [전화]: 031-673-5550
[식당명]: 화진가든, [메뉴]: 왕갈비, [주소]: 경기도 안양시 만안구 안양로 468, [전화]: 031-472-9292
[식당명]: ㈜한국관, [메뉴]: 양념갈비, [주소]: 경기도 용인시 기흥구 기흥단지로 8, [전화]: 031-275-6100
```

정답코드

01 영화진흥위원회 일별박스오피스 API 데이터 가져오기

```
import requests
import pandas as pd

#OPEN API 일별박스오피스 데이터 가져오기 코드3
# API 데이터 가져오는 처리의 함수화
def boxoffice(tdt):
    apikey = '3dfde885e0f37fe6fc76b7baad92f426'

    url2 = f"http://kobis.or.kr/kobisopenapi/webservice/rest/boxoffice/searchDa
ilyBoxOfficeList.json?key={apikey}&targetDt={tdt}"
    resp2 = requests.get(url2)
    data = resp2.json()

    df = pd.DataFrame(data['boxOfficeResult']['dailyBoxOfficeList'])
    df1 = df[['openDt', 'rank', 'movieNm', 'salesAmt', 'audiCnt']]
    df1.columns = ['개봉일', '순위', '영화명', '매출액', '관객수']
    return df1


# 사용자 입력으로 날짜 받기
dt = pd.DataFrame()

date = input("조회 날짜 입력(yyyymmdd : ")
dt = boxoffice(date)

# 데이터 확인
print(dt.head())

# CSV 파일로 저장
file_name = f"박스오피스_{date}.csv"
dt.to_csv(file_name, index=False, encoding="utf-8-sig")

print(f"'{file_name}' 파일이 저장되었습니다.")
```

02 경기도 데이터드림 사이트에서 경기도 맛집 정보 추출

```
import requests
import xml.etree.ElementTree as ET
import re

# 경기도 으뜸 맛집 현황 정보 API URL (예시 URL)
url = "https://openapi.gg.go.kr/PlaceThatDoATasteyFoodSt"

# 요청 파라미터 설정
params = {
    'KEY': '0b0c2ff1b24d4e9e8a0e40062f393c2e',  # 발급받은 API 키 입력
    'Type': 'xml',
    'pIndex': 1,
    'pSize': 100
}

# API 요청
response = requests.get(url, params=params)
root = ET.fromstring(response.content)

# 필터링할 음식 키워드 입력: 국밥, 칼국수, 비빔밥
keyword = input("필터링할 음식 키워드 입력(국밥, 칼국수, 비빔밥) : ")

# 결과 출력
for item in root.findall(".//row"):
    name = item.findtext("RESTRT_NM")      # 음식점 이름
    menu = item.findtext("REPRSNT_FOOD_NM")      # 주요 메뉴
    address = item.findtext("REFINE_ROADNM_ADDR") # 도로명 주소
    tel = item.findtext("TASTFDPLC_TELNO") # 전화번호

    # 음식점 이름이나 메뉴에 키워드 포함 여부 확인
    if (re.search(keyword, name) or re.search(keyword, menu)):
        print(f"[식당명]: {name}, [메뉴]: {menu}, [주소]: {address}, [전화]: {tel}")
```

PART 2

통찰을 완성하다

HTTP://Python.org

데이터 분석의 궁극적인 목표는 단순한 수치 계산이 아니라, 의미 있는 통찰을 얻고 이를 통해 실질적인 가치를 창출하는 것이다.

데이터 분석에서 두 변수 간의 관계를 이해하는 것은 필수적인 과정이다. 우리는 상관관계를 분석하는 다양한 방법을 학습하고, 이를 시각적으로 표현하는 기술을 익힌다. 피어슨 상관계수와 스피어만 상관계수를 활용하여 변수 간의 관계를 정량적으로 측정하고, 산점도와 상관계수 행렬을 통해 이를 효과적으로 해석한다. 또한, 회귀 분석을 통해 독립 변수와 종속 변수 간의 관계를 모델링하고, 모델의 적합성을 평가하는 방법을 배운다. 결정계수(R^2)와 잔차 분석을 활용하여 회귀 모델의 신뢰성을 검증하고, 이를 실무에서 어떻게 활용할 수 있는지 실습을 통해 익힌다.

데이터를 통해 미래를 예측하려면 확률적 사고가 필수적이다. 정규분포와 표준 정규분포의 개념을 이해하고, 데이터가 정규성을 따르는지 검증하는 방법을 학습한다. 또한 이상치 탐지 및 처리 방법을 익혀 데이터의 신뢰성을 높인다. 추론 통계를 활용하여 표본과 모집단의 관계를 파악하고, 신뢰구간을 계산하는 방법을 배우며, 가설 검정을 통해 데이터 기반의 의사결정 능력을 키운다. 귀무가설과 대립가설의 개념을 이해하고, 다양한 검정 기법을 실습하면서 확률적 추론의 실제 적용 방식을 경험한다.

현실 세계의 데이터는 단순한 일대일 관계를 넘어서 여러 변수들이 복합적으로 얽혀 있다. 이를 분석하기 위해 다중 회귀 분석을 활용하여 여러 독립 변수를 고려한 예측 모델을 만들고, 다중 공선성 문제를 해결하는 방법을 학습한다. 또한 ANOVA(분산 분석)를 통해 여러 그룹 간의 평균 차이를 분석하고, 이를 활용하여 다양한 데이터셋에서 의미 있는 인사이트를 추출하는 능력을 배양한다.

데이터 과학은 단순한 통계 분석을 넘어 데이터가 담고 있는 메시지를 해석하고, 이를 실무에 적용하는 과정이다. Python을 활용한 데이터 처리부터 통계 분석, 시각화, 그리고 통찰 도출까지의 흐름을 정리하며 데이터 분석 전반을 마무리한다. 또한, 데이터 분석 결과를 효과적으로 전달하기 위해 시각화 기법을 활용하고, 상관관계 분석과 회귀 분석, 통계 결과를 통합하여 데이터를 보다 명확하게 설명하는 방법을 익힌다.

CHAPTER 3

숫자의 관계를 탐구하다: 상관 관계와 회귀 분석

상관분석은 두 변수 간의 선형적 관계를 측정하는 통계적 기법이다. 이는 변수들 사이의 관련성을 수량화하여 표현하는 방법으로, 데이터 분석에서 매우 중요한 역할을 한다. 상관분석의 주요 목적은 변수 간 관계의 강도와 방향을 결정하는 것이다.

상관분석의 핵심 지표인 상관계수는 -1에서 1 사이의 값을 가진다. 1에 가까울수록 강한 양의 상관관계를, -1에 가까울수록 강한 음의 상관관계를 나타낸다. 상관계수가 0에 가까울수록 두 변수 간의 선형 관계가 약하다는 것을 의미한다. 상관분석은 다양한 분야에서 활용되며, 경제학, 심리학, 의학, 생물학 등 여러 학문 분야에서 중요한 분석 도구로 사용된다.

상관분석은 데이터의 패턴을 이해하고, 변수 간의 관계를 파악하는 데 도움을 준다. 이를 통해 예측 모델을 구축하거나, 복잡한 시스템의 동작을 이해하는 데 기초적인 정보를 제공한다. 그러나 상관관계가 인과관계를 의미하지 않는다는 점을 항상 유념해야 한다.

1 상관관계의 이해

상관관계는 두 변수 간의 통계적 관련성이나 관계를 나타냅니다. 이는 다음과 같은 특징을 가진다.

① 방향성 : 상관관계는 양의 상관관계(두 변수가 함께 증가하거나 감소) 또는 음의 상관관계(한 변수가 증가하면 다른 변수가 감소)로 나타날 수 있다. 예를 들어, 공부 시간과 시험 점수 사이에는 양의 상관관계가 존재한다. 반면, TV 시청 시간과 학업 성적 사이에는 음의 상관관계가 나타난다.

② 강도 : 상관관계의 강도는 상관계수의 절댓값으로 표현되며, 0에 가까울수록 관계가 약하고 1에 가까울수록 관계가 강해진다. 예를 들어, 상관계수가 0.9이면 매우 강한 양의 상관관계를 나타내고,

-0.2이면 약한 음의 상관관계를 의미한다.

③ 선형성 : 일반적으로 상관분석은 선형 관계를 측정하지만, 비선형 관계도 존재할 수 있다. 선형 관계는 직선으로 표현될 수 있는 관계를 의미하며, 비선형 관계는 곡선 형태로 나타난다.

④ 대칭성 : 상관관계는 대칭적이므로 X와 Y의 상관관계는 Y와 X의 상관관계와 동일하다. 이는 상관분석이 두 변수 간의 관계만을 나타내며, 인과관계를 의미하지 않는다는 점을 강조한다.

⑤ 척도 불변성 : 상관계수는 변수의 척도 변환에 영향을 받지 않는다. 즉, 변수의 단위가 변경되더라도 상관계수는 변하지 않는다.

⑥ 이상치의 영향 : 상관계수는 이상치에 민감할 수 있다. 극단적인 값들이 전체적인 상관관계를 왜곡할 수 있으므로, 데이터 전처리 과정에서 이상치를 적절히 처리하는 것이 중요하다.

⑦ 집단 내 상관과 집단 간 상관 : 전체 집단에서의 상관관계와 하위 집단에서의 상관관계는 다를 수 있다. 이를 심슨의 역설이라고 하며, 데이터 분석 시 주의해야 한다.

⑧ 상관관계의 해석 : 상관계수의 크기에 따라 일반적으로 다음과 같이 해석한다.

- $|r| < 0.3$: 약한 상관관계
- $0.3 \leq |r| < 0.7$: 중간 정도의 상관관계
- $|r| \geq 0.7$: 강한 상관관계
- 그러나 이는 분야와 상황에 따라 다르게 해석될 수 있다.

2 상관관계와 인과관계의 차이

2.1 정의

상관관계는 두 변수 간의 통계적 관련성이나 관계를 나타내며, 이는 두 변수가 어떤 방식으로든 함께 변화하는 경향을 보인다는 것을 의미한다. 반면, 인과관계는 한 변수의 변화가 다른 변수에 직접적인 영향을 미치는 관계를 의미하며, 이는 원인과 결과의 관계를 나타낸다.

2.2 방향성

상관관계는 양방향일 수 있으며, 예를 들어 아이스크림 판매량과 기온은 서로 상관관계를 가지지

만, 어느 것이 원인이고 결과인지는 알 수 없다. 반면, 인과관계는 일반적으로 단방향이며, 흡연이 폐암 발생률에 영향을 미치는 것은 인과관계의 대표적인 예이다.

2.3 해석의 깊이

상관관계는 두 변수가 함께 변화한다는 사실만을 알려준다. 예를 들어, 교육 수준과 소득 수준이 양의 상관관계를 가진다는 것은 알 수 있지만, 그 이유는 알 수 없다. 반면, 인과관계는 왜 그러한 변화가 일어나는지에 대한 설명을 제공한다. 예를 들어, 운동이 체중 감소에 미치는 영향을 설명할 수 있다.

2.4 제 3의 변수

상관관계는 제3의 변수가 두 변수 간의 관계에 영향을 미칠 수 있다. 예를 들어, 아이스크림 판매량과 익사 사고 발생률 사이의 상관관계는 날씨라는 제3의 변수에 의해 영향을 받을 수 있다. 반면, 인과관계는 직접적인 관계만을 고려한다. 예를 들어, 약물 복용과 특정 증상의 완화 사이의 인과관계를 연구할 때는 다른 요인들을 통제한다.

2.5 예측과 통제

상관관계는 예측이나 통제가 불가능하다. 두 변수가 함께 변화한다는 사실은 알 수 있지만, 한 변수를 조작하여 다른 변수를 변화시킬 수 있다고 확신할 수는 없다. 반면, 인과관계는 한 변수를 조작하여 다른 변수를 예측하거나 통제할 수 있다. 예를 들어, 비료 사용량을 조절하여 작물 수확량을 예측하고 통제할 수 있다.

2.6 연구 방법

상관관계는 주로 관찰 연구를 통해 파악된다. 변수들의 자연적인 변화를 관찰하고 측정하는 방식으로 분석된다. 반면, 인과관계는 실험 연구나 종단 연구 등 더 엄격한 연구 설계가 필요하다. 변수를 직접 조작하거나 장기간에 걸쳐 변화를 추적하는 방식으로 연구된다.

2.7 통계적 증명

상관관계는 상관계수와 같은 통계적 지표를 통해 쉽게 증명할 수 있다. 반면, 인과관계는 통계적 방법만으로 증명하기 어렵고, 실험적 증거나 이론적 근거가 필요하다.

2.8 복잡성

상관관계는 비교적 단순하게 파악할 수 있다. 반면, 인과관계는 복잡한 시스템에서 여러 요인들이 상호작용하기 때문에 명확히 파악하기 어려울 수 있다.

2.9 응용

상관관계는 예측 모델 구축, 데이터 탐색, 가설 생성 등에 유용하다. 반면, 인과관계는 정책 결정, 의사 결정, 과학적 이론 수립 등에 중요하게 활용된다.

중요한 점은 '상관관계는 인과관계를 의미하지 않는다'는 것이다. 두 변수 간에 강한 상관관계가 있다고 해서 반드시 한 변수가 다른 변수의 원인이 되는 것은 아니다. 이는 데이터 분석과 해석에서 매우 중요한 원칙이다.

3 피어슨 상관 계수와 스피어만 상관계수의 의미

3.1 피어슨 상관계수

두 변수 간의 선형적 관계의 강도와 방향을 측정하는 것은 상관관계 분석의 핵심이다. 이는 연속형 변수를 대상으로 하며, 정규 분포를 가정한다. 상관계수는 -1에서 1 사이의 값을 가지며, 1에 가까울수록 강한 양의 상관관계를, -1에 가까울수록 강한 음의 상관관계를 나타낸다. 또한, 이상치에 민감하여 극단적인 값이 결과에 큰 영향을 미칠 수 있다. 상관계수는 두 변수의 공분산을 각 변수의 표준편차의 곱으로 나누어 계산된다.

$$r = \frac{\Sigma(X_i - \overline{X})(Y_i - \overline{Y})}{\sqrt{\Sigma(X_i - \overline{X})^2 \cdot \Sigma(Y_i - \overline{Y})^2}}$$

상관계수의 해석은 그 값에 따라 다르게 이루어진다. 1에 가까울수록 두 변수 간의 강한 양의 선형 관계를 의미하며, -1에 가까울수록 강한 음의 선형 관계를 나타낸다. 반면, 0에 가까울수록 두 변수 간의 선형 관계가 약함을 의미한다.

상관분석은 다양한 분야에서 활용되며, 예를 들어 주식 가격과 이에 영향을 미치는 요인 간의 관계를 분석하거나, 소비자 지출과 소득 간의 상관관계를 파악하는 데 사용될 수 있다. 또한, 키와 체중 사이의 관계를 분석하는 데도 적용할 수 있다.

이 방법의 장점은 선형 관계를 정확하게 측정할 수 있으며, 널리 사용되고 이해하기 쉽다는 점이다. 그러나 단점으로는 비선형 관계를 포착하지 못하며, 이상치에 민감하다는 점이 있다.

3.2 스피어만 상관계수

스피어만 상관계수는 두 변수 간의 순위에 기반한 상관관계를 측정하는 비모수적 방법이다. 이는 연속형 데이터뿐만 아니라 순위 데이터나 비정규 분포 데이터를 분석하는 데 적합하다. 상관계수의 값은 -1에서 1 사이를 가지며, 1에 가까울수록 강한 양의 순위 상관관계를, -1에 가까울수록 강한 음의 순위 상관관계를 나타낸다. 또한, 피어슨 상관계수와 달리 이상치의 영향을 덜 받는다는 특징이 있다. 스피어만 상관계수는 두 변수의 순위를 기반으로 변환한 후, 피어슨 상관계수를 계산하는 방식으로 구해진다.

$$r_s = 1 - \frac{6\sum d_i^2}{n(n^2-1)}$$ (여기서 d_i는 각 관측치의 두 변수 순위 차이이다.)

스피어만 상관계수의 해석은 값의 크기에 따라 달라진다. 1에 가까울수록 두 변수 간의 강한 양의 단조 관계를 의미하며, -1에 가까울수록 강한 음의 단조 관계를 나타낸다. 반면, 0에 가까울수록 두 변수 간의 단조 관계가 약함을 의미한다.

이 기법은 다양한 연구 및 분석에서 활용될 수 있다. 예를 들어, 설문 조사 결과에서 변수 간의 순위 상관관계를 분석하거나, 심리학 실험을 통해 얻은 순위 데이터를 해석하는 데 사용할 수 있다. 또한, 비선형 관계가 예상되는 경제 지표 간의 상관관계를 분석하는 데도 유용하다.

스피어만 상관계수의 장점은 비선형 단조 관계도 포착할 수 있으며, 이상치에 덜 민감하다는 점이다. 또한, 서열척도 데이터에도 적용할 수 있어 활용 범위가 넓다. 그러나 단점으로는 실제 값 대신 순위만 사용하기 때문에 정보의 손실이 발생할 수 있으며, 비단조 관계는 포착하지 못할 가능성이 있다는 점이 있다.

3.3 두 상관계수의 주요 차이점

피어슨 상관계수와 스피어만 상관계수는 데이터의 특성과 분석 목적에 따라 다르게 적용된다. 피어슨 상관계수는 연속형 변수에 적합하며, 두 변수 간의 선형 관계를 측정하는 데 사용된다. 반면,

스피어만 상관계수는 순서형 데이터를 다루기에 적합하며, 단조 관계를 측정할 수 있다.

두 방법의 강건성에도 차이가 있다. 스피어만 상관계수는 이상치에 대해 더 강건하여 극단적인 값의 영향을 덜 받는다. 또한, 피어슨 상관계수는 정규 분포를 가정하는 반면, 스피어만 상관계수는 특정한 분포를 가정하지 않기 때문에 보다 유연하게 적용할 수 있다.

변환에 대한 민감도에서도 차이가 존재한다. 피어슨 상관계수는 데이터의 선형 변환에 영향을 받지 않지만, 스피어만 상관계수는 순위를 보존하는 단조 변환에 영향을 받지 않는다. 따라서 분석 목적과 데이터의 특성을 고려하여 적절한 상관계수를 선택하는 것이 중요하다.

3.1 선택 기준

상관계수를 선택할 때는 데이터의 특성과 분석 목적을 고려해야 한다. 데이터가 정규 분포를 따르고 선형 관계가 예상되는 경우에는 피어슨 상관계수를 사용하는 것이 적절하다. 반면, 데이터가 비정규 분포이거나 순서형 데이터인 경우에는 스피어만 상관계수를 사용하는 것이 더 적합하다.

또한, 이상치가 많거나 비선형 관계가 예상될 때도 스피어만 상관계수가 더 강건한 선택이 될 수 있다. 특히, 정확한 값의 차이보다 순위 간의 관계가 중요한 경우에는 스피어만 상관계수를 활용하는 것이 유리하다. 데이터 분석에서는 이러한 조건들을 고려하여 적절한 방법을 선택하는 것이 중요하다.

4 상관관계 시각화

4.1 산점도(Scatter Plot)

산점도는 두 변수 간의 관계를 2차원 평면에 점으로 표시하는 그래프이다. 이는 두 변수 간의 관계를 직관적으로 보여주며, 선형 관계뿐만 아니라 비선형 관계도 시각화할 수 있다. 또한, 이상치를 쉽게 식별할 수 있으며, 데이터의 분포와 밀도를 파악하는 데 유용하다.

산점도의 해석은 점들의 분포 형태에 따라 달라진다. 점들이 직선 형태로 정렬되어 있으면 선형 관계를 나타내며, 왼쪽 아래에서 오른쪽 위로 분포하면 양의 상관관계를, 반대 방향이면 음의 상관관계를 의미한다. 반면, 점들이 무작위로 분포하면 상관관계가 없음을 의미하며, 점들이 밀집된 정도는 관계의 강도를 나타낸다.

산점도의 장점은 데이터의 전체적인 패턴을 한눈에 파악할 수 있으며, 이상치나 특이점을 쉽게 발견할 수 있다는 점이다. 또한, 비선형 관계도 시각적으로 확인할 수 있다. 그러나 단점으로는 많은 데이터 포인트가 존재할 경우 과밀화(overplotting) 문제가 발생할 수 있으며, 두 변수만 동시에 볼 수 있어 다변량 관계를 분석하는 데는 한계가 있다는 점이 있다.

Python 구현 예시

```
import matplotlib.pyplot as plt
import seaborn as sns
import numPy as np

# 예시 데이터 생성
np.random.seed(0)
x = np.random.randn(100)
y = 2 * x + np.random.randn(100)

# 산점도 그리기
plt.figure(figsize=(10, 6))
plt.scatter(x, y, alpha=0.5)
plt.xlabel('X value')
plt.ylabel('Y value')
plt.title('Scatter Plot')

# 추세선 추가
z = np.polyfit(x, y, 1)
p = np.poly1d(z)
plt.plot(x, p(x), 'r--')
plt.show()
```

위 코드는 matplotlib를 이용하여 산점도를 그리고, 선형 회귀를 기반으로 한 추세선을 추가하는 예제이다. 실행하면 X와 Y 간의 관계를 보여주는 산점도가 나타나며, 그 위에 추세선이 추가된다. 이를 통해 두 변수 간의 관계를 시각적으로 확인할 수 있으며, 선형적인 경향성을 파악하는 데 유용하다.

- 각 주요 단계의 기능은 다음과 같다.

  1) 데이터 생성

```
np.random.seed(0)
x = np.random.randn(100)
y = 2 * x + np.random.randn(100)
```

- np.random.randn(100)으로 100개의 정규분포 난수를 생성
- Y는 X에 기울기 2를 가진 선형 관계를 가지며, 일부 잡음(np.random.randn)이 더해짐

2) 산점도 시각화

```
plt.scatter(x, y, alpha=0.5)
```

- plt.scatter는 X와 Y 값으로 이루어진 산점도를 그림
- alpha=0.5로 점의 투명도를 설정해 중첩을 줄임

3) 추세선 추가

```
z = np.polyfit(x, y, 1)
p = np.poly1d(z)
plt.plot(x, p(x), 'r--')
```

- np.polyfit(x, y, 1)은 X와 Y 간의 선형 회귀 계수(기울기와 절편)를 계산
- np.poly1d(z)를 사용해 다항식 객체를 생성하고, X 값을 넣어 Y 값을 계산
- plt.plot으로 점선('r--') 형태의 추세선을 추가

실행 결과

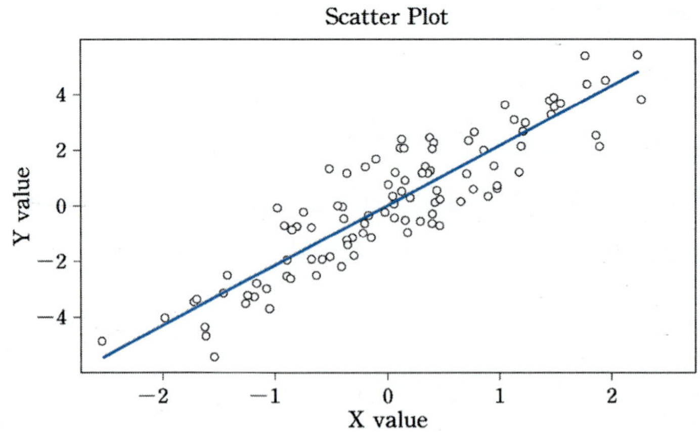

4.2 상관계수 행렬

상관계수 행렬은 여러 변수 간의 상관계수를 행렬 형태로 표현한 것이다. 각 셀은 두 변수 간의 상관계수를 나타내며, 변수와 자기 자신의 상관관계는 항상 1이므로 대각선 값은 1이 된다. 또한, 행렬은 대칭 구조를 가지며, 색상이나 숫자를 이용해 상관관계의 강도를 시각적으로 표현할 수 있다.

상관계수 행렬을 해석할 때는 색상의 강도나 숫자의 크기를 통해 상관관계의 강도를 판단한다. 일반적으로 양의 상관관계는 빨간색 계열, 음의 상관관계는 파란색 계열로 표시되며, 색상이 진할수록 강한 상관관계를 나타낸다.

이 방법의 장점은 여러 변수 간의 관계를 한눈에 파악할 수 있으며, 데이터의 전반적인 구조를 빠르게 이해하는 데 유용하다는 점이다. 그러나 단점으로는 비선형 관계를 포착하지 못하며, 변수가 많을 경우 해석이 복잡해질 수 있다는 점이 있다.

Python 구현 예시

```
import seaborn as sns
import matplotlib.pyplot as plt
import pandas as pd
import numPy as np

# 예시 데이터 생성
np.random.seed(0)
data = pd.DataFrame({
    'A': np.random.randn(100),
    'B': np.random.randn(100),
    'C': np.random.randn(100),
    'D': np.random.randn(100)
})

# 상관계수 행렬 계산
corr_matrix = data.corr()

# 히트맵으로 상관계수 행렬 시각화
plt.figure(figsize=(10, 8))
sns.heatmap(corr_matrix, annot=True, cmap='coolwarm', vmin=-1, vmax=1, center=0)
plt.title('Correlation Matrix')
plt.show()
```

위 코드는 pandas, NumPy, seaborn, 그리고 matplotlib을 사용하여 데이터의 상관계수를 계산하고 히트맵으로 시각화하는 예제이다. 실행하면 변수들 간의 상관관계를 한눈에 파악할 수 있는 히트맵이 생성된다. 색상의 강도와 계열을 통해 상관관계의 방향과 강도를 직관적으로 확인할 수 있으며, 데이터의 구조를 빠르게 분석하는 데 유용하다.

■ 각 주요 단계의 기능은 다음과 같다.

1) 데이터 생성

```
np.random.seed(0)
data = pd.DataFrame({
    'A': np.random.randn(100),
    'B': np.random.randn(100),
    'C': np.random.randn(100),
    'D': np.random.randn(100)
})
```

난수를 생성하여 4개의 변수(A, B, C, D)를 가진 데이터프레임을 만듦
np.random.seed(0)로 난수 생성의 재현성을 확보

2) 상관계수 행렬 계산

```
corr_matrix = data.corr()
```

- data.corr()은 피어슨 상관계수를 계산하여 변수 간의 상관계수 행렬을 반환
- 결과는 A, B, C, D 변수들 간의 상관관계를 나타냄

3) 히트맵 시각화

```
sns.heatmap(corr_matrix, annot=True, cmap='coolwarm', vmin=-1, vmax=1, center=0)
```

- sns.heatmap을 사용하여 상관계수 행렬을 히트맵으로 표현
  - annot=True: 셀 안에 상관계수 값을 표시
  - cmap='coolwarm': 색상 팔레트를 설정하여 상관계수의 양수, 음수를 강조
  - vmin=-1, vmax=1: 상관계수 범위를 설정
  - center=0: 0을 기준으로 색상 분포를 중앙에 맞춤

4) 그래프 꾸미기

```
plt.title('변수들 간의 상관계수 행렬')
plt.show()
```

plt.title로 히트맵에 제목을 추가하고 plt.show()로 그래프를 출력

실행 결과

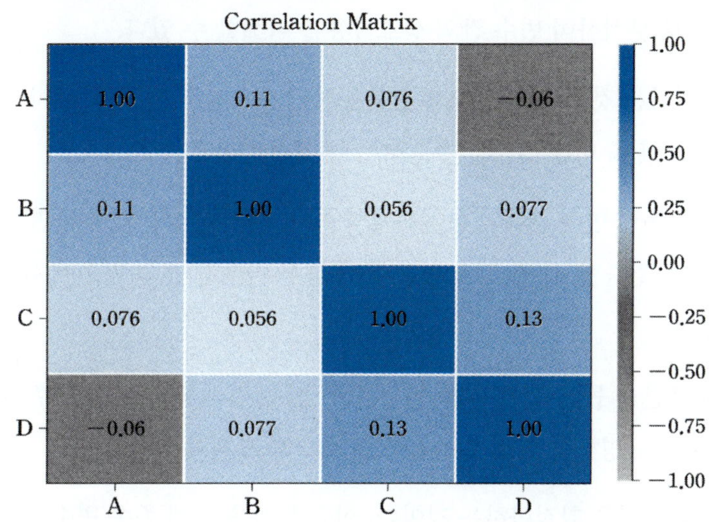

4.3 비교 및 선택

산점도와 상관계수 행렬은 각각 장단점이 있으며, 데이터의 특성과 분석 목적에 따라 적절히 선택하거나 함께 사용하는 것이 중요하다.

산점도는 두 변수 간의 관계를 상세히 보여주지만, 여러 변수를 동시에 비교하는 데에는 한계가 있다. 반면, 상관계수 행렬은 여러 변수 간의 관계를 한 번에 확인할 수 있지만, 비선형 관계나 세부적인 패턴을 포착하는 데는 어려움이 있을 수 있다.

따라서 초기 데이터 탐색 단계에서는 상관계수 행렬을 이용해 변수들 간의 전반적인 관계를 파악한 후, 특정 변수 쌍에 대해 산점도를 활용하여 더 깊이 있는 분석을 수행하는 것이 효과적인 접근 방식이 될 수 있다.

5 회귀 분석의 기초

회귀 분석은 변수들 간의 관계를 모델링하고 예측하는 통계적 방법으로, 데이터 과학, 경제학, 심리학, 의학 등 다양한 분야에서 널리 사용되는 중요한 분석 도구이다. 회귀 분석의 주요 목적은 다음과 같다.

첫째, 변수 간의 관계를 파악하는 것이다. 독립 변수(설명 변수)가 종속 변수(반응 변수)에 미치는 영향을 정량적으로 분석하여 변수 간의 상호작용을 이해할 수 있다.

둘째, 예측을 수행하는 것이다. 회귀 모델을 활용하면 새로운 독립 변수 값이 주어졌을 때 종속 변수의 값을 예측할 수 있어, 미래 결과를 추정하는 데 유용하다.

셋째, 가설 검정을 통한 변수 관계의 통계적 검증이다. 회귀 분석을 사용하면 변수 간의 관계에 대한 가설을 통계적으로 검증할 수 있으며, 이를 통해 특정 변수가 종속 변수에 유의미한 영향을 미치는지 확인할 수 있다.

넷째, 인과관계 추론을 돕는 것이다. 회귀 분석은 변수 간의 인과관계를 추론하는 데 유용하지만, 인과관계를 명확히 규명하기 위해서는 실험 설계와 함께 활용해야 한다.

마지막으로, 변수 선택을 최적화하는 것이다. 회귀 분석을 통해 종속 변수에 유의미한 영향을 미치는 독립 변수를 식별할 수 있으며, 이를 바탕으로 중요한 요인을 선별하고 모델을 최적화할 수 있다.

이러한 이유로 회귀 분석은 다양한 연구와 실무에서 의사결정의 근거로 활용되며, 데이터 기반의 통찰을 제공하는 핵심적인 방법론이다.

회귀 분석은 다양한 형태가 있으며, 데이터의 특성과 분석 목적에 따라 적절한 방법을 선택하는 것이 중요하다.

첫째, 단순 선형 회귀는 하나의 독립 변수와 하나의 종속 변수 간의 선형 관계를 모델링하는 기법이다. 종속 변수가 독립 변수에 따라 일정한 비율로 변한다고 가정할 때 유용하다.

둘째, 다중 선형 회귀는 여러 개의 독립 변수가 하나의 종속 변수에 미치는 영향을 분석하는 방법이다. 다양한 요인을 고려하여 보다 정교한 예측 모델을 구축할 수 있다.

셋째, 로지스틱 회귀는 이진 분류 문제에서 사용되며, 종속 변수가 범주형일 때 적용하는 회귀 분석 기법이다. 예를 들어, 특정 질병의 유무를 예측하거나 고객의 구매 여부를 분류하는 데 활용된다.

넷째, 다항 회귀는 독립 변수와 종속 변수 간의 관계가 비선형일 때 사용하는 기법이다. 다항식을 활용하여 곡선 형태의 관계를 모델링하며, 단순 선형 회귀보다 유연한 분석이 가능하다.

마지막으로, 계층적 회귀는 데이터가 계층 구조를 가질 때 사용되며, 개별 집단 간의 차이를 고려하여 보다 정밀한 분석을 수행할 수 있다.

이처럼 회귀 분석은 다양한 방식으로 적용될 수 있으며, 데이터의 특성과 분석 목적에 맞는 적절한 방법을 선택하는 것이 중요하다.

회귀 분석을 수행할 때는 체계적인 절차를 따르는 것이 중요하다. 일반적으로 다음과 같은 단계를 거친다.

첫째, 문제 정의 및 변수 선택 단계에서는 분석할 문제를 명확히 정의하고, 종속 변수와 독립 변수를 결정한다.

둘째, 데이터 수집 및 전처리 과정에서는 필요한 데이터를 수집하고, 결측값 처리, 이상치 제거, 정규화 등의 데이터 정제 과정을 수행한다.

셋째, 탐색적 데이터 분석(EDA)을 통해 데이터의 분포, 변수 간 관계, 이상치 여부 등을 시각화하고 파악한다.

넷째, 모델 선택 및 가정 검토 단계에서는 데이터 특성과 분석 목적에 맞는 적절한 회귀 모델(예: 단순 선형 회귀, 다중 회귀, 로지스틱 회귀 등)을 선택하고, 회귀 분석의 기본 가정(선형성, 독립성, 정규성, 등분산성 등)을 검토한다.

다섯째, 모델 적합 및 계수 추정을 수행하여 데이터를 기반으로 회귀 모델을 적합시키고, 독립 변수의 회귀 계수를 추정한다.

여섯째, 모델 평가 및 진단을 통해 결정계수(R^2), 잔차 분석, p-value, 다중 공선성(VIF) 등을 활용하여 모델의 성능과 신뢰성을 평가한다.

일곱째, 결과 해석 및 보고 단계에서는 분석 결과를 해석하고, 변수 간의 관계를 설명하며, 분석의 시사점을 정리한다.

마지막으로, 필요시 모델 개선 및 재평가 과정을 거쳐 모델의 성능을 향상시키기 위해 변수 추가 또는 제거, 변환, 상호작용 효과 고려 등의 방법을 적용할 수 있다.

이러한 일련의 단계를 체계적으로 수행하면 신뢰성 높은 회귀 모델을 구축하고, 데이터에 대한 의미 있는 통찰을 도출할 수 있다.

6 단순 선형 회귀 분석 : 독립 변수와 종속 변수 간의 관계 모델링

단순 선형 회귀 분석은 하나의 독립 변수(X)와 하나의 종속 변수(Y) 사이의 선형 관계를 모델링하는 기법이다. 이 모델은 다음과 같은 수학적 식으로 표현된다.

$$Y = \beta_0 + \beta_1 X + \epsilon$$

- Y : 종속 변수 (예측하고자 하는 변수)
- X : 독립 변수 (예측에 사용되는 변수)
- β_0 : y절편 (X가 0일 때의 Y 값)
- β_1 : 기울기 (X가 1단위 증가할 때 Y의 변화량)
- ε : 오차항 (모델로 설명되지 않는 변동)

6.1 모델 추정 과정

단순 선형 회귀 분석을 수행하기 위해서는 체계적인 단계를 따라야 하며, 데이터의 품질과 분석 과정이 중요하다.

첫째, 데이터 수집 단계에서는 관심 있는 변수들에 대한 데이터를 확보하며, 데이터의 품질과 대표성이 확보되도록 유의해야 한다.

둘째, 데이터 전처리 과정에서는 결측치를 처리하고, 이상치를 탐지하며, 필요에 따라 변수 변환을 수행하여 데이터의 신뢰성을 높인다.

셋째, 탐색적 데이터 분석(EDA)을 통해 변수 간의 관계를 시각적 및 통계적으로 검토한다. 이 과정에서 산점도를 작성하여 X와 Y 간의 관계를 직관적으로 확인하고, 상관계수를 계산하여 선형 관계의 강도를 수치화하며, 평균, 중앙값, 표준편차 등의 기술 통계량을 확인한다.

넷째, 최소제곱법(OLS, Ordinary Least Squares)을 적용하여 회귀 계수 β_0와 β_1을 추정한다. 이 방법은 실제 Y값과 예측된 Y값 사이의 차이(잔차)의 제곱합을 최소화하는 방식으로, 가장 적합한 회귀선을 도출하는 데 사용된다.

이러한 과정을 거쳐 단순 선형 회귀 모델을 구축하면, 변수 간의 관계를 정량적으로 분석하고 예측에 활용할 수 있다.

OLS 추정량 :

$$\beta_1 = \frac{\sum_{i=1}^{n}(x_i - \overline{x})(y_i - \overline{y})}{\sum_{i=1}^{n}(x_i - \overline{x})^2}$$

$$\beta_0 = \overline{y} - \beta_1\overline{x}$$

① 모델 평가

단순 선형 회귀 분석에서는 모델의 성능과 신뢰성을 평가하기 위해 다양한 검정과 분석을 수행한다.

먼저, 결정계수(R^2) 계산을 통해 회귀 모델이 종속 변수의 변동을 얼마나 설명하는지 평가한다. 결정계수는 0에서 1 사이의 값을 가지며, 1에 가까울수록 모델이 데이터를 잘 설명하는 것을 의미한다.

다음으로, F-검정을 사용하여 모델의 전반적인 유의성을 검정한다. 이는 독립 변수가 종속 변수에 영향을 미치는지 여부를 통계적으로 평가하는 방법으로, 귀무가설(독립 변수가 영향을 미치지 않는다)을 기각할 경우 모델이 유의미하다고 판단할 수 있다.

또한, t-검정을 이용하여 개별 회귀 계수의 유의성을 검정한다. 이는 각 독립 변수가 종속 변수에 유의미한 영향을 미치는지를 확인하는 과정으로, p값이 설정된 유의 수준(예: 0.05)보다 작다면 해당 독립 변수는 종속 변수에 통계적으로 유의한 영향을 미친다고 해석할 수 있다.

마지막으로, 잔차 분석을 수행하여 회귀 모델의 가정을 검증한다. 회귀 분석이 올바르게 수행되려면 잔차가 정규성을 따르고, 등분산성을 유지하며, 독립성을 가져야 한다. 이를 확인하기 위해 잔차의 분포를 시각적으로 분석하거나, 잔차의 자기상관성을 검정하는 방법을 활용할 수 있다.

이러한 과정들을 통해 회귀 모델의 적합성을 평가하고, 신뢰성 있는 분석 결과를 도출할 수 있다.

② 해석 및 예측

회귀 분석이 완료되면 모델의 결과를 해석하고 활용하는 과정이 중요하다.

먼저, 추정된 회귀 계수를 해석하여 독립 변수가 종속 변수에 미치는 영향을 파악한다. 예를 들어, β_1의 값이 2라면, 'X가 1단위 증가할 때, Y는 평균적으로 2만큼 증가한다'고 해석할 수 있다.

다음으로, 필요시 새로운 X 값에 대한 Y를 예측할 수 있다. 회귀식을 사용하여 새로운 독립 변수 값이 주어졌을 때 종속 변수 값을 추정할 수 있으며, 이는 데이터 기반 의사결정에 유용하게 활용된다.

또한, 예측 구간과 신뢰 구간을 계산하여 예측값의 신뢰성을 평가할 수 있다. 신뢰 구간은 특정 신뢰 수준(예: 95%)에서 참된 평균 응답이 존재할 것으로 기대되는 범위를 나타내며, 예측 구간은 새로운 관측값이 포함될 가능성이 있는 범위를 제공한다. 예측 구간은 신뢰 구간보다 더 넓게 형성되며, 모델의 불확실성을 고려한 예측을 제공하는 데 활용된다.

이러한 해석과 예측 과정을 통해 회귀 분석 결과를 실무에서 효과적으로 활용할 수 있으며, 데이터 기반의 의사결정을 지원할 수 있다.

③ 모델 진단 및 개선

회귀 분석의 신뢰성을 확보하기 위해 잔차 분석을 수행하여 모델 가정 위반 여부를 확인하는 것이 중요하다. 잔차 분석을 통해 회귀 모델이 기본 가정(선형성, 정규성, 독립성, 등분산성)을 만족하는지 평가할 수 있다. 잔차가 특정 패턴을 보이거나, 정규성을 따르지 않거나, 등분산성을 위반할 경우 모델의 적합성이 의심될 수 있다.

만약 가정이 위반되었다면, 변수 변환, 이상치 처리, 또는 다른 모델링 기법을 고려할 수 있다. 로그 변환이나 제곱근 변환과 같은 변환 기법을 적용하여 비선형성을 완화할 수 있으며, 이상치를 탐지하고 제거하거나 조정하여 모델의 신뢰성을 높일 수 있다. 또한, 선형 회귀 모델이 적절하지 않을 경우 다항 회귀, 로지스틱 회귀, 또는 비선형 모델과 같은 대체 기법을 고려하는 것도 가능하다.

이러한 조정 과정을 거쳐 모델을 개선하고 보다 신뢰성 있는 분석 결과를 도출할 수 있다.

6.2 주요 가정

회귀 분석을 수행할 때는 몇 가지 중요한 가정을 만족해야 하며, 이를 검증하는 과정이 필수적이다.

첫째, 선형성은 독립 변수(X)와 종속 변수(Y) 사이에 선형 관계가 존재해야 함을 의미한다. 이는 산점도와 잔차 플롯을 통해 확인할 수 있으며, 관계가 비선형일 경우 변수 변환이나 다항 회귀와 같은 대체 방법을 고려해야 한다.

둘째, 독립성은 각 관측치가 서로 독립적이어야 한다는 가정으로, 특히 시계열 데이터에서 중요한 요소이다. 잔차의 자기상관성을 검토하여 독립성이 유지되는지 확인할 수 있다.

셋째, 등분산성은 오차(잔차)의 분산이 모든 X 값에서 일정해야 함을 의미한다. 이를 확인하기 위해 잔차 대 적합값 플롯을 분석하며, 만약 분산이 일정하지 않다면 가중 회귀(weighted regression)나 변수 변환을 고려할 수 있다.

넷째, 정규성은 오차항이 정규 분포를 따라야 한다는 가정으로, 이는 Q-Q 플롯과 정규성 검정을 통해 확인할 수 있다. 만약 잔차가 정규성을 따르지 않는다면, 데이터 변환(예: 로그 변환)이나 비모수적 방법을 고려해야 한다.

다섯째, 오차의 평균이 0이어야 한다. 즉, $E(\varepsilon) = 0$을 만족해야 하며, 이는 모델이 편향되지 않았음을 의미한다. 만약 평균이 0이 아니라면, 중요한 독립 변수가 누락되었을 가능성이 있다.

마지막으로, 다중공선성이 없어야 한다. 이는 단순 선형 회귀에서는 해당되지 않지만, 다중 회귀 분석에서는 독립 변수 간의 높은 상관관계가 문제를 일으킬 수 있다. 다중공선성을 확인하기 위해 분산팽창계수(VIF)를 활용하며, 필요 시 변수 제거나 주성분 분석(PCA)과 같은 방법을 고려할 수 있다.

이러한 가정들을 검증하고 충족시키는 과정은 회귀 모델의 신뢰성을 높이는 데 필수적이며, 모델을 보다 정확하고 견고하게 만드는 데 중요한 역할을 한다.

해석

- $\beta_1 > 0$: X가 증가할 때 Y도 증가한다 (양의 상관관계).
- $\beta_1 < 0$: X가 증가할 때 Y는 감소한다 (음의 상관관계).
- $\beta_1 = 0$: X와 Y 사이에 선형 관계가 없다.
- $|\beta_1|$의 크기 : X의 변화에 따른 Y의 변화 정도를 나타낸다.

선형 회귀 분석은 강력한 도구이지만 몇 가지 한계를 가지고 있으며, 이를 고려하여 해석하고 적용해야 한다.

첫째, 비선형 관계를 포착하지 못한다는 한계가 있다. 선형 회귀는 변수들 간의 선형적인 관계만을 모델링할 수 있으므로, 복잡한 비선형 관계를 제대로 반영하지 못할 수 있다. 이러한 경우 다항 회귀, 곡선 적합 모델, 또는 머신러닝 기법을 고려할 수 있다.

둘째, 인과관계를 추론하는 데 한계가 있다. 회귀 분석은 변수 간의 상관관계를 기반으로 하지만, 이는 인과관계를 의미하지 않는다. 변수 간의 관계가 우연한 상관일 수도 있으며, 숨겨진 제3의 변수(혼란 변수, Confounding Variable)가 영향을 미칠 가능성이 있다. 따라서 실험 설계나 추가적인 분석이 필요할 수 있다.

셋째, 이상치에 민감하다. 선형 회귀는 이상치(극단적인 값들)에 의해 크게 영향을 받을 수 있으며,

이는 회귀 계수의 왜곡을 초래할 수 있다. 이를 해결하기 위해 이상치를 식별하고, 로버스트 회귀(Robust Regression)나 변환 기법을 적용하는 것이 필요할 수 있다.

넷째, 외삽의 위험이 존재한다. 회귀 모델을 활용한 예측이 관측된 X 값의 범위를 벗어날 경우, 신뢰성이 급격히 떨어질 수 있다. 이는 외삽(Extrapolation) 문제로, 관측되지 않은 영역에서는 모델이 적절한 예측을 제공하지 못할 가능성이 크다. 따라서 회귀 모델은 주어진 데이터의 범위 내에서만 신뢰성 있게 해석해야 한다.

이러한 한계를 인지하고, 적절한 보완 방법을 적용하면 보다 신뢰성 높은 회귀 분석을 수행할 수 있다.

7 회귀 모델의 적합성 평가 : 결정계수(R^2)

결정계수(R^2)는 회귀 모델이 데이터의 변동성을 얼마나 잘 설명하는지를 나타내는 지표이다. 이 값은 0에서 1 사이를 가지며, 1에 가까울수록 모델이 종속 변수의 변동을 더 잘 설명한다는 것을 의미한다.

7.1 수학적 정의

$$R^2 = 1 - \frac{SS_{res}}{SS_{tot}} = \frac{SS_{reg}}{SS_{tot}}$$

- SS_res: 잔차 제곱합 (Residual Sum of Squares) = $\Sigma (y_i - \hat{y}_i)^2$
- SS_tot: 총 제곱합 (Total Sum of Squares) = $\Sigma (y_i - \bar{y})^2$
- SS_reg: 회귀 제곱합 (Regression Sum of Squares) = $\Sigma (\hat{y}_i - \bar{y})^2$
- y_i: 실제 관측값
- ŷ_i: 모델의 예측값
- ȳ: y의 평균

해석

- $R^2 = 1$: 모델이 데이터의 모든 변동성을 설명한다 (완벽한 적합).
- $R^2 = 0$: 모델이 데이터의 변동성을 전혀 설명하지 못한다 ($y = \bar{y}$ 직선이 최선의 예측).

- $0 < R^2 < 1$: 모델이 데이터 변동성의 일부를 설명한다. 예를 들어, $R^2 = 0.7$은 모델이 데이터 변동성의 70%를 설명한다는 의미이다.

계산 예시

- 총 제곱합 (SS_tot) 계산 : SS_tot = Σ (y_i - ȳ)²
- 잔차 제곱합 (SS_res) 계산 : SS_res = Σ (y_i - ŷ_i)²
- R^2 계산 : R^{2}² = 1 - (SS_res / SS_tot)

결정계수(R^2)는 회귀 모델이 종속 변수의 변동성을 얼마나 잘 설명하는지를 나타내는 지표이지만, 이를 해석할 때 몇 가지 중요한 사항을 고려해야 한다.

첫째, R^2는 독립 변수가 추가될 때마다 증가하는 경향이 있으므로, 다중 회귀 분석에서는 조정된 결정계수(Adjusted R²)를 사용하는 것이 더 적절하다. 조정된 R^2 : $R^2_{adj} = 1-(1-R^2)\dfrac{n-1}{n-p-1}$ (여기서 n은 표본 크기, p는 독립 변수의 수이다.)는 표본 크기(n)와 독립 변수의 개수(p)를 반영하여 모델의 설명력을 조정한 값으로, 불필요한 변수 추가로 인해 모델이 과대평가되는 문제를 방지할 수 있다.

둘째, R^2값이 높다고 해서 반드시 좋은 모델은 아니다. 모델이 훈련 데이터에 지나치게 적합된 경우 과적합(overfitting) 문제가 발생할 수 있으며, 이로 인해 새로운 데이터에 대한 예측 성능이 저하될 가능성이 있다. 따라서 R^2만을 기준으로 모델의 성능을 평가하는 것은 적절하지 않다.

셋째, R^2는 모델의 예측 성능을 직접적으로 나타내지는 않는다. 회귀 모델의 실제 예측력을 평가하려면 교차 검증(cross-validation)과 같은 추가적인 방법을 병행하여 분석하는 것이 중요하다.

넷째, 비선형 관계나 이상치가 존재하는 경우 R^2값이 낮게 나올 수 있다. 이는 모델이 데이터의 패턴을 충분히 반영하지 못하고 있음을 의미할 수 있으므로, 다른 평가 지표(예: 평균 제곱 오차, MAE)와 함께 고려해야 한다.

다섯째, R^2는 모델의 복잡성을 반영하지 않는다. 따라서 불필요하게 복잡한 모델이 단순한 모델보다 더 높은 R^2 값을 가질 수 있지만, 이는 실제로 더 나은 모델을 의미하지는 않는다.

마지막으로, 시계열 데이터에서는 R²값이 모델 성능을 정확히 반영하지 못할 수 있다. 시계열 분석에서는 평균 제곱 오차(MSE), 평균 절대 오차(MAE)와 같은 대안적인 평가 지표를 함께 고려하는 것이 바람직하다.

이러한 점들을 종합적으로 고려하면, R^2는 회귀 모델의 성능을 평가하는 유용한 도구이지만, 단독으로 사용하기보다는 다른 지표들과 함께 종합적으로 분석해야 한다.

8 잔차 분석의 개념

잔차 분석은 회귀 모델의 가정이 충족되는지 확인하고, 모델의 적합성을 평가하는 중요한 과정이다. 잔차는 실제 관측값과 모델의 예측값 사이의 차이로, 다음과 같이 정의된다.

$e_i = y_i - \hat{y_i}$ (여기서 e_i는 i번째 관측치의 잔차, y_i는 실제 관측값, ŷ_i는 모델의 예측값이다.)

주요 잔차 분석 도구는 다음과 같다.

① 잔차 대 적합값 플롯 (Residuals vs Fitted Plot)

잔차 분석의 주요 목적은 회귀 모델이 등분산성과 선형성 가정을 충족하는지 확인하는 것이다. 이를 해석할 때, 잔차는 0을 중심으로 무작위로 분포해야 하며, 특정한 패턴이 나타나지 않아야 한다. 만약 잔차 플롯에서 곡선 형태의 패턴이 발견되면, 이는 비선형성이 존재함을 시사할 수 있다. 이러한 경우, 변수 변환(예: 로그 변환, 제곱근 변환)이나 비선형 모델을 고려하여 보다 적절한 회귀 분석을 수행하는 것이 필요하다.

② Q-Q 플롯 (Quantile-Quantile Plot)

잔차 분석의 목적은 잔차가 정규성을 만족하는지 확인하는 것이다. 이를 평가하기 위해 Q-Q 플롯을 활용하며, 잔차의 분포가 대각선에 가깝게 정렬되어 있어야 정규성을 충족한다고 해석할 수 있다. 만약 잔차가 대각선에서 크게 벗어나면 정규성 가정이 위반된 것으로 볼 수 있다.

정규성이 위반될 경우, 변수 변환(예: 로그 변환, 제곱근 변환)을 적용하여 데이터의 분포를 조정할 수 있다. 또한, 이상치와 강건한 모델링을 고려하여 로버스트 회귀(Robust Regression)를 적용하거나, 일반화 선형 모델(Generalized Linear Model, GLM)을 활용하여 보다 적합한 분석을 수행할 수 있다.

③ 스케일-위치 플롯 (Scale-Location Plot)

잔차 분석의 목적 중 하나는 등분산성을 보다 자세히 확인하는 것이다. 등분산성이 유지되려면 잔차 플롯에서 점들이 수평선을 중심으로 무작위로 분포해야 하며, 특정한 패턴이 나타나지 않아야 한다.

만약 잔차가 특정한 패턴을 보이거나, X 값이 증가함에 따라 잔차의 분산이 커지거나 작아지는 경향이 발견되면, 이는 이분산성(heteroscedasticity)이 존재함을 의미한다. 이러한 경우, 가중 최소제곱법(WLS, Weighted Least Squares)을 적용하여 가변적인 분산을 보정할 수 있다. 또한, 변수 변환(예: 로그 변환, Box-Cox 변환)을 통해 분산을 안정화하는 방법을 고려할 수 있다.

④ 레버리지 플롯 (Leverage Plot)

잔차 분석의 또 다른 목적은 영향력 있는 관측치를 식별하는 것이다. 특정 데이터 포인트가 회귀 모델에 과도한 영향을 미칠 경우, 모델의 신뢰성이 저하될 수 있다.

이러한 영향력을 평가하기 위해 Cook's Distance를 활용하며, 값이 일정 임계값을 초과하는 데이터 포인트는 모델에 큰 영향을 미치는 이상치로 간주된다.

이상치가 발견되면, 해당 데이터 포인트를 면밀히 조사하여 데이터 입력 오류, 측정 오류, 또는 진짜 극단값인지 확인해야 한다. 필요에 따라 이상치를 제거하거나, 로버스트 회귀(Robust Regression)와 같은 방법을 사용하여 모델을 조정하는 것이 적절할 수 있다.

⑤ 스케일-위치 플롯 (Scale-Location Plot)

잔차 분석의 목적 중 하나는 자기상관(autocorrelation)이 존재하는지 확인하는 것이다. 자기상관이란 인접한 오차항들 사이에 상관관계가 있는 경우를 의미하며, 특히 시계열 데이터에서 중요한 문제로 작용할 수 있다.

자기상관을 평가하기 위해 자기상관 함수(ACF, Autocorrelation Function)나 더빈-왓슨 검정(Durbin-Watson Test)을 사용할 수 있다. 이상적인 경우, 시차(lag)에 따른 상관계수가 신뢰구간 내에 위치해야 하며, 특정한 패턴이 나타나지 않아야 한다.

만약 자기상관이 발견된다면, 일반적인 회귀 모델이 적절하지 않을 수 있다. 이를 해결하기 위해 시계열 모델(예: ARIMA, AutoRegressive Integrated Moving Average)을 적용하거나, 일반화 최소제곱법(GLS, Generalized Least Squares)을 활용하여 자기상관을 보정하는 것이 필요할 수 있다.

회귀 분석에서 모델의 가정을 검토하고 문제를 해결하기 위해 다양한 진단 방법을 사용한다.

첫째, 비선형성 진단은 잔차 대 적합값 플롯에서 곡선 패턴이 나타나는 경우 수행해야 한다. 이는 독립 변수와 종속 변수 간의 관계가 단순 선형이 아님을 의미한다. 해결책으로는 독립 변수의 다항식

항을 추가하거나, 로그 변환, 스플라인 함수를 사용하는 방법이 있다.

둘째, 이분산성 진단은 잔차의 분산이 예측값에 따라 변화하는 경우 필요하다. 이 문제는 모델이 일정한 분산을 가정하는 등분산성을 위반하는 경우 발생한다. 해결 방법으로는 종속 변수의 로그 변환을 수행하거나, 가중 최소제곱법(WLS)을 적용하여 변동성을 조정하는 방법이 있다.

셋째, 정규성 위반 진단은 Q-Q 플롯에서 점들이 대각선에서 크게 벗어나는 경우 수행해야 한다. 잔차가 정규성을 따르지 않는다면, 박스-콕스(Box-Cox) 변환을 사용하거나 로버스트 회귀(Robust Regression) 기법을 적용하여 모델의 안정성을 높일 수 있다.

넷째, 이상치 처리는 레버리지 플롯에서 높은 Cook's Distance 값을 가진 점들이 발견될 때 필요하다. 이상치는 회귀 모델의 결과에 큰 영향을 미칠 수 있으며, 이에 대한 해결책으로는 데이터를 면밀히 조사하여 필요할 경우 이상치를 제거하거나, 로버스트 회귀 기법을 적용하는 것이 있다.

다섯째, 자기상관 처리는 ACF(AutoCorrelation Function) 플롯에서 유의미한 자기상관이 발견될 경우 수행해야 한다. 시계열 데이터의 경우, 시차 변수를 추가하거나 ARIMA 모델을 사용하며, 일반 회귀 모델에서는 일반화 최소제곱법(GLS)을 적용하여 자기상관 문제를 해결할 수 있다.

마지막으로, 다중공선성 확인은 다중 회귀 분석에서 필수적으로 수행해야 한다. 분산 팽창 인자(VIF)를 계산하여 다중공선성이 높은 변수를 식별할 수 있으며, 해결 방법으로는 상관관계가 높은 변수를 제거하거나, 주성분 분석(PCA)을 적용하여 차원을 축소하는 방법이 있다.

이러한 진단 및 대응 방법을 통해 회귀 모델의 성능을 개선하고, 보다 신뢰성 있는 분석 결과를 도출할 수 있다.

잔차 분석은 단순히 모델의 문제점을 찾는 것이 아니라, 데이터의 특성을 더 깊이 이해하고 모델을 개선하는 데 중요한 통찰을 제공한다. 이를 통해 보다 정확하고 신뢰할 수 있는 회귀 모델을 구축할 수 있으며, 결과 해석의 신뢰성을 높이고 모델 기반 의사결정을 더욱 견고하게 만들 수 있다.

잔차 분석은 모델의 가정을 검증하는 과정에서 필수적이며, 이를 통해 모델의 한계를 이해하고 개선할 수 있다. 그러나 모델을 수정할 때는 단순히 통계적 기준만을 따르기보다 도메인 지식과 실제 문제의 맥락을 함께 고려하는 것이 중요하다. 경우에 따라 통계적으로 완벽한 모델보다 실용적으로 유용한 모델이 더 가치 있을 수 있기 때문이다.

따라서 잔차 분석은 모델 개발 과정에서 중요한 단계이지만, 최종 모델 선택은 통계적 기준, 실용성, 해석 가능성 등을 종합적으로 고려하여 이루어져야 한다. 이를 통해 데이터 분석이 단순한 수치 해석을 넘어, 실제 의사결정에 효과적으로 활용될 수 있도록 해야 한다.

9 건강검진 데이터를 사용해 BMI(체질량지수)와 혈압의 상관관계 분석, Pandas와 Matplotlib를 활용해 회귀선을 그려보고 분석 결과 시각화

이 실습에서는 가상의 건강검진 데이터를 사용하여 BMI(체질량지수)와 혈압 간의 상관관계를 분석하고, 선형 회귀 모델을 적용하여 회귀선을 시각화한다. Python의 Pandas, Matplotlib, 그리고 Scikit-learn 라이브러리를 활용한다.

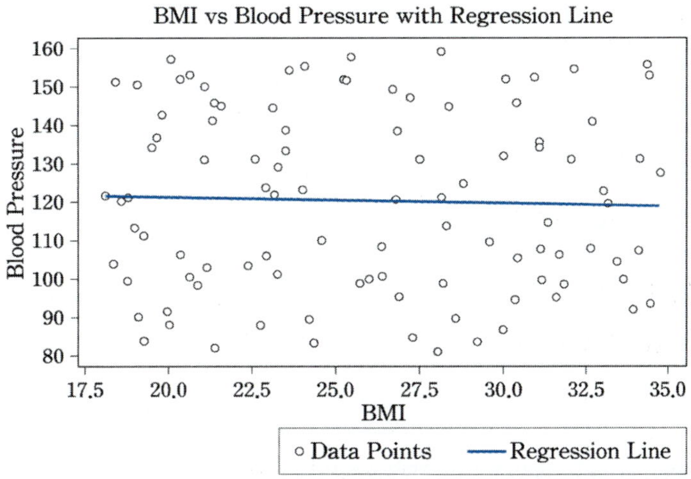

① 데이터 생성 및 확인

100개의 BMI와 혈압 데이터를 생성하여 가상의 건강검진 데이터를 구성한다.

코드

```
import pandas as pd
import numPy as np

# 가상의 건강검진 데이터 생성
np.random.seed(42)
data = pd.DataFrame({
    'BMI': np.random.uniform(18, 35, 100),  # BMI 값 (18~35 사이)
```

```
    'BloodPressure': np.random.uniform(80, 160, 100) # 혈압 값 (80~160 사이)
})

# 데이터 확인
print(data.head())
```

데이터 샘플

BMI	BloodPressure
24.367182	82.514335
34.162143	130.912833
30.443897	105.148478
28.177194	120.685655
20.652317	152.605318

② 선형 회귀 모델 학습

독립 변수(X)와 종속 변수(y) 설정

- 독립 변수(X): BMI
- 종속 변수(y) : Blood Pressure

코드

```
from sklearn.linear_model import LinearRegression
from sklearn.metrics import r2_score

# 독립 변수(X)와 종속 변수(y) 설정
X = data[['BMI']]
y = data['BloodPressure']

# 선형 회귀 모델 생성 및 학습
model = LinearRegression()
model.fit(X, y)

# 회귀 계수와 절편 확인
coef = model.coef_[0]
intercept = model.intercept_
```

```
# 결정계수(R²) 계산
y_pred = model.predict(X)
r2 = r2_score(y, y_pred)

print(f"회귀 계수(기울기): {coef}")
print(f"절편: {intercept}")
print(f"결정계수(R²): {r2}")
```

결과

```
회귀 계수(기울기) : -0.1578
절편 : 123.9281
결정계수(R²) : 0.00116
결정계수 R² 값이 매우 낮아, BMI가 혈압 변동성을 거의 설명하지 못함을 알 수 있다.
```

③ 산점도 및 회귀선 시각화

코드

```
import matplotlib.pyplot as plt

# 산점도와 회귀선 시각화
plt.figure(figsize=(10, 6))
plt.scatter(data['BMI'], data['BloodPressure'], alpha=0.7, label='Data Points')
plt.plot(data['BMI'], y_pred, color='red', label='Regression Line')
plt.xlabel('BMI')
plt.ylabel('Blood Pressure')
plt.title('BMI vs Blood Pressure with Regression Line')
plt.legend()
plt.show()
```

결과

```
첨부된 그래프는 BMI와 혈압 간의 산점도와 회귀선을 보여준다.
```

④ 분석 결과 해석

- 산점도 관찰

  데이터 포인트들이 넓게 퍼져 있으며, 특정한 패턴이나 경향성이 보이지 않는다. 이는 두 변수 간에 뚜렷한 선형 관계가 없음을 시사한다.

- 회귀선 관찰

  회귀선은 거의 수평에 가까우며, 기울기가 -0.1578로 매우 작다. 이는 BMI 변화에 따른 혈압 변화가 거의 없음을 의미한다.

- 결정계수(R^2)

  R^2 = 0.00116으로 매우 낮다. 이는 BMI가 혈압 변동성을 거의 설명하지 못함을 나타낸다.

- 해석

  BMI와 혈압 간의 관계는 통계적으로 유의미하지 않으며, 다른 요인이 혈압에 더 큰 영향을 미칠 가능성이 높다. 추가적인 독립 변수를 포함하거나 비선형 관계를 탐색하는 것이 필요할 수 있다.

⑤ 분석 결과 해석

- 결론

  BMI와 혈압 간에는 선형적 상관관계가 거의 없다. 그러므로 단순 선형 회귀 모델은 이 데이터에 적합하지 않으며, 다른 모델링 접근법이 필요할 수 있다.

- 추가 고려 사항

  - 다중 회귀 분석 : 다른 요인을 포함하여 혈압에 대한 더 나은 설명력을 확보할 수 있다.
  - 비선형 관계 탐색 : 비선형 회귀나 스플라인 모델을 적용하여 숨겨진 패턴을 탐색할 수 있다.
  - 데이터 품질 검토 : 이상치나 노이즈를 제거하고 데이터의 대표성을 검토해야 한다.

이 실습은 단순 선형 회귀 분석의 한계를 이해하고, 추가적인 분석 방향을 모색하는 데 중요한 통찰을 제공한다.

실습과제

문제설정

Study Hours(공부 시간)과 Test Scores(시험 점수) 간의 관계 분석하시오. 실습 문제에서 다뤄야할 사항은 다음과 같다.

01 데이터 탐색 및 상관관계 확인

1. 하루 평균 공부 시간(Study Hours)과 시험 점수(Test Scores) 간의 상관계수를 계산하시오.
2. 상관계수의 크기와 방향을 해석하시오.

02 단순 선형 회귀 모델 학습

1. Study Hours를 독립 변수로, Test Scores를 종속 변수로 설정하여 단순 선형 회귀 모델을 학습하시오.
2. 학습된 모델의 회귀 계수(기울기)와 절편을 구하시오.
3. 결정계수(R^2)를 계산하여 모델의 적합성을 평가하시오.

03 데이터 시각화

1. Study Hours와 Test Scores 간의 산점도를 작성하시오.
2. 학습된 회귀 모델의 회귀선을 산점도 위에 추가하여 시각화하시오.

04 결과 해석

1. 산점도와 회귀선을 기반으로 Study Hours와 Test Scores 간의 관계를 설명하시오.
2. 결정계수(R^2)를 바탕으로 모델이 데이터를 얼마나 잘 설명하는지 평가하시오.
3. 상관계수와 회귀 분석 결과를 종합적으로 해석하시오.

정답코드

01 데이터 탐색 및 상관계수 확인

■ 코드

```
# 상관계수 계산
correlation = data['StudyHours'].corr(data['TestScores'])
print(f"Study Hours와 Test Scores 간의 상관계수: {correlation}")
```

■ 결과

– 상관계수 : −0.034

■ 해석

– 상관계수가 −0.034로 매우 작고 음수이므로, Study Hours와 Test Scores 간에는 거의 상관관계가 없음을 나타낸다.
– 음의 값은 공부 시간이 증가할 때 시험 점수가 약간 감소하는 경향이 있음을 의미하지만, 이 경향은 매우 미약하다.

02 단순 선형 회귀 모델 학습

■ 코드

```
from sklearn.linear_model import LinearRegression
from sklearn.metrics import r2_score

# 독립 변수(X)와 종속 변수(y) 설정
X = data[['StudyHours']]
y = data['TestScores']

# 선형 회귀 모델 생성 및 학습
model = LinearRegression()
model.fit(X, y)

# 회귀 계수와 절편
coef = model.coef_[0]
```

```
intercept = model.intercept_

# 결정계수(R²)
y_pred = model.predict(X)
r2 = r2_score(y, y_pred)

print(f"회귀 계수(기울기): {coef}")
print(f"절편: {intercept}")
print(f"결정계수(R²): {r2}")
```

■ 결과

– 회귀 계수(기울기) : –0.1863

– 절편 : 75.8662

– 결정계수(R^2) : 0.00116

■ 해석

– 기울기가 –0.1863으로, Study Hours가 1단위 증가할 때 Test Scores가 평균적으로 약 0.1863 감소함을 의미한다.

– 결정계수가 매우 낮아(≈0) 모델이 데이터를 거의 설명하지 못함을 보여준다.

03 데이터 시각화

■ 코드

```
import matplotlib.pyplot as plt

# 산점도 및 회귀선 시각화
plt.figure(figsize=(10, 6))
plt.scatter(data['StudyHours'], data['TestScores'], alpha=0.7, label='Data Poin
ts')
plt.plot(data['StudyHours'], y_pred, color='red', label='Regression Line')
plt.xlabel('Study Hours')
plt.ylabel('Test Scores')
plt.title('Study Hours vs Test Scores with Regression Line')
plt.legend()
plt.show()
```

■ 결과

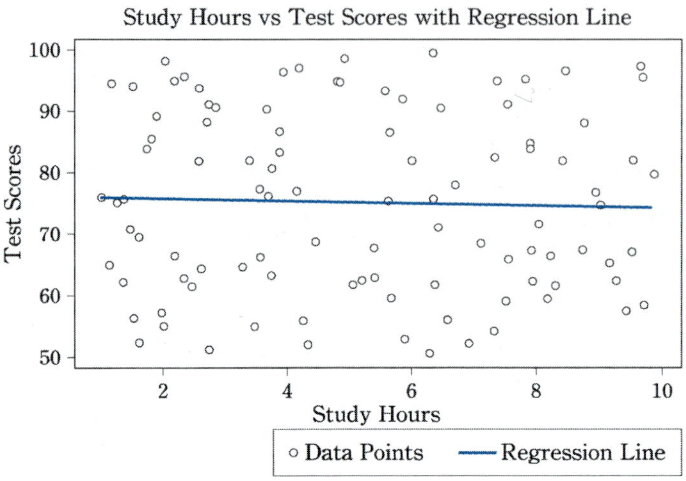

04 결과 해석

1. 산점도 및 회귀선 기반 관계 설명

   Study Hours와 Test Scores 간의 관계를 분석한 결과, 명확한 선형 관계가 관찰되지 않는다. 데이터 포인트들이 넓게 분포되어 있으며, 특정한 패턴이 나타나지 않는다.

   회귀선을 살펴보면 거의 수평에 가까운 형태를 보이며, 이는 공부 시간이 증가해도 시험 점수 변화가 미미함을 의미한다. 이러한 결과는 공부 시간과 시험 점수 사이에 뚜렷한 선형적 관계가 없거나, 시험 점수에 영향을 미치는 다른 요인이 존재할 가능성을 시사한다.

2. 결정계수(R^2) 평가

   R^2 값이 약 0.00116으로 매우 낮다. 이는 독립 변수(Study Hours)가 종속 변수(Test Scores)의 변동성을 거의 설명하지 못한다는 것을 의미한다.

3. 상관계수 및 회귀 분석 결과 종합 해석

   상관계수가 −0.034로 매우 작고 음의 값을 가지며, 이는 약한 음의 상관관계를 나타낸다. 회귀 분석 결과 또한 Study Hours가 Test Scores에 미치는 영향이 거의 없음을 보여준다. 따라서 시험 점수에 영향을 미치는 다른 요인(예: 수면 시간, 스트레스 수준 등)을 고려해야 할 가능성이 높다.

결론 및 추가 과제

1. 결론

Study Hours와 Test Scores 간에는 유의미한 선형 관계가 없다. 따라서, 단순 선형 회귀 모델은 이 데이터에 적합하지 않으며, 다른 요인을 포함하거나 비선형 관계를 탐색해야 한다.

2. 추가 과제

- 다중 선형 회귀 분석: 수면 시간, 스트레스 수준 등 다른 독립 변수를 추가하여 시험 점수를 더 잘 설명할 수 있는지 확인한다.
- 비선형 모델링 : 다항 회귀 또는 비모수적 방법(Splines 등)을 사용하여 비선형 관계를 탐색한다.
- 데이터 품질 검토 : 이상치 제거 및 샘플 크기를 늘려 분석 신뢰도를 높다.

CHAPTER 4

데이터를 예측하다: 확률과 추론

상관분석은 두 변수 간의 선형적 관계를 측정하는 통계적 기법이다. 이는 변수들 사이의 관련성을 수량화하여 표현하는 방법으로, 데이터 분석에서 중요한 역할을 한다. 상관분석의 주요 목적은 변수 간 관계의 강도와 방향을 결정하는 것이다.

상관분석의 핵심 지표인 상관계수는 -1에서 1 사이의 값을 가지며, 1에 가까울수록 강한 양의 상관관계를, -1에 가까울수록 강한 음의 상관관계를 나타낸다. 상관계수가 0에 가까울수록 두 변수 간의 선형 관계가 약하다는 것을 의미한다.

상관분석은 경제학, 심리학, 의학, 생물학 등 다양한 분야에서 활용되며, 변수 간의 관계를 파악하는 데 중요한 분석 도구로 사용된다. 이를 통해 데이터의 패턴을 이해하고 예측 모델을 구축하거나, 복잡한 시스템의 동작을 분석하는 기초적인 정보를 제공할 수 있다.

그러나 상관관계가 인과관계를 의미하지 않는다는 점을 항상 유념해야 한다. 두 변수 간에 강한 상관관계가 존재하더라도, 이는 한 변수가 다른 변수의 원인이 된다는 것을 보장하지 않는다. 따라서 상관분석의 결과를 해석할 때는 신중한 접근이 필요하다.

1 확률의 기초

확률은 불확실한 사건의 발생 가능성을 수치화한 개념으로, 데이터 분석과 통계적 추론의 기반이 된다. 확률의 기본 개념과 법칙은 다음과 같다.

1.1 기본 개념

표본 공간(Sample Space)은 실험이나 관찰에서 발생할 수 있는 모든 가능한 결과의 집합이다. 이는 확률 이론에서 기본적인 개념으로, 예를 들어 동전을 한 번 던지는 실험에서 표본 공간은 {앞면, 뒷면}이 된다.

사건(Event)은 표본 공간의 부분집합으로, 관심 있는 특정 결과나 결과들의 모음을 의미한다. 예를 들어, 주사위를 던지는 실험에서 '짝수가 나오는 사건'은 {2,4,6}과 같이 표현될 수 있다.

확률(Probability)은 특정 사건이 발생할 가능성을 수량화한 값으로, 0에서 1 사이의 범위를 가진다. 확률이 0이면 해당 사건이 절대 발생하지 않음을 의미하며, 1이면 반드시 발생함을 뜻한다. 예를 들어, 공정한 동전을 던질 때 앞면이 나올 확률은 0.5이다. 확률 개념은 다양한 실세계 문제를 분석하고 예측하는 데 중요한 역할을 한다.

1.2 확률의 공리(Axioms of Probability)

확률은 몇 가지 기본적인 성질을 만족해야 하며, 이를 통해 확률이론의 기초를 형성한다.

첫째, 비음수성(Non-negativity)은 모든 사건 A에 대해 확률이 0 이상이어야 한다는 것을 의미한다. 즉, $P(A) \geq 0$ 이는 확률이 음수가 될 수 없음을 보장한다.

둘째, 정규화(Normalization)는 전체 표본 공간 S에 대한 확률이 항상 1이어야 함을 의미한다. 즉, $P(S) = 1$ 이는 확률이 전체 가능성을 나타내는 값이며, 모든 가능한 사건이 발생할 확률의 총합이 1이 되어야 한다는 것을 보장한다.

셋째, 가산 가법성(Additivity)은 서로 배반인(즉, 동시에 발생할 수 없는) 사건들 A와 B에 대해, 두 사건이 발생할 확률은 개별 확률의 합과 같다는 성질이다. 즉, $P(A \cup B)=P(A)+P(B)$(단, $A \cap B = \varnothing$) 이는 확률이 독립적인 가능성을 더하는 방식으로 계산될 수 있음을 나타낸다. 이러한 성질들은 확률을 체계적으로 정의하고 분석하는 데 중요한 역할을 한다.

1.3 확률의 기본 법칙

확률에는 두 가지 중요한 연산 법칙이 있으며, 이는 사건 간의 관계를 분석하는 데 필수적인 개념이다.

첫째, 덧셈 법칙(Addition Rule)은 두 사건 A와 B 중 하나 이상이 발생할 확률을 계산하는 방법이다. 일반적인 경우, 다음과 같이 표현된다.

$$P(A \text{ or } B)=P(A)+P(B)-P(A \text{ and } B)$$

여기서 P(A and B)는 두 사건이 동시에 발생할 확률이며, 이를 제외해야 중복 계산을 방지할 수 있다. 만약 A와 B가 상호 배타적(mutually exclusive)이라면, 즉 동시에 발생할 수 없는 사건이라면, P(A or B)=P(A)+P(B)로 단순화된다.

둘째, 곱셈 법칙(Multiplication Rule)은 두 사건이 동시에 발생할 확률을 계산하는 방법이다. 일반적으로 다음과 같이 표현된다.

$$P(A \text{ and } B)=P(A)\times P(B \mid A)$$

여기서 P(B | A)는 조건부 확률(Conditional Probability)로, 사건 A가 발생한 후 B가 발생할 확률을 의미한다. 만약 A와 B가 독립 사건(Independent Events)이라면, 즉 하나의 사건이 다른 사건의 발생에 영향을 미치지 않는다면, P(A and B)=P(A)×P(B)로 표현된다.

이러한 법칙들은 사건 간의 확률을 계산하는 데 필수적이며, 다양한 확률 문제를 해결하는 데 중요한 역할을 한다.

1.4 조건부 확률(Conditional Probability)

조건부 확률(Conditional Probability)은 특정 사건 B가 발생했을 때, 다른 사건 A가 발생할 확률을 의미한다. 이는 다음과 같은 공식으로 정의된다.

$$P(A|B) = P(A \text{ and } B) \ / \ P(B),\ P(B) > 0$$

여기서,

- P(A | B)는 B가 발생했다는 조건 하에 A가 발생할 확률을 나타낸다.
- P(A and B)는 A와 B가 동시에 발생할 확률이다.
- P(B)는 B가 발생할 확률이며, 0보다 커야 한다.

조건부 확률은 베이즈 정리(Bayes' Theorem), 의료 진단, 머신러닝, 베이지안 통계 등 다양한 분야에서 활용되며, 사건 간의 의존성을 분석하는 데 중요한 개념이다.

1.5 베이즈 정리(Bayes' Theorem)

베이즈 정리(Bayes' Theorem)는 사전 확률(prior probability)과 새로운 증거를 바탕으로 사후 확률(posterior probability)을 계산하는 공식이다. 이는 다음과 같이 표현된다.

$$P(A|B) = [P(B|A) \times P(A)] / P(B)$$

여기서,

- P(A | B) : 사건 B가 발생했을 때 사건 A가 발생할 사후 확률(posterior probability)
- P(B | A) : 사건 A가 발생했을 때 사건 B가 발생할 우도(likelihood)
- P(A) : 사건 A가 발생할 사전 확률(prior probability)
- P(B) : 사건 B가 발생할 전체 확률로, 정규화 상수(normalizing constant) 역할

베이즈 정리는 의료 진단, 스팸 필터링, 머신러닝, 신뢰도 분석 등 다양한 분야에서 활용된다. 예를 들어, 특정 질병을 가진 사람이 검진에서 양성 판정을 받을 확률과, 양성 판정을 받은 사람이 실제로 질병을 가졌을 확률을 계산하는 데 사용될 수 있다.

이 정리는 새로운 정보(B)의 도입에 따라 기존 믿음(A)에 대한 확률을 갱신하는 과정을 설명하며, 불확실성을 다루는 베이지안 통계의 핵심 원리 중 하나이다.

1.6 확률 분포

확률 분포는 확률변수가 가질 수 있는 값과 그 값들이 발생할 확률을 나타내는 함수이며, 이산 확률 분포와 연속 확률 분포로 나뉜다.

첫째, 이산 확률 분포(Discrete Probability Distribution)는 확률변수가 유한하거나 셀 수 있는 무한한 값을 가질 때 사용된다. 대표적인 예로는 다음과 같은 분포가 있다.

- 베르누이 분포(Bernoulli Distribution) : 하나의 시행에서 성공(1) 또는 실패(0) 두 가지 결과만 가지는 분포
- 이항 분포(Binomial Distribution) : 동일한 확률을 가진 베르누이 시행을 여러 번 반복했을 때 성공 횟수를 따르는 분포
- 포아송 분포(Poisson Distribution) : 일정한 시간 또는 공간 내에서 특정 사건이 발생하는 횟수를 모델링하는 분포

둘째, 연속 확률 분포(Continuous Probability Distribution)**는 확률변수가 연속적인 값을 가질 때 사용된다. 주요 예시는 다음과 같다.

- 정규 분포(Normal Distribution) : 평균을 중심으로 종 모양을 이루는 분포로, 자연현상과 통계적 데이터 분석에서 가장 널리 사용됨

- 지수 분포(Exponential Distribution) : 사건이 연속적으로 발생하는 시간 간격을 모델링하는 데 사용됨
- 감마 분포(Gamma Distribution) : 지수 분포의 일반화 형태로, 대기 시간과 관련된 다양한 확률 모델링에 활용됨

이산 확률 분포는 개별 사건의 확률을 합산하여 계산하며, 연속 확률 분포는 확률 밀도 함수를 적분하여 확률을 계산한다. 따라서 분석 목적과 데이터의 성격에 따라 적절한 확률 분포를 선택하는 것이 중요하다.

1.7 기댓값과 분산

기댓값(E(X))은 확률변수가 가질 수 있는 값들의 평균적인 기대값을 의미하며, 확률분포의 중심 경향을 나타낸다. 이는 다음과 같이 정의된다.

- $E(X)=\Sigma xP(x)$(이산 확률변수의 경우)
- $E(X)=\int xf(x)dx$(연속 확률변수의 경우)

여기서 x는 확률변수의 값이며, P(x) 또는 f(x)는 각각 확률질량함수(PMF)와 확률밀도함수(PDF)를 의미한다.

분산(Var(X))은 확률변수가 기댓값에서 얼마나 퍼져 있는지를 나타내는 지표로, 데이터의 변동성을 측정하는 역할을 한다. 이는 다음과 같이 정의된다.

- $Var(X)=E[(X-E(X))^2]$
- $Var(X)=E(X^2)-(E(X))^2$

분산이 클수록 데이터가 넓게 분포하며, 분산이 작을수록 값들이 기댓값 근처에 집중되어 있다.

이러한 확률의 기초 개념들은 통계적 추론, 가설 검정, 신뢰 구간 추정과 같은 다양한 데이터 분석 기법의 토대를 형성한다. 기댓값과 분산은 확률분포를 이해하고 분석하는 데 필수적인 개념으로, 머신러닝, 경제학, 공학 등 다양한 분야에서 활용된다.

2 정규분포와 표준 정규분포

정규분포는 자연과 사회 현상에서 가장 흔히 관찰되는 확률 분포로, 통계학과 데이터 과학에서 중요한 역할을 한다.

2.1 정규분포의 특징

정규분포는 종 모양의 대칭적인 형태를 가지며, 평균(μ)과 표준편차(σ)만으로 완전히 정의된다. 이 분포는 평균을 중심으로 좌우 대칭을 이루며, 평균, 중앙값, 최빈값이 모두 동일하다. 또한, 정규분포의 곡선은 양쪽으로 무한히 뻗어 있지만, 평균에서 멀어질수록 확률이 급격히 감소하는 특성을 가진다. 이러한 성질 때문에 정규분포는 자연 현상과 사회적 데이터에서 자주 나타나며, 통계적 분석과 가설 검정에서 중요한 역할을 한다.

2.2 정규분포의 확률밀도함수

- f(x) = (1 / (σ√(2π))) * e^(-(x-μ)^2 / (2σ^2))

2.3 68-95-99.7 규칙

- μ ± 1σ 구간에 약 68%의 데이터가 포함된다.
- μ ± 2σ 구간에 약 95%의 데이터가 포함된다.
- μ ± 3σ 구간에 약 99.7%의 데이터가 포함된다.

2.4 표준 정규분포

표준 정규분포(Standard Normal Distribution)는 평균이 0이고 표준편차가 1인 특별한 정규분포이다. 일반적인 정규분포는 Z-점수(Z-score)를 이용하여 표준 정규분포로 변환할 수 있으며, 변환 공식은 다음과 같다.

$$Z = (X - \mu) / \sigma$$

여기서 X는 원래 데이터 값, μ는 평균, σ는 표준편차를 의미한다. 이를 통해 다양한 정규분포를 공통된 척도로 변환하여 비교할 수 있다.

표준 정규분포를 이용하면 표준 정규분포표(Z-table)를 활용하여 특정 값보다 크거나 작은 값이 나올 확률을 쉽게 계산할 수 있다. 이러한 성질 덕분에 표준 정규분포는 확률 계산, 신뢰 구간 추정, 가설 검정 등 다양한 통계적 분석에서 필수적인 도구로 사용된다.

2.5 정규분포의 중요성

중심극한정리(Central Limit Theorem, CLT)는 확률이론에서 가장 중요한 개념 중 하나로, 독립적인 확률변수들의 평균이 표본 크기가 커질수록 정규분포에 가까워짐을 의미한다. 즉, 개별 확률변수가 정규분포를 따르지 않더라도, 충분히 큰 표본을 반복적으로 추출하면 그 평균의 분포는 정규분포에 근접하게 된다.

이러한 성질로 인해 많은 통계적 기법들이 정규성 가정을 전제로 하고 있으며, 회귀 분석, 가설 검정, 신뢰 구간 추정 등의 다양한 통계 방법에서 중심극한정리를 활용한다.

또한, 자연 현상과 사회 현상의 많은 변수들이 근사적으로 정규분포를 따르는 경향이 있다. 예를 들어, 시험 점수, 신체 측정 데이터, 경제 지표 등의 변수들은 중심극한정리에 의해 정규분포를 근사할 수 있으며, 이를 통해 다양한 분석이 가능해진다.

이러한 이유로 중심극한정리는 확률 및 통계 분야에서 핵심적인 원리로 작용하며, 실제 데이터 분석과 모델링에서 매우 중요한 역할을 한다.

2.6 정규분포의 응용

정규분포는 다양한 분야에서 실용적으로 활용되며, 데이터 분석과 의사결정에 중요한 역할을 한다.

첫째, 품질 관리(Quality Control)에서는 제품이 규격을 벗어날 확률을 계산하는 데 정규분포가 사용된다. 생산 공정에서 측정된 품질 데이터가 정규분포를 따른다고 가정하면, 특정 허용 범위를 초과하는 제품의 비율을 예측하고, 이를 바탕으로 결함률을 관리할 수 있다.

둘째, 심리측정(Psychometrics)에서는 IQ 점수, 성격 검사 등의 결과가 정규분포를 따른다고 가정하는 경우가 많다. 예를 들어, IQ 점수는 평균 100, 표준편차 15를 가지는 정규분포를 따르며, 이를 통해 특정 점수 이상을 받을 확률을 계산할 수 있다.

셋째, 금융(Finance)에서는 자산의 수익률 모델링에 정규분포가 자주 사용된다. 주식 수익률, 변동성 분석 등에서 정규분포를 기반으로 위험을 평가하고 투자 전략을 수립하는 데 활용된다.

넷째, 의학(Medical Statistics)에서는 생체 지표(예: 혈압, 콜레스테롤 수치 등)의 정상 범위를 설정하는 데 정규분포가 활용된다. 예를 들어, 특정 건강 지표가 평균을 중심으로 정규분포를 따른다면, 상위 5% 또는 하위 5%를 기준으로 이상 여부를 판별할 수 있다.

이처럼 정규분포는 다양한 실세계 문제를 분석하고 예측하는 데 핵심적인 도구로 사용되며, 데이터 기반 의사결정을 지원하는 중요한 확률 모델이다.

2.7 정규분포의 한계

정규분포의 한계는 여러 분야에서 정규성을 가정한 분석이 현실과 맞지 않을 수 있음을 의미하며, 이를 고려하여 적절한 확률 분포를 선택하는 것이 중요하다.

첫째, 모든 현상이 정규분포를 따르는 것은 아니다. 많은 자연현상과 사회현상이 정규분포를 근사하지만, 모든 데이터가 이에 부합하는 것은 아니다. 예를 들어, 소득 분포나 보험 손실 데이터는 대체로 왜도가 크며 정규분포로 적절히 모델링되지 않는다.

둘째, 극단적인 사건(tail events)의 확률을 과소평가할 수 있다. 정규분포는 양 끝단(꼬리, tail)이 급격히 감소하는 특성이 있어, 현실에서 드물지만 중요한 극단적 사건(예: 금융 시장의 급락, 자연재해 등)이 발생할 가능성을 낮게 평가할 수 있다. 이런 경우 정규분포보다 꼬리가 두꺼운(heavy-tailed) 분포인 스튜던트 t-분포나 파레토 분포 등이 더 적합할 수 있다.

셋째, 비대칭적인 분포나 다봉분포(multimodal distribution)에서는 정규분포의 적용이 제한적이다. 정규분포는 항상 대칭적이지만, 실제 데이터는 한쪽으로 치우친 분포(왜도 존재)나 여러 개의 봉우리를 가지는 다봉분포일 수 있다. 이런 경우 지수분포, 로그정규분포, 혼합 정규분포(GMM) 등의 대체 분포를 고려해야 한다.

따라서 데이터의 특성을 먼저 분석하고, 정규성 검정을 수행한 후 적절한 분포를 선택하는 것이 중요하다. 정규분포가 강력한 도구이지만, 모든 데이터에 일률적으로 적용할 수는 없으며, 데이터의 실제 분포 특성을 반영하는 것이 더욱 효과적인 분석을 가능하게 한다.

3 데이터가 정규분포를 따르는지 확인하는 방법(시각화, 샤피로-윌크 검정 등)

데이터의 정규성을 확인하는 것은 많은 통계적 기법의 전제 조건이므로 중요하다. 다음은 정규성을 확인하는 다양한 방법들이다.

3.1 시각화 방법

정규성을 확인하는 방법에는 히스토그램, Q-Q 플롯, 박스플롯과 같은 시각적 도구가 있으며, 이를 활용하면 데이터의 분포 특성을 직관적으로 파악할 수 있다.

먼저, 히스토그램(Histogram)은 데이터의 분포를 시각적으로 표현하는 대표적인 방법이다. 정규분포를 따르는 데이터라면 히스토그램이 종 모양의 대칭적인 형태를 보인다. 이를 구현하기 위해 plt.hist(data, bins='auto')를 사용하면 적절한 구간(bin)으로 데이터를 나누어 시각화할 수 있다.

둘째, Q-Q 플롯(Quantile-Quantile Plot)은 데이터의 분위수를 정규분포의 이론적 분위수와 비교하는 방법이다. 점들이 대각선에 가까울수록 데이터가 정규분포에 가깝다는 것을 의미한다. 이를 구현하기 위해 stats.probplot(data, dist="norm", plot=plt)을 사용하면 정규성 여부를 효과적으로 확인할 수 있다.

셋째, 박스플롯(Boxplot)은 중앙값, 사분위수, 이상치 등을 시각적으로 표현하는 그래프이다. 정규분포를 따르는 데이터는 대체로 대칭적이며, 이상치가 많지 않아야 한다. 박스플롯을 통해 데이터가 한쪽으로 치우쳐 있거나 이상치가 많다면, 정규성이 위반되었을 가능성이 있다. plt.boxplot(data)을 사용하여 간단하게 구현할 수 있다.

이러한 시각적 도구들은 데이터의 정규성을 평가하는 데 유용하며, 필요할 경우 추가적인 정규성 검정(예: 샤피로-윌크 검정, 콜모고로프-스미르노프 검정)을 병행하여 보다 정확한 분석을 수행할 수 있다.

3.2 통계적 검정

정규성을 검정하는 방법에는 여러 가지 통계적 검정이 있으며, 데이터의 특성과 표본 크기에 따라 적절한 방법을 선택하는 것이 중요하다.

첫째, 샤피로-윌크 검정(Shapiro-Wilk test)은 데이터가 정규분포를 따르는지 평가하는 대표적인 방법이다. 귀무가설은 '데이터가 정규분포를 따른다'이며, p-value가 0.05보다 크면 정규성 가정을 만족한다고 볼 수 있다. 이 검정은 작은 표본 크기(n<50)에 적합하며, stats.shapiro(data)를 사용하여 구현할 수 있다.

둘째, 콜모고로프-스미르노프 검정(Kolmogorov-Smirnov test, KS test)은 관측된 누적분포함수(CDF)와 이론적 정규분포의 누적분포함수를 비교하여 정규성을 검정하는 방법이다. 표본 크기가 큰 경우에도 적용할 수 있으며, stats.kstest(data, 'norm')을 이용해 수행할 수 있다.

셋째, 앤더슨-달링 검정(Anderson-Darling test)은 KS 검정의 변형으로, 분포의 꼬리 부분(tail)에 더 민감한 검정법이다. 이는 데이터가 정규성을 위반하는 경우 특히 극단적인 값에서 발생하는 패턴을 감지하는 데 유용하다. stats.anderson(data, dist='norm')을 사용하여 정규성을 평가할 수 있다.

넷째, 자크-베라 검정(Jarque-Bera test)은 왜도(skewness)와 첨도(kurtosis)를 기반으로 정규성을 검정하는 방법이다. 정규분포에서는 왜도가 0이고 첨도가 3에 가까운 값을 가지므로, 이 두 값의 차이를 측정하여 정규성을 판단한다. stats.jarque_bera(data)를 사용하여 구현할 수 있다.

이러한 정규성 검정 방법들은 데이터의 성격과 표본 크기에 따라 적절하게 선택해야 하며, 시각적 방법(히스토그램, Q-Q 플롯)과 함께 활용하면 더욱 신뢰성 있는 결과를 도출할 수 있다.

3.3 수치적 방법

왜도(Skewness)와 첨도(Kurtosis)는 데이터의 분포 형태를 분석하는 데 사용되는 두 가지 중요한 지표이다.

먼저, 왜도(Skewness)는 분포의 비대칭성을 측정하는 지표로, 정규분포에서는 왜도가 0이 된다. 왜도가 양수이면 분포가 오른쪽(양의 방향)으로 치우쳐 있고, 음수이면 왼쪽(음의 방향)으로 치우쳐 있음을 의미한다. 이를 계산하는 방법은 stats.skew(data)를 사용하면 된다.

다음으로, 첨도(Kurtosis)는 분포의 뾰족한 정도를 나타내며, 정규분포의 경우 첨도 값은 3이다. 그러나 실무에서는 초과첨도(excess kurtosis)를 사용하는 경우가 많으며, 이는 3을 기준으로 첨도를 조정한 값으로 정의된다. 즉, 초과첨도가 0이면 정규분포와 유사하며, 양수이면 극단값(꼬리)이 두꺼운 분포(Leptokurtic), 음수이면 극단값이 적고 평평한 분포(Platykurtic)임을 의미한다. 이를 계산하는 방법은 stats.kurtosis(data)를 사용하면 된다.

이 두 가지 지표는 데이터의 분포 특성을 정량적으로 분석하는 데 유용하며, 정규성 검정과 함께 활용하면 더욱 신뢰성 있는 분석이 가능하다.

3.4 정규성 검정 시 주의사항

정규성 검정을 수행할 때는 단순히 통계적 검정 결과만을 따르는 것이 아니라, 데이터의 특성과 해석 방법을 종합적으로 고려하는 것이 중요하다.

첫째, 표본 크기의 영향을 이해해야 한다. 표본 크기가 크면 작은 편차도 통계적으로 유의미하게 나타날 수 있으며, 이는 실제로 중요한 차이가 아닐 수도 있다. 따라서 표본 크기가 클수록 정규성 검정의 p-value가 작아질 가능성이 있으므로, 이를 해석할 때 주의해야 한다.

둘째, 시각적 방법과 통계적 검정을 병행하는 것이 중요하다. 히스토그램, Q-Q 플롯, 박스플롯 등의 시각적 도구를 활용하여 데이터의 형태를 직관적으로 분석한 후, 샤피로-윌크 검정, 콜모고로프-스미르노프 검정과 같은 통계적 검정을 함께 수행하면 보다 신뢰성 있는 결론을 도출할 수 있다.

셋째, 변환을 고려하는 것도 하나의 방법이다. 데이터가 정규성을 만족하지 않는 경우, 로그 변환(log transformation), Box-Cox 변환 등을 적용하여 분포를 정규화할 수 있다. 이러한 방법은 특히 오른쪽으로 치우친 분포(skewed distribution)에서 효과적이다.

마지막으로, 실제 데이터의 특성을 고려하는 것이 중요하다. 실무에서는 완벽한 정규성보다는 근사적 정규성(approximate normality)이 더 중요한 경우가 많다. 많은 통계 기법이 정규성을 가정하지만, 약간의 정규성 위반이 있어도 결과에 큰 영향을 미치지 않는 경우가 많다. 따라서 정규성 검정 결과를 절대적으로 따르기보다는, 데이터의 맥락과 분석 목적을 함께 고려하여 최적의 결정을 내려야 한다.

3.5 정규성 가정이 위배될 경우의 대안

데이터가 정규성을 만족하지 않을 경우, 적절한 대체 방법을 고려해야 한다. 이를 위해 비모수적 방법, 로버스트 통계 기법, 부트스트랩 방법, 일반화 선형 모델과 같은 기법을 활용할 수 있다.

첫째, 비모수적 방법(Non-parametric Methods)을 사용할 수 있다. 비모수 검정은 데이터가 특정한 분포를 따른다고 가정하지 않기 때문에 정규성을 만족하지 않는 경우 유용하다. 대표적인 예로, Mann-Whitney U 검정(두 집단의 위치 차이를 비교)과 Wilcoxon 부호 순위 검정(대응 표본의 차이를 비교)이 있다.

둘째, 로버스트 통계 기법(Robust Statistical Methods)을 활용할 수 있다. 로버스트 회귀(예: 중앙값 회귀)는 이상치나 정규성 위반에 영향을 덜 받는 회귀 기법으로, 정규분포 가정을 엄격하게 요구하지 않는다.

셋째, 부트스트랩(Bootstrap) 방법을 적용할 수 있다. 부트스트랩은 표본을 여러 번 재추출하여 신뢰구간을 추정하는 기법으로, 정규성을 가정하지 않고도 정확한 추정을 가능하게 한다. 특히 작은 표본에서 유용하게 사용될 수 있다.

넷째, 일반화 선형 모델(Generalized Linear Model, GLM)을 사용할 수 있다. 일반적인 선형 회귀 모델은 오차가 정규분포를 따른다고 가정하지만, GLM은 이항 분포, 포아송 분포, 감마 분포 등 다양한 오차 분포를 가정할 수 있어, 정규성이 충족되지 않는 데이터에서도 유연하게 적용할 수 있다.

이러한 기법들은 데이터의 특성과 분석 목적에 따라 선택할 수 있으며, 정규성 가정을 만족하지 않는 상황에서도 신뢰성 있는 분석을 가능하게 해준다.

4 이상치(outlier) 탐지와 처리

이상치는 다른 관측값들과 현저히 다른 값을 가진 데이터 포인트로, 분석 결과에 큰 영향을 미칠 수 있다. 이상치의 탐지와 적절한 처리는 데이터 분석의 중요한 단계이다.

4.1 이상치의 정의와 원인

이상치는 전체 데이터의 일반적인 패턴이나 경향에서 크게 벗어난 관측값을 의미한다. 이상치는 다양한 원인에 의해 발생할 수 있으며, 대표적인 원인으로는 측정 과정에서의 오류 또는 데이터 입력 과정에서의 기록 오류가 있다.

또한 실험이 진행되는 도중 예상하지 못한 조건의 변화나 통제되지 않은 변수의 영향으로 인해 이상치가 발생할 수 있다. 데이터 자체의 자연적 변이에 의한 극단값 역시 이상치로 간주될 수 있으며, 때로는 본래의 모집단과 특성이 다른 모집단에서 유입된 데이터로 인해 이상치가 나타나기도 한다. 따라서 이상치를 분석할 때에는 그 원인을 명확히 파악하고 적절히 처리하는 것이 중요하다.

4.2 이상치 탐지 방법

통계적 방법으로 이상치를 탐지하는 방법으로는 Z-점수, 수정된 Z-점수, IQR 방법, 그리고 Grubb's Test 등이 있다.

첫째, Z-점수(Z-score)는 각 데이터 포인트가 평균으로부터 얼마나 떨어져 있는지를 표준편차 단위로 나타내는 방식으로, 데이터가 평균에서 멀수록 큰 절댓값을 갖는다. 일반적으로 절댓값이 3 이상($|Z| > 3$)인 데이터는 이상치로 간주된다. Z-점수는 평균과 표준편차를 이용해 계산하기 때문에 데이터 내 극단적인 값의 영향을 받을 수 있다.

둘째, 수정된 Z-점수(Modified Z-score)는 이상치에 덜 민감한 방법으로, 평균과 표준편차 대신 중앙값(median)과 중앙값 절대 편차(MAD, Median Absolute Deviation)를 활용한다. 수정된 Z-점수는 다음과 같이 계산한다: M = 0.6745 × (X - 중앙값) / MAD. 일반적으로 절댓값이 3.5 이상(|M| > 3.5)이면 이상치로 판단한다.

셋째, IQR(Interquartile Range) 방법은 데이터를 4분위로 나누어 이상치를 판단하는 방법이다. 데이터가 하한값(Q1 - 1.5×IQR) 미만이거나 상한값(Q3 + 1.5×IQR)을 초과하면 이상치로 분류한다. 이 방식은 데이터의 중앙 분포를 기준으로 하므로 이상치에 강건하며, 박스플롯(Boxplot)을 이용하여 직관적으로 시각화할 수 있다.

마지막으로 Grubb's Test는 데이터가 정규분포를 따른다고 가정할 때 하나의 이상치를 검출하는 통계적 가설검정법이다. 이 방법은 "데이터에 이상치가 없다"는 귀무가설과 "데이터에 하나의 이상치가 있다"는 대립가설을 설정하고 검정을 수행하여 이상치를 판단한다. 이 방법은 정규성이 전제된다는 제약이 있다.

이러한 방법들은 데이터의 특성과 상황에 따라 적절히 선택하여 사용할 필요가 있다.

거리 기반 방법 이상치를 탐지하는 추가적인 방법으로는 K-Nearest Neighbors(KNN), Local Outlier Factor(LOF), DBSCAN 등이 있다.

첫째, K-Nearest Neighbors(KNN)는 각 데이터 포인트와 주변의 가장 가까운 K개의 이웃 간 평균 거리를 계산하여 이상치를 판단하는 방법이다. 계산된 평균 거리가 특정 임계값을 초과하면 해당 포인트를 이상치로 간주한다. 이 방식은 데이터 간의 거리를 기반으로 하므로 데이터의 지역적 특성을 잘 반영하며, 파라미터인 K의 선택에 따라 성능이 달라질 수 있다.

둘째, Local Outlier Factor(LOF)는 데이터 포인트의 국지적 밀도를 기반으로 이상치를 탐지하는 기법이다. 특정 데이터 포인트의 밀도를 주변 포인트들의 밀도와 비교하여 상대적으로 밀도가 현저히 낮다면 이를 이상치로 판단한다. LOF는 데이터가 복잡한 구조를 가질 때 유용하며, 전체 데이터의 분포보다는 국지적 특성을 잘 반영하는 장점이 있다.

셋째, DBSCAN(Density-Based Spatial Clustering of Applications with Noise)은 밀도 기반의 군집화 알고리즘으로, 데이터가 밀집된 군집을 형성하고 있는지 여부에 따라 포인트를 분류한다. 데이터의 밀도가 특정 기준(ε: 이웃 탐색 반경, MinPts: 최소 이웃 포인트 수)을 만족하지 못해 군집에 속하지 않는 데이터 포인트는 잡음(noise)으로 간주되어 이상치로 처리된다. DBSCAN은 데이터의 형태가 복잡하고 불규칙한 경우에도 효과적으로 이상치를 탐지할 수 있다는 장점이 있다.

이러한 방법들은 데이터의 분포, 특성, 분석 목적에 따라 적절히 선택하여 활용해야 한다.

기계학습 기반의 이상치 탐지 방법으로는 Isolation Forest, One-Class SVM, Autoencoder 등이 널리 활용된다.

첫째, Isolation Forest는 데이터 포인트를 고립시키는 데 필요한 분할 횟수를 이용하여 이상치를 식별하는 방법이다. 정상 데이터는 일반적으로 밀집된 영역에 위치하므로 고립시키기 위해 많은 분할이 필요하지만, 이상치는 데이터의 패턴에서 크게 벗어나 있어 상대적으로 적은 분할로 쉽게 고립된다. 이러한 특성을 기반으로 이상치를 효율적이고 빠르게 탐지할 수 있다.

둘째, One-Class SVM은 정상 데이터만을 사용하여 데이터의 정상 범위를 결정짓는 경계를 형성하는 방법이다. 정상 데이터로만 학습된 이 모델은 정상적인 관측값들이 위치한 영역을 결정하고, 이 영역 밖에 위치한 데이터 포인트를 이상치로 간주한다. 이는 정상 데이터에 대한 명확한 기준만으로 이상치를 판단할 수 있는 장점을 가진다.

셋째, Autoencoder는 비지도학습 기반의 인공신경망으로, 정상 데이터의 패턴을 학습하여 데이터를 효과적으로 압축하고 복원하는 능력을 갖추고 있다. 정상 데이터와 달리 이상치는 기존의 학습된 패턴과 다르기 때문에 오토인코더로 복원했을 때 큰 재구성 오류(reconstruction error)가 나타난다. 이 재구성 오류가 미리 설정한 임계값을 초과하면 이상치로 판단한다.

이러한 기계학습 기반 방법들은 데이터가 복잡한 분포를 보이거나 대규모일 때 매우 효과적이며, 사용자의 요구사항과 데이터 특성에 따라 적절히 선택하여 활용할 수 있다.

4.3 이상치 처리 방법

이상치 처리 방법은 제거(Removal), 대체(Imputation), 변환(Transformation), 별도 분석(Separate Analysis), 로버스트 방법(Robust Methods) 등으로 나눌 수 있다.

제거(Removal)는 이상치로 판단된 데이터 포인트를 데이터셋에서 완전히 삭제하는 방법이다. 가장 간단하고 직관적이며 빠르게 적용할 수 있다는 장점이 있지만, 데이터 손실로 인해 중요한 정보를 잃을 위험이 존재한다.

대체(Imputation)는 이상치를 적절한 값으로 대체하여 데이터 손실을 최소화하는 방법으로, 중심 경향값 대체, 예측값 대체, 최근접 이웃 대체 등이 있다. 평균, 중앙값, 최빈값 등의 중심 경향값을 사용하여 이상치를 대체하는 방법은 간편하고 빠르지만, 데이터의 변동성을 감소시킬 수 있다. 예측값 대체는 회귀 모델 등을 이용해 이상치를 예측하여 대체하는 방식으로 데이터의 전반적인 패턴을 유지할 수 있지만 계산 비용이 높다. 최근접 이웃 대체는 K-Nearest Neighbors 알고리즘을 활용하여 지역적 특성을 고려하여 대체하므로 효과적이지만, K값의 설정에 따라 성능이 달라질 수 있다.

변환(Transformation)은 데이터 자체를 변환하여 이상치의 영향을 감소시키는 방법이다. 대표적으로 로그 변환과 Box-Cox 변환, Winsorization이 있다. 로그 변환은 데이터 분포를 정규화하고 극단값의 영향을 줄이는 장점이 있지만, 데이터의 원래 의미를 이해하기 어렵게 만들 수 있다. Box-Cox 변환은 데이터의 정규성과 등분산성을 개선하기 위해 다양한 λ 값을 통해 최적의 변환을 수행할 수 있다. Winsorization은 데이터 양 끝의 극단값을 특정 백분위수(예: 1%, 99%)로 조정하여 이상치의 영향을 제한한다.

별도 분석(Separate Analysis)은 이상치를 데이터에서 제거하거나 수정하지 않고, 별도의 그룹으로 분리하여 독립적으로 분석하는 방법이다. 이 방법은 이상치가 가진 고유한 정보를 보존할 수 있지만, 데이터 분석 과정이 복잡해지고 추가적인 해석이 필요할 수 있다.

로버스트 방법(Robust Methods)은 이상치의 존재를 고려하여 분석 자체를 이상치의 영향에 견고하게 수행하는 기법이다. 대표적인 방법으로는 중앙값 회귀(Median Regression), Huber 회귀, RANSAC(Random Sample Consensus)가 있다. 중앙값 회귀는 최소제곱법 대신 중앙값을 활용하여 회귀모델을 생성하여 이상치에 민감하지 않은 결과를 얻을 수 있다. Huber 회귀는 이상치에 낮은 가중치를 부여하여 정상 데이터와 이상치 간의 균형을 유지한 분석을 수행한다. RANSAC은 데이터를 무작위로 선택하여 반복적으로 모델을 학습함으로써 이상치의 영향을 최소화하고 견고한 모델을 구축한다.

이상치를 다룰 때는 단순히 제거하거나 변형하는 것이 아니라 데이터 특성, 분석 목적, 도메인 지식을 종합적으로 고려하여 가장 적절한 방법을 선택해야 한다. 또한 이상치 처리 전후의 분석 결과를 반드시 비교하여, 선택한 처리 방법이 타당한지 신중히 검증할 필요가 있다.

5 추론 통계의 기본 개념

추론 통계는 표본 데이터를 기반으로 모집단의 특성을 추정하거나 특정 가설을 검정하여 더 큰 모집단에 대한 결론을 이끌어내는 통계적 방법이다. 이는 전체 모집단의 데이터를 모두 수집하기 어렵거나 불가능한 상황에서 제한된 정보를 사용하여 전체의 특성을 합리적으로 유추하기 위해 사용된다.

추론 통계는 일반화, 예측, 의사결정 등의 과정에서 중심적인 역할을 수행하며, 데이터 과학, 사회과학, 자연과학, 공학 등 다양한 연구 분야에서 핵심적인 분석 도구로 널리 활용되고 있다.

5.1 추론 통계의 주요 목적

추론 통계는 크게 다음과 같은 다섯 가지 주요 목적을 가지고 있다.

첫째, 모수 추정(Parameter Estimation)은 표본으로부터 얻은 통계량을 사용하여 모집단의 매개변수(평균, 분산 등)를 추정하는 과정이다. 예를 들어, 표본의 평균값을 이용하여 모집단의 실제 평균을 근사적으로 추정할 수 있다.

둘째, 가설 검정(Hypothesis Testing)은 특정 모집단에 대한 가설이 통계적으로 유의한지를 평가하는 방법이다. 새로운 치료법의 효과를 검증하거나, 특정 마케팅 전략의 성과를 평가할 때 널리 사용된다.

셋째, 예측(Prediction)은 기존의 데이터를 분석하여 미래의 관측값이나 결과를 예측하는 과정이다. 경제 지표 예측, 날씨 예측, 판매량 예측 등 다양한 분야에서 활용된다.

넷째, 의사결정 지원(Decision Support)은 통계적 분석 결과를 바탕으로 정책 수립이나 비즈니스 전략 결정 등 중요한 의사결정을 지원하는 데 사용된다. 이를 통해 객관적이고 합리적인 의사결정을 할 수 있다.

마지막으로 불확실성 정량화(Uncertainty Quantification)는 추정이나 예측의 정확도를 신뢰구간이나 예측 구간 등을 통해 표현하는 것이다. 이를 통해 얻은 결과의 신뢰도를 보다 명확하게 전달할 수 있다.

5.2 추론 통계의 기본 원리

추론 통계의 핵심적인 과정은 다음 네 가지로 요약할 수 있다.

첫째, 표본의 대표성은 모집단에서 표본을 추출할 때 가장 중요한 조건으로, 표본이 모집단의 특성을 공정하고 정확히 반영해야 한다. 이를 달성하기 위해 무작위 추출(random sampling) 등의 방법을 사용한다.

둘째, 확률 모형(probabilistic model)을 통해 데이터의 생성 과정을 설명하고 분석 가능한 형태로 표현한다. 데이터의 특성과 목적에 따라 정규분포, 이항분포, 푸아송 분포 등 적절한 확률 분포를 가정할 수 있다.

셋째, 통계적 추론(statistical inference) 과정에서는 수집된 표본 데이터와 설정된 확률 모형을 바탕으로 모집단에 대한 추정이나 가설 검정 등의 추론을 수행한다. 이를 통해 제한된 표본 정보를 이용하여 모집단 전체에 대한 합리적인 결론을 도출한다.

넷째, 불확실성 고려는 표본 변동성(sampling variability)을 반영하여 추정이나 예측 결과의 신뢰도와 정확도를 신뢰구간 또는 예측 구간의 형태로 정량적으로 표현하는 과정이다. 이를 통해 얻어진 결론의 신뢰성을 명확히 전달하고, 보다 신중한 의사결정을 할 수 있도록 한다.

5.3 추론 통계의 주요 방법론

추론 통계의 주요 방법으로는 점추정, 구간추정, 가설검정, 회귀분석, 분산분석 등이 있다.

첫째, 점추정(Point Estimation)은 모집단의 모수를 단일 값으로 추정하는 방법이다. 예를 들어, 표본 평균으로 모집단의 평균을 추정하거나 표본 비율로 모집단의 비율을 추정하는 방식이 있다.

둘째, 구간추정(Interval Estimation)은 단일 값 대신 모수가 포함될 가능성이 높은 구간을 제공하는 방법이다. 대표적인 방법으로는 신뢰구간(confidence interval)이 있으며, 표본의 변동성을 고려하여 추정치의 정확도와 신뢰도를 나타낼 수 있다.

셋째, 가설검정(Hypothesis Testing)은 모집단에 대한 특정 가설의 타당성을 통계적으로 평가하는 방법이다. 주로 t-검정, 카이제곱(Chi-square) 검정 등이 사용되며, 특정 처치나 실험 조건이 효과가 있는지, 또는 두 집단 간 차이가 유의미한지 등을 평가할 때 사용된다.

넷째, 회귀분석(Regression Analysis)은 변수 간의 관계를 분석하고 모델링하여 한 변수의 변화가 다른 변수에 미치는 영향을 이해하거나 예측하는 방법이다. 회귀분석을 통해 변수 간 인과관계를 모델링하고 미래 값을 예측하는 데 유용하게 활용할 수 있다.

마지막으로, 분산분석(Analysis of Variance, ANOVA)은 여러 집단 간의 평균 차이를 비교하고, 그 차이가 통계적으로 유의한지를 평가하는 방법이다. 특히 세 집단 이상 간 차이를 비교할 때 널리 활용된다.

이러한 통계적 방법들은 데이터의 특성과 분석 목적을 고려하여 적절하게 선택, 활용함으로써 의미 있는 결론을 도출할 수 있다.

5.4 주의점

추론 통계를 수행할 때는 다음과 같은 사항을 주의해야 한다.

첫째, 가정 검토이다. 모든 통계적 방법은 일정한 가정(정규성, 독립성, 등분산성 등)을 전제로 하므로, 분석 전에 이러한 가정이 충족되는지 반드시 검토하고, 위배될 경우 적절한 대안을 선택해야 한다.

둘째, 표본 크기이다. 충분히 큰 표본을 확보할수록 표본으로부터 얻은 결론이 더욱 신뢰할 수 있고 정확해진다. 작은 표본은 변동성이 크고, 정확한 추론을 방해할 수 있으므로 분석 목적과 특성을 고려하여 적정 표본 크기를 결정해야 한다.

셋째, 다중검정 문제이다. 여러 가설을 동시에 검정할 경우, 우연에 의해 잘못된 가설을 유의하다고 판단할 확률(1종 오류)이 높아질 수 있다. 이를 방지하기 위해 Bonferroni 교정과 같은 적절한 보정 기법을 사용해야 한다.

넷째, 실용적 유의성을 고려해야 한다. 통계적 유의성(statistical significance)은 결과가 우연에 의한 것이 아님을 나타내지만, 반드시 실질적 또는 현실적으로 의미 있는지와는 별개의 문제이다. 따라서 실무적 중요성(practical significance)을 함께 평가하여 결론의 가치를 판단하는 것이 중요하다.

마지막으로, 인과관계 해석의 유의점이다. 변수 간의 상관관계가 반드시 인과관계를 의미하지는 않는다. 상관관계는 단지 변수 간의 관계를 보여줄 뿐 원인과 결과를 입증하지 않으므로, 인과관계를 주장하기 위해서는 실험 설계나 추가적인 증거가 필요하다.

이러한 사항들을 종합적으로 고려하여 추론 통계를 수행하면 더욱 신뢰할 수 있는 분석 결과를 얻을 수 있다.

6 표본과 모집단 : 샘플링의 중요성

모표본은 통계학의 핵심 개념으로, 추론 통계의 기반이 된다.

6.1 모집단(Population)

모집단(Population)이란 연구의 관심 대상이 되는 전체 개체 또는 항목의 집합을 의미한다. 모집단은 연구의 주제와 목적에 따라 정의되며, 일반적으로 크기가 매우 크거나 심지어 무한할 수도 있다. 따라서 모든 개체를 조사하거나 데이터를 수집하는 것은 시간적, 비용적 측면에서 현실적으로 어렵거나 비효율적이다.

또한 모집단의 특성을 나타내는 값인 평균, 분산 등과 같은 모집단 매개변수(population parameter)는 보통 알려져 있지 않다. 따라서 통계적 추론의 주요 목표는 표본(sample)을 통해 모집단의 특성을 합리적으로 추정하거나 평가하는 것이다. 이를 통해 제한된 정보를 바탕으로 모집단에 대한 일반화된 결론을 도출할 수 있다.

6.2 표본(Sample)

표본(Sample)은 모집단에서 선택된 일부 개체의 집합을 말한다. 표본은 모집단 전체보다 크기가 작으며, 적절한 방법(예: 무작위 추출)을 통해 표본을 선정할 경우, 표본은 모집단의 특성을 잘 반영할 수 있다.

표본은 현실적으로 조사하기 어렵거나 불가능한 전체 모집단을 대신하여 분석을 수행하는 데 활용된다. 표본을 통해 얻은 표본 통계량(sample statistics)인 표본 평균, 표본 분산 등은 알려지지 않은 모집단의 매개변수를 추정하는 데 사용된다. 따라서 통계적 추론에서 신뢰할 수 있는 결론을 얻으려면 표본을 신중하게 추출하고 표본 크기와 대표성을 충분히 고려해야 한다.

6.3 샘플링(Sampling)의 중요성

표본 추출(샘플링)은 다음과 같은 여러 장점을 가진다.

첫째, 비용과 시간 효율성이다. 전수조사(census)는 모든 개체를 조사해야 하므로 비용과 시간이 많이 들지만, 샘플링은 일부 개체만 조사하므로 경제적이고 효율적이다. 특히 대규모 모집단의 경우 샘플링이 현실적으로 유일한 선택지가 될 수 있다.

둘째, 대표성이다. 적절한 샘플링 방법을 사용하면 모집단의 특성을 효과적으로 반영하는 표본을 얻을 수 있다. 이를 통해 모집단에 대한 신뢰할 수 있는 통계적 추론을 수행할 수 있다.

셋째, 통계적 추론의 기반을 제공한다. 샘플링 이론을 통해 표본 통계량의 분포와 성질을 이해하고 예측할 수 있으며, 이를 바탕으로 신뢰구간을 구성하거나 가설을 검정하는 것이 가능해진다.

넷째, 편향 감소이다. 무작위 샘플링은 선택 편향(selection bias)을 최소화하고 객관적이며 공정한 결과를 얻을 수 있도록 도와준다. 이는 연구에서 체계적인 오류(systematic error)를 줄여 내적 타당도를 높이는 데 기여한다.

마지막으로, 실용성이다. 제품 품질 검사와 같이 개체를 파괴하는 검사가 필요한 경우, 전체 모집단을 조사하는 것은 현실적으로 불가능하므로 샘플링이 필수적이다. 또한 매우 희귀한 사건이나 소수 집단을 연구할 때에도 전수조사는 현실적이지 않아 표본 추출이 유일한 해결책이 된다.

이러한 장점들로 인해 샘플링은 현대적 통계 분석과 연구에서 핵심적인 역할을 수행한다.

6.4 주요 샘플링 방법

샘플링 방법은 크게 단순 무작위 샘플링, 계통 샘플링, 층화 샘플링, 군집 샘플링, 다단계 샘플링으로 나눌 수 있다.

첫째, 단순 무작위 샘플링(Simple Random Sampling)은 모집단의 모든 개체가 표본으로 선택될 확률이 동일한 방법이다. 가장 직관적이고 편향을 최소화할 수 있으며, 통계 분석에 적합한 대표성을 확보할 수 있다.

둘째, 계통 샘플링(Systematic Sampling)은 모집단 내에서 일정한 간격으로 개체를 선택하는 방법이다. 모집단에 번호를 매기고 무작위로 출발점을 선택한 뒤 일정한 간격으로 표본을 선정한다. 이 방법은 단순 무작위 샘플링에 비해 더 빠르고 효율적이다.

셋째, 층화 샘플링(Stratified Sampling)은 모집단을 동질적인 하위 그룹(층, Strata)으로 나누고 각 층에서 무작위로 표본을 추출하는 방법이다. 이를 통해 각 그룹의 특성을 골고루 반영하여 대표성을 높일 수 있으며, 모집단 특성의 변동성을 효과적으로 반영할 수 있다.

넷째, 군집 샘플링(Cluster Sampling)은 모집단을 여러 개의 군집(Cluster)으로 나눈 뒤, 일부 군집을 무작위로 선택하여 선택된 군집 내의 모든 개체를 조사하는 방법이다. 특히 모집단이 지리적으로 분산되어 있을 때 조사 비용을 낮출 수 있는 효율적인 방법이다.

마지막으로, 다단계 샘플링(Multi-stage Sampling)은 여러 단계의 샘플링을 거쳐 최종 표본을 선정하는 방식이다. 예를 들어, 1차로 일부 지역을 무작위로 선정한 후, 선정된 지역 내에서 다시 개체를 무작위로 선택하는 방식이다. 이는 대규모 조사에서 비용과 시간 효율성을 높이는 데 효과적이다.

이러한 다양한 샘플링 방법은 연구의 목적, 모집단의 특성, 비용과 시간 등 현실적인 제약을 종합적으로 고려하여 선택해야 한다.

6.5 샘플링 시 주의사항

샘플링을 수행할 때는 다음과 같은 사항을 고려하여 표본의 품질과 통계적 추론의 정확성을 높여야 한다.

첫째, 표본 크기를 충분히 크게 확보해야 한다. 표본 크기가 클수록 모집단 매개변수의 추정이 정확해지고, 표본의 변동성은 줄어들게 된다. 따라서 분석 목적과 신뢰 수준을 고려하여 적절한 표본 크기를 결정해야 한다.

둘째, 대표성 확보가 중요하다. 표본이 모집단의 특성을 편향 없이 반영할 수 있도록 무작위 샘플링 등 편향되지 않은 방법을 사용하여 대표성을 확보해야 한다. 편향된 표본은 분석 결과를 왜곡하여 잘못된 결론을 유도할 수 있다. 표본 프레임(Sampling Frame)의 정확성을 확보해야 한다. 표본 추출의 기반이 되는 명단이나 목록이 최신이고 정확해야 모집단의 모든 구성원이 샘플링 과정에서 누락되거나 중복되지 않는다. 샘플링 프레임이 부정확할 경우 표본의 대표성에 문제가 생길 수 있다.

셋째, 표본 크기와 불확실성의 관계를 고려해야 한다. 일반적으로 표본 크기가 커질수록 추정 결과의 불확실성이 감소하고, 보다 정밀한 추론이 가능해진다. 따라서 충분한 표본 크기를 확보하여 신뢰도 높은 결과를 얻는 것이 중요하다.

넷째, 샘플링 프레임의 정확성을 유지해야 한다. 표본 추출의 기반이 되는 목록이 최신이고 정확해야 하며, 그렇지 않을 경우 결과의 편향성이 증가하여 신뢰도가 낮아질 수 있다.

마지막으로 샘플링 과정에서의 비표본 오차(non-sampling error)를 최소화해야 한다. 예를 들어 응답 거부, 조사 과정의 오류, 기록 실수 등은 샘플링 품질에 큰 영향을 미칠 수 있으므로, 표본 수집과 관리 과정에서 철저히 관리하고 검토할 필요가 있다.

이러한 요소들을 철저히 고려하여 신뢰할 수 있는 통계적 추론과 분석 결과를 얻을 수 있도록 해야 한다.

7 신뢰구간(confidence interval)의 의미와 계산

신뢰구간은 모수의 참값이 포함될 것으로 기대되는 구간을 의미한다. 이는 점추정의 불확실성을 정량화하는 방법으로, 추정의 정확도를 평가하는 데 사용된다.

7.1 신뢰구간의 의미

95% 신뢰구간(confidence interval)은 특정 표본으로부터 계산된 구간이 모집단의 실제 모수를 포함할 가능성을 나타낸다. 예를 들어, 동일한 방법으로 표본을 100번 반복하여 추출하고 각 표본에서 신뢰구간을 계산한다면, 이 중 약 95개의 신뢰구간은 실제 모집단의 모수를 포함하게 된다.

신뢰구간의 신뢰수준은 분석자의 선택에 따라 결정되며, 일반적으로 95%나 99%의 신뢰구간이 널리 사용된다. 신뢰 수준이 높을수록 모집단의 실제 값이 구간 내에 포함될 가능성은 높아지지만, 대신 구간의 폭이 넓어져서 정확성이 감소할 수 있다. 따라서 적절한 신뢰 수준은 분석 목적과 현실적인 요구사항을 고려하여 설정해야 한다. 신뢰구간을 해석할 때에는 "이 구간이 모수를 포함할 확률이 95%"라는 직접적 해석보다는, 반복적으로 같은 방식으로 표본을 추출할 때 100번 중 약 95번은 이 구간이 실제 모수를 포함한다는 장기적 관점으로 이해하는 것이 바람직하다.

7.2 신뢰구간의 특징

신뢰구간은 다음과 같은 중요한 특징과 활용 목적을 가지고 있다.

첫째, 불확실성 표현이다. 점추정은 단일 값으로만 모수를 추정하므로 추정의 정확성을 알 수 없지만, 신뢰구간은 모수가 존재할 가능성이 있는 범위를 제시하여 추정에 대한 불확실성을 명확히 나타낸다.

둘째, 표본 크기를 반영한다. 표본 크기가 클수록 신뢰구간의 폭은 좁아져, 추정치의 정밀도가 높아진다. 반면, 표본 크기가 작으면 신뢰구간이 넓어져 추정의 불확실성이 증가한다.

셋째, 가설 검정과 밀접한 관계가 있다. 만약 95% 신뢰구간이 귀무가설에서 제시하는 값을 포함하지 않으면, 이는 5% 유의수준에서 귀무가설을 기각할 수 있는 근거가 된다.

마지막으로, 실용적 해석이 가능하다. 신뢰구간은 모집단 모수의 현실적이고 타당한 범위(plausible range)를 제공하기 때문에, 연구자나 실무자가 보다 명확한 의사결정을 내리는 데 실질적인 도움을 준다.

7.3 신뢰구간 계산(평균의 95% 신뢰구간)

① $CI = \bar{X} \pm (t * (s / \sqrt{n}))$

- $\bar{X}$: 표본 평균

- t: t-분포의 임계값 (자유도와 신뢰수준에 따라 결정)
- s: 표본 표준편차
- n: 표본 크기

② 계산 과정

- 표본 통계량($\bar{X}$, s) 계산
- 자유도(df = n - 1) 결정
- 신뢰수준에 따른 t 값 찾기 (예: 95% 신뢰수준, 양측검정)
- 표준오차(SE = s / $\sqrt{n}$) 계산
- 신뢰구간의 상한과 하한 계산

7.4 신뢰구간의 해석

신뢰구간을 올바르게 해석할 때 주의할 점은, 특정 신뢰구간에 대해 "모집단 평균이 이 구간 내에 있을 확률이 95%"라고 해석하는 것이 아니라는 점이다.

정확한 해석은 "이 방법으로 신뢰구간을 반복적으로 구성하면, 장기적으로 95%의 구간들이 모집단 평균을 포함하게 될 것이다"라는 빈도론적 해석이다. 즉, 특정 구간 하나에 대한 확률적 확신이 아니라, 같은 방식으로 신뢰구간을 여러 번 구성했을 때의 장기적 빈도를 의미한다. 따라서 개별적인 신뢰구간 하나가 모집단 모수를 포함하고 있는지 여부는 알 수 없으며, 장기적인 관점에서 이해해야 한다.

7.5 신뢰구간 사용 시 주의사항

신뢰구간을 사용할 때는 다음과 같은 점을 유의해야 한다.

첫째, 가정 확인이다. 신뢰구간의 계산과 해석은 데이터가 정규성, 독립성, 등분산성과 같은 기본적인 가정을 만족한다는 전제에서 이루어진다. 따라서 가정이 충족되지 않으면 신뢰구간의 해석이 왜곡될 수 있으므로 반드시 사전에 가정을 점검해야 한다.

둘째, 표본 크기이다. 표본 크기가 작으면 신뢰구간의 폭이 넓어져 정확성이 떨어지고, 제공되는 정보가 제한적일 수 있다. 따라서 적절히 큰 표본 크기를 확보하여 신뢰구간의 폭을 줄이는 것이 중요하다.

셋째, 극단적인 비율을 다룰 때는 주의가 필요하다. 특히 비율 추정에서 관측된 비율이 0 또는 1에

가깝게 극단적이면 신뢰구간의 정확성이 낮아지고 비대칭적으로 표현될 수 있으므로 이에 대한 특별한 고려가 필요하다.

넷째, 다중비교의 문제이다. 여러 개의 신뢰구간을 동시에 고려하면 전체 오류율(1종 오류)이 증가할 가능성이 있다. 이 경우 신뢰수준을 조정하거나 다중비교 보정 방법을 적용해야 한다.

마지막으로, 실용적 중요성을 반드시 고려해야 한다. 신뢰구간이 통계적으로 유의하더라도 그 폭이 너무 넓으면 실제 의사결정이나 현실적 응용에서 의미가 없을 수 있다. 따라서 신뢰구간의 폭이 실무적으로 의미 있는지, 의사결정에 유용한지를 반드시 평가해야 한다.

8 가설 검정

가설 검정은 표본 데이터를 사용하여 모집단에 대한 가설의 타당성을 평가하는 통계적 절차이다. 이는 과학적 방법론의 핵심 요소로, 데이터를 기반으로 한 객관적인 의사결정을 가능하게 한니다.

8.1 가설 검정의 주요 목적

가설검정의 주요 목적은 다음과 같다.

첫째, 모집단 특성에 대한 주장 검증이다. 이는 모집단의 평균, 비율, 분산 등과 같은 특정한 특성에 대해 설정된 가설이 타당한지를 통계적으로 평가하는 과정이다.

둘째, 처리 효과나 개입의 영향 평가이다. 새로운 치료법, 교육 프로그램, 마케팅 전략 등 특정 개입(intervention)이 모집단에 유의미한 효과를 주었는지를 확인하기 위해 가설검정을 수행한다.

셋째, 이론이나 모델의 타당성 검증이다. 특정 이론적 모델이나 가정이 실제 데이터를 통해 뒷받침되는지 통계적으로 평가하는 데 가설검정이 활용된다.

넷째, 집단 간 차이의 통계적 유의성 평가이다. 서로 다른 집단이나 조건 간에 관찰된 차이가 실제로 의미 있는 것인지, 아니면 우연에 의해 발생한 것인지 검정한다.

마지막으로, 관찰된 현상이 우연에 의한 것인지 판단하는 것이다. 데이터에서 관찰된 결과가 우연히 나타날 확률을 계산하여, 이를 바탕으로 통계적 유의성을 판단하여 신뢰할 수 있는 결론을 내리는 데 도움을 준다.

8.2 가설 검정의 기본 단계

가설검정은 다음과 같은 단계로 수행된다.

첫째, 가설 설정이다. 귀무가설(Null hypothesis, H_0)은 일반적으로 "차이가 없다" 또는 "영향이 없다"와 같은 기준이 되는 가설이며, 대립가설(Alternative hypothesis, H_1)은 연구자가 검증하고자 하는 주장이다.

둘째, 유의수준(α) 설정이다. 유의수준은 귀무가설을 잘못 기각할 확률(1종 오류의 확률)로, 일반적으로 0.05(5%) 또는 0.01(1%)과 같은 값을 사용한다.

셋째, 검정통계량 선택 및 계산이다. 분석 목적과 데이터 특성에 따라 t-통계량, F-통계량, 카이제곱(χ^2) 통계량 등 적합한 통계량을 선택하여 계산한다.

넷째, 임계값 결정이다. 선택한 유의수준과 통계량의 자유도를 바탕으로 임계값을 결정한다. 이 임계값은 귀무가설을 기각할지 말지 판단하는 기준이 된다.

다섯째, 계산된 검정통계량을 임계값과 비교하거나, p-값(p-value)을 계산하여 판단한다. 만약 계산된 검정통계량이 임계값을 초과하거나 p-값이 설정한 유의수준보다 작으면 귀무가설을 기각한다.

마지막으로, 결론을 도출하고 해석한다. 귀무가설을 기각하거나 유지한 결과를 바탕으로 실제 문제에 대해 의미 있는 결론을 내리고, 이를 통해 모집단에 대한 실질적인 통계적 추론을 완성하게 된다.

8.3 가설 검정 시 주의사항

가설검정을 수행할 때는 다음과 같은 사항들을 주의 깊게 고려해야 한다.

첫째, 표본 크기이다. 표본 크기가 매우 크면, 작은 차이도 통계적으로 유의한 결과로 나타날 수 있다. 따라서 표본 크기가 클 때는 결과가 통계적으로 유의하더라도 실제적으로 의미 있는지 반드시 평가해야 한다.

둘째, 실용적 중요성이다. 통계적 유의성이 항상 실제적 유의성 또는 실질적 중요성을 의미하지는 않는다. 통계적 유의성을 넘어 그 차이가 현실적으로 유의미한지, 실무적 의사결정에 영향을 줄 정도인지를 별도로 평가해야 한다.

셋째, 다중검정 문제이다. 여러 가설을 동시에 검정하면 우연에 의해 잘못된 결론을 내릴 확률(1종 오류)이 증가하게 된다. 이를 방지하기 위해 Bonferroni 교정 등의 방법을 사용하여 전체 오류율을 통제할 필요가 있다.

넷째, 검정력(Power)을 고려해야 한다. 검정력은 귀무가설이 실제로 거짓일 때 이를 올바르게 기각할 확률로, 표본 크기, 효과 크기, 유의수준 등에 영향을 받는다. 특히, 검정력이 낮으면 중요한 효과를 놓칠 가능성이 있으므로, 적절한 검정력을 확보할 수 있도록 표본 크기나 연구 설계를 신중히 선택해야 한다.

마지막으로, 기본 가정의 확인이다. 가설검정의 타당성을 유지하기 위해 정규성, 등분산성, 독립성과 같은 기본적인 가정이 만족되는지 반드시 확인해야 한다. 가정이 위배되면 잘못된 결론을 도출할 위험이 있으므로, 필요하면 비모수적 방법이나 로버스트 방법 등 대체 방법을 사용하는 것이 바람직하다.

9 귀무가설과 대립가설의 개념

9.1 귀무가설(H_0, Null Hypothesis)

귀무가설(H_0)은 통계적 가설검정에서 "검정하고자 하는 효과가 없다" 또는 "차이나 관계가 존재하지 않는다"고 설정하는 기본 가설로, 연구의 출발점으로 설정되는 가설이다. 예를 들어 "새로운 치료법은 기존 치료법과 효과가 같다"와 같이 차이가 없거나 관계가 없다는 형태로 제시된다.

귀무가설은 일반적으로 연구자가 검증하고자 하는 연구가설과 반대의 입장을 나타내는 기준으로서 역할을 한다. 귀무가설이 기각되었을 때 비로소 연구가설을 지지하는 대립가설(H_1)이 채택된다.

또한, 연구 목적에 따라 단측검정과 양측검정으로 나뉘며, 이에 따라 귀무가설의 형태가 달라질 수 있다. 예를 들어, 양측검정의 귀무가설은 "차이가 없다"로 설정되지만, 단측검정의 경우 "특정 방향으로 차이가 없다"의 형태를 가질 수 있다.

결국 가설검정의 과정은 귀무가설을 기각할 충분한 증거가 있는지를 통계적으로 평가하여, 연구가설(대립가설)의 타당성을 판단하는 과정이다.

9.2 대립가설(H_1 또는 H_A, Alternative Hypothesis)

대립가설(H_1 또는 H_A)은 연구자가 입증하고자 하는 연구 가설을 나타내며, 기본적으로 귀무가설과 반대되는 형태를 가진다. 일반적으로 "차이가 있다" 또는 "관계가 존재한다"와 같은 형태로 설정된다. 예를 들어, "새로운 치료법이 기존 치료법보다 효과가 더 좋다"라는 형태가 대립가설에 해당한다.

대립가설은 연구의 목적과 방향성을 명확히 나타내는 가설이며, 가설검정 과정에서 귀무가설이 통계적으로 기각될 때 채택된다. 따라서 대립가설은 연구자의 주장 또는 기대를 직접적으로 나타낸다고 할 수 있다.

대립가설은 연구 목적에 따라 두 가지 형태로 설정할 수 있다. 단측검정(one-tailed test)의 경우, 효과나 차이의 방향성을 명확히 제시(예: "새로운 방법이 더 우수하다")하는 반면, 양측검정(two-tailed test)은 효과의 방향을 특정하지 않고 단순히 "두 집단 간 차이가 존재한다"는 형태를 취하게 된다.

따라서 연구의 목적과 분석의 방향에 따라 대립가설의 형태를 신중하게 선택하고, 이에 따라 적절한 통계적 방법을 활용하여 가설검정을 수행해야 한다.

9.3 가설 유형

① 양측검정 : $H_1: \mu \neq \mu_0$

② 단측검정(우측) : $H_1: \mu > \mu_0$

③ 단측검정(좌측) : $H_1: \mu < \mu_0$

9.4 가설 설정 시 주의사항

가설을 설정할 때는 몇 가지 중요한 요소를 고려해야 한다.

첫째, 명확성이 중요하다. 가설은 모호하지 않고 구체적으로 서술되어야 하며, 변수 간의 관계가 명확해야 한다. 예를 들어, "운동량이 증가하면 체중이 감소한다"는 명확한 가설이지만, "운동이 좋다"와 같은 표현은 모호하여 검증하기 어렵다.

둘째, 검증 가능성을 확보해야 한다. 가설은 실증적으로 검증할 수 있어야 하며, 데이터 수집과 분석을 통해 참이나 거짓을 판단할 수 있어야 한다. 측정이 불가능하거나 주관적인 개념에 기반한 가설은 검증이 어려우므로 적절한 변수와 측정 방법을 고려하여 설정해야 한다.

셋째, 연구 목적을 반영해야 한다. 가설은 연구 질문과 일치해야 하며, 연구의 목표를 분명하게 반영해야 한다. 연구 목적과 무관한 가설을 설정하면 분석 결과가 연구의 핵심적인 질문에 대한 답을 제공하지 못할 수 있다.

마지막으로, 이론적 근거를 바탕으로 해야 한다. 기존의 이론이나 선행 연구에 기반하여 합리적인 가설을 설정해야 하며, 단순한 가정이 아니라 논리적이고 과학적인 근거를 토대로 구성하는 것이 중요하다. 이론적 배경이 없는 가설은 신뢰성이 낮고 검증 결과의 해석이 어렵기 때문에, 가설을 설정할 때는 관련 문헌을 충분히 검토하고 학문적 근거를 마련하는 것이 필요하다.

이러한 요소들을 고려하여 가설을 설정하면 연구의 방향성이 명확해지고, 가설검정을 통해 신뢰성 있는 결론을 도출할 수 있다.

10 p값의 의미와 유의 수준(α)의 설정

10.1 p값(p-value)

p값은 통계적 가설검정에서 중요한 개념으로, 다음과 같은 특징을 가진다.

p값은 "귀무가설이 참일 때, 현재의 데이터보다 더 극단적인 결과가 나올 확률"을 의미한다. 즉, 귀무가설이 옳다는 전제하에서 관측된 데이터가 우연히 발생할 가능성을 정량적으로 나타낸다.

p값을 해석할 때, 값이 작을수록 귀무가설을 지지하는 증거가 약해지며, 일반적으로 설정한 유의수준(예: 0.05)보다 작으면 귀무가설을 기각하는 기준이 된다. 예를 들어, p값이 0.03이라면 이는 귀무가설이 참일 경우 현재 데이터보다 더 극단적인 결과가 나타날 확률이 3%에 불과하므로, 유의수준 0.05에서 귀무가설을 기각할 수 있다.

p값은 검정통계량(예: t-통계량, F-통계량, 카이제곱 값 등)을 특정 확률분포(예: t분포, F분포)에서 계산하여 얻는다.

p값의 특징은 다음과 같다.

첫째, 0과 1 사이의 값을 가진다. p값이 0에 가까울수록 귀무가설을 기각할 가능성이 커지고, 1에 가까울수록 귀무가설을 유지할 가능성이 커진다.

둘째, 표본 크기에 영향을 받는다. 표본이 클수록 작은 차이도 통계적으로 유의미하게 나타날 가능성이 높아진다. 따라서 p값이 작다고 해서 반드시 큰 효과가 존재하는 것은 아니다.

셋째, 효과의 크기와 직접적인 관련이 없다. p값은 단순히 귀무가설을 기각할 수 있는지를 평가할 뿐, 연구에서 검토하는 효과의 크기(예: 평균 차이의 크기, 상관계수의 크기)와는 별개이다. 따라서 효과 크기와 함께 해석하는 것이 중요하다.

넷째, 실용적 중요성을 나타내지 않는다. 통계적으로 유의미한 결과($p < 0.05$)가 반드시 실무적으로 중요한 의미를 갖는 것은 아니다. 예를 들어, p값이 매우 작더라도 실제 차이가 실용적으로 무의미할 수 있다. 따라서 연구나 실무에서 결과를 해석할 때는 p값뿐만 아니라 효과 크기, 신뢰구간, 실용적 의미 등을 함께 고려해야 한다.

p값은 가설검정의 핵심적인 도구이지만, 그 자체만으로 연구 결과의 신뢰도를 판단할 수는 없다. 따라서 p값을 해석할 때는 연구 목적, 효과 크기, 실용적 의미를 함께 검토하는 것이 중요하다.

10.2 유의 수준(α, Significance Level)

유의 수준(α)은 통계적 가설검정에서 귀무가설을 기각하기 위한 기준점으로 사용된다. 이는 관측된 데이터가 귀무가설을 기각할 만큼 충분히 극단적인지를 판단하는 역할을 하며, 제1종 오류(귀무가설이 참인데 이를 잘못 기각할 확률)를 통제하는 데 중요한 역할을 한다. 일반적으로 0.05(5%)나 0.01(1%)이 유의 수준으로 사용되는데, 이는 귀무가설이 실제로 참일 때도 5% 또는 1%의 확률로 잘못 기각될 수 있음을 의미한다.

유의 수준을 설정할 때는 여러 요소를 고려해야 한다. 먼저, 연구 분야의 관행을 따르는 경우가 많다. 예를 들어, 사회과학에서는 $\alpha = 0.05$가 일반적으로 사용되지만, 물리학이나 생물의학과 같이 정밀한 검정이 필요한 분야에서는 $\alpha = 0.01$ 또는 0.001과 같이 더 엄격한 기준이 적용될 수 있다.

또한, 제1종 오류와 제2종 오류(귀무가설이 거짓임에도 불구하고 기각하지 않는 오류)의 상대적 중요성을 고려해야 한다. 만약 제1종 오류의 비용이 크다면(예: 법정 판결에서 무죄인 사람을 유죄로 판결하는 경우), 유의 수준을 낮게 설정해야 한다. 반대로, 새로운 치료법의 효과를 검증하는 연구에서는 제2종 오류(효과가 있음에도 발견하지 못하는 오류)를 줄이기 위해 상대적으로 높은 유의 수준(예: $\alpha = 0.10$)을 사용할 수도 있다.

표본 크기도 중요한 요소이다. 표본 크기가 크면 데이터의 변동성이 줄어들어 작은 유의 수준(예: $\alpha = 0.01$)도 효과적으로 적용할 수 있지만, 표본 크기가 작을 경우에는 너무 작은 유의 수준을 사용하면 검정력이 낮아져 실제로 효과가 있어도 이를 발견하지 못할 가능성이 커진다.

마지막으로, 실용적 중요성도 고려해야 한다. 통계적으로 유의미한 결과가 항상 실질적인 의미를 가지는 것은 아니므로, 유의 수준을 설정할 때 연구의 실제 응용 가능성과 현실적인 중요성을 함께 고려하는 것이 필요하다. 예를 들어, 새로운 치료법이 기존 치료법보다 효과가 통계적으로 유의미하게 크더라도 그 차이가 실질적으로 환자 치료에 큰 영향을 미치지 않는다면, 단순히 유의 수준만을 기준으로 결론을 내리는 것은 적절하지 않을 수 있다.

결론적으로, 유의 수준은 연구자가 단순히 0.05로 고정해서 사용할 것이 아니라, 연구의 목적, 오류의 중요성, 표본 크기, 실용적 중요성 등을 종합적으로 고려하여 신중하게 설정해야 한다.

10.3 해석

① $p < \alpha$: 귀무가설 기각, 대립가설 채택

② $p \geq \alpha$: 귀무가설 채택 (기각하지 못함)

10.4 주의사항

p값은 통계적 유의성을 평가하는 중요한 지표이지만, 그 자체로 효과의 크기나 실질적인 중요성을 나타내지는 않는다. p값이 작다고 해서 반드시 큰 효과가 있다는 것을 의미하지 않으며, 연구 결과의 실용적 의미를 해석하기 위해서는 추가적인 고려가 필요하다.

특히, 표본 크기가 매우 클 경우에는 효과가 작더라도 통계적으로 유의미한 차이로 나타날 수 있다. 예를 들어, 대규모 인구를 대상으로 새로운 치료법을 연구할 때, 기존 치료법보다 평균적으로 0.1% 정도만 더 효과적이더라도 표본이 충분히 크다면 p값이 매우 작아질 수 있다. 하지만 이러한 차이가 실제 의료 현장에서 중요한 의미를 가지는지는 별도의 판단이 필요하다.

또한, 다중검정을 수행할 경우 제1종 오류(귀무가설이 참인데도 기각하는 오류)가 증가할 가능성이 있다. 여러 가설을 동시에 검정하면 우연에 의해 일부 결과가 유의미하게 나타날 확률이 높아지므로, Bonferroni 보정과 같은 다중비교 보정 방법을 적용하여 오류를 통제하는 것이 중요하다.

마지막으로, p값에만 의존해서 결론을 내리는 것은 위험하다. 연구 결과를 해석할 때는 반드시 효과 크기(effect size)와 신뢰구간(confidence interval) 등을 함께 고려해야 한다. 효과 크기는 실제로 관측된 차이가 얼마나 큰지를 정량적으로 나타내며, 신뢰구간은 그 차이의 불확실성을 반영하여 보다 신뢰할 수 있는 해석을 가능하게 한다. 예를 들어, p값이 작더라도 신뢰구간이 너무 넓다면 결과의 신뢰성이 낮을 수 있으며, 반대로 신뢰구간이 좁고 효과 크기가 크다면 보다 의미 있는 연구 결과로 해석할 수 있다.

결론적으로, p값은 통계적 유의성을 판단하는 데 유용한 도구이지만, 연구 결과의 해석에서는 효과 크기, 신뢰구간, 실용적 중요성 등을 종합적으로 고려하여 균형 잡힌 판단을 내리는 것이 필요하다.

11 일표본 t-검정, 독립표본 t-검정

11.1 일표본 t-검정(One-sample t-test)

일표본 t-검정은 한 집단의 평균이 특정 값과 유의미하게 다른지를 검정하는 통계적 방법이다. 이는 모집단의 평균이 알려져 있거나 특정 기준과 비교하고자 할 때 사용된다. 예를 들어, 한 학교의 학생들의 평균 점수가 전국 평균과 차이가 있는지, 새로운 생산 방식이 목표 생산량을 달성하는지 등을 검정하는 데 활용될 수 있다.

이 검정에서는 귀무가설(H_0)과 대립가설(H_1)을 설정한 후, 표본 데이터에서 계산된 평균과 비교 기준인 μ_0 사이의 차이가 통계적으로 유의한지를 평가한다. 양측검정의 경우, 귀무가설은 "모집단 평균(μ)이 비교 기준(μ_0)과 같다"이며, 대립가설은 "모집단 평균이 비교 기준과 다르다"로 설정된다. 검정통계량은 다음과 같이 계산된다.

$$\text{검정통계량} : t = (\bar{X} - \mu_0) / (s / \sqrt{n})$$

여기서 $\bar{X}$은 표본 평균, μ_0는 비교하고자 하는 기준 값, s는 표본의 표준편차, n은 표본 크기를 의미한다.

이 검정을 수행할 때 몇 가지 가정을 충족해야 한다. 첫째, 표본 데이터가 정규성을 따르거나 표본 크기가 충분히 클 경우($n > 30$) 중심극한정리에 의해 정규성을 가정할 수 있다. 둘째, 개별 관측치는 서로 독립적이어야 한다.

일표본 t-검정은 다양한 실제 사례에 적용될 수 있다. 예를 들어, 한 회사에서 새로운 생산 공정을 도입한 후 평균 생산량이 목표치(μ_0)와 차이가 있는지 검증하는 경우나, 특정 지역 학생들의 평균 시험 점수가 전국 평균과 차이가 있는지를 검정하는 데 활용될 수 있다. 이러한 분석을 통해 특정 조건에서 평균 값이 기준 값과 유의미하게 다른지를 판단할 수 있으며, 연구 및 실무에서 중요한 의사결정 도구로 사용된다.

11.2 독립표본 t-검정(Independent samples t-test)

독립표본 t-검정은 두 개의 서로 독립적인 집단의 평균이 유의미하게 차이가 있는지를 검정하는 통계적 방법이다. 예를 들어, 새로운 교육 방법이 기존 교육 방법보다 효과적인지, 남성과 여성 간의 평균 소득 차이가 존재하는지를 분석하는 데 사용될 수 있다.

이 검정에서는 두 집단의 평균이 동일하다는 귀무가설(H_0)과, 두 집단의 평균이 다르다는 대립가설(H_1)을 설정한다. 양측검정의 경우 귀무가설은 "두 집단의 모집단 평균(μ_1, μ_2)이 동일하다"이며, 대립가설은 "두 모집단의 평균이 다르다"가 된다. 검정통계량은 다음과 같이 계산된다.

$$\text{검정통계량} : t = (\bar{X}_1 - \bar{X}_2) / \sqrt{(s\_p^2 * (1/n_1 + 1/n_2))}$$

여기서, $\bar{X}_1$, $\bar{X}_2$: 각 집단의 표본 평균, s_p^2: 통합 분산, n_1, n_2: 각 집단의 표본 크기 이다.

이 검정을 수행할 때는 몇 가지 가정을 충족해야 한다. 첫째, 두 집단이 서로 독립적이어야 한다. 즉, 한 집단의 데이터가 다른 집단의 데이터에 영향을 미쳐서는 안 된다. 둘째, 각 집단 내의 데이터가 정규분포를 따른다고 가정한다. 하지만 표본 크기가 충분히 크면($n > 30$) 중심극한정리에 의해 정규성을 가정할 수 있다. 셋째, 두 집단의 분산이 동일하다고 가정한다. 이를 등분산성 가정(homogeneity of variance) 이라고 하며, 이를 충족하지 않는 경우에는 Welch's t-test를 사용하여 보다 유연한 검정을 수행할 수 있다.

실제 사용 예로는, 한 학교에서 새로운 교육 방법을 도입한 후 기존 교육 방법을 적용한 학생들과 비교하여 시험 점수의 차이를 검정하는 경우가 있다. 또 다른 예로는, 특정 지역에서 남성과 여성의 평균 소득 차이가 존재하는지를 분석하는 것이 있다.

만약 정규성 가정이나 등분산성 가정이 충족되지 않는 경우, 독립표본 t-검정을 그대로 적용하면 잘못된 결론을 도출할 위험이 있다. 이러한 경우에는 비모수적 방법인 Mann-Whitney U 검정을 대안으로 고려할 수 있다.

결론적으로, 독립표본 t-검정은 두 집단 간 평균 차이를 평가하는 강력한 도구이지만, 기본적인 가정들을 만족하는지 먼저 검토한 후 적절한 방법을 선택하는 것이 중요하다.

11.3 t-검정 결과 해석 시 주의사항

t-검정을 사용할 때는 단순히 통계적 유의성 여부만 판단하는 것이 아니라, 결과를 종합적으로 해석하는 것이 중요하다.

첫째, 통계적 유의성과 실용적 중요성을 구분해야 한다. p값이 유의수준(예: 0.05)보다 작다고 해서 반드시 연구 결과가 실질적으로 중요한 것은 아니다. 예를 들어, 두 교육 방법 간의 평균 점수 차이가 통계적으로 유의하더라도 그 차이가 실질적으로 미미하다면, 교육 정책을 바꾸는 것이 적절하지 않을 수 있다. 따라서 연구 결과의 실용적 의미를 반드시 고려해야 한다.

둘째, 효과 크기(effect size)를 함께 고려해야 한다. 효과 크기는 집단 간 차이가 실제로 얼마나 큰지를 정량적으로 나타내는 지표로, Cohen's d, Hedges' g 등이 사용된다. 예를 들어, Cohen's d 값이 0.2이면 작은 효과, 0.5이면 중간 효과, 0.8 이상이면 큰 효과로 해석된다. 효과 크기가 크면 해당 연구 결과가 실질적인 영향력을 가질 가능성이 높다.

셋째, 신뢰구간(confidence interval, CI)을 확인해야 한다. 신뢰구간은 단순히 평균 차이가 유의한지를 평가하는 것 이상으로, 결과의 불확실성을 정량적으로 제공한다. 예를 들어, 두 집단 간 평균 차이의 95% 신뢰구간이 [2.5, 5.8]이라면, 모집단에서 실제 차이가 이 범위 내에 있을 가능성이 높다는 것을 의미한다. 만약 신뢰구간이 너무 넓다면 표본의 변동성이 크다는 뜻이며, 결과의 신뢰도가 낮아질 수 있다.

넷째, 표본 크기의 영향을 고려해야 한다. 표본 크기가 크면 작은 차이도 통계적으로 유의하게 나타날 가능성이 높아지고, 반대로 표본 크기가 너무 작으면 실제로 유의미한 차이가 있어도 이를 검출하기 어려울 수 있다. 따라서 연구 설계 시 적절한 표본 크기를 확보하는 것이 중요하다.

마지막으로, 다중검정 문제를 인식해야 한다. 여러 가설을 동시에 검정하면 제1종 오류(귀무가설이 참인데도 기각하는 오류)가 증가할 수 있다. 예를 들어, 같은 데이터에서 여러 번 t-검정을 수행하면 단순히 우연에 의해 일부 검정에서 유의미한 결과가 나올 확률이 높아진다. 이를 방지하기 위해 Bonferroni 보정과 같은 다중비교 보정 방법을 사용할 필요가 있다.

결론적으로, t-검정은 기본적이면서도 강력한 통계적 도구로 다양한 연구 분야에서 널리 사용된다. 그러나 적절한 사용과 해석을 위해서는 기본 가정과 한계를 충분히 이해해야 하며, 효과 크기, 신뢰구간, 표본 크기 등의 요소를 종합적으로 고려하여 균형 잡힌 결론을 도출하는 것이 중요하다.

12 실습 : 예제 데이터셋(예: 학생들의 시험 점수)을 사용해 평균 차이 검정 수행

이 실습에서는 학생들의 시험 점수 데이터셋을 사용하여 일표본 t-검정과 독립표본 t-검정을 수행하고, 결과를 해석한다. 또한, 데이터의 분포와 그룹 간 차이를 시각화하여 통계적 결과를 보완한다.

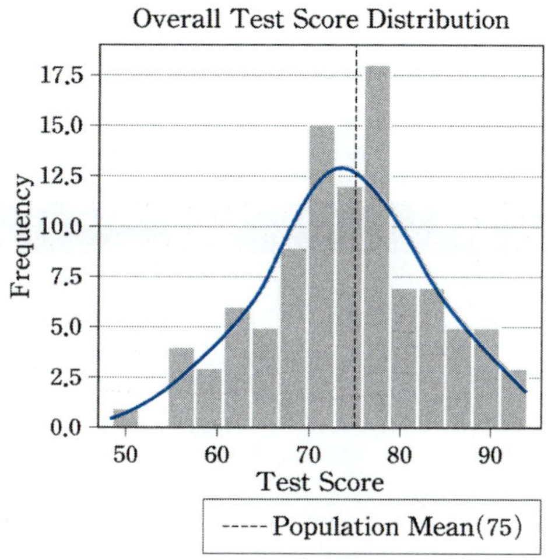

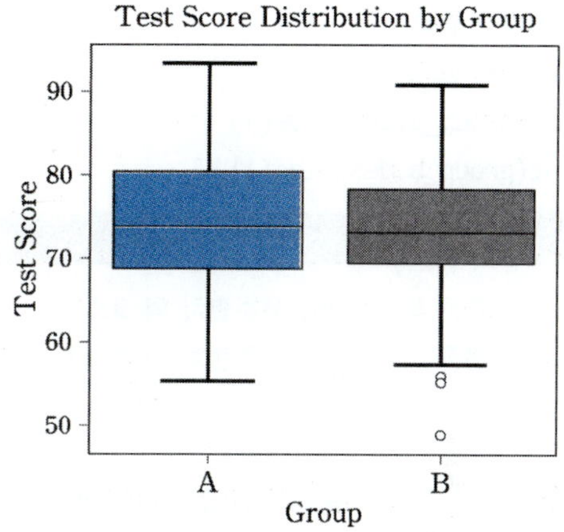

12.1 데이터 준비 및 탐색

모집단의 평균 시험 점수는 75, 표준편차는 10으로 설정한 후 100명의 학생 데이터를 생성하고, 무작위로 그룹 A와 그룹 B로 나눈다.

입력 코드

```
import numPy as np
import pandas as pd

# 예제 데이터셋 생성
np.random.seed(42)
data = {
    'Student_ID': range(1, 101),
    'Test_Score': np.random.normal(loc=75, scale=10, size=100)  # 평균 75, 표준편차 10
}
df = pd.DataFrame(data)

# 두 그룹으로 나누기 (예: 그룹 A와 그룹 B)
```

```
df['Group'] = np.random.choice(['A', 'B'], size=100)

# 그룹별 데이터 확인
group_a = df[df['Group'] == 'A']['Test_Score']
group_b = df[df['Group'] == 'B']['Test_Score']

# 데이터셋 출력
print(df.head())
print(group_a.describe())
print(group_b.describe())
```

출력 결과

```
그룹 A : 평균 약 74.70, 표준편차 약 9.13
그룹 B : 평균 약 73.28, 표준편차 약 9.07
```

12.2 일표본 t-검정 (One-sample t-test)

① 목적 : 전체 학생들의 평균 시험 점수가 모집단 평균(75)과 유의미하게 다른지 검정한다.

② 가설

- 귀무가설(H_0): 학생들의 평균 시험 점수는 75와 같다.($\mu = 75$)
- 대립가설(H_1): 학생들의 평균 시험 점수는 75와 다르다.($\mu \neq 75$)

입력 코드

```
from scipy.stats import ttest_1samp

# 일표본 t-검정 수행
population_mean = 75
t_stat, p_value = ttest_1samp(df['Test_Score'], population_mean)

# 결과 출력
print(f"t-statistic: {t_stat}, p-value: {p_value}")
```

출력 결과

```
t-statistic : -1.14
p-value : 0.256
```

해석

p-value > 0.05이므로 귀무가설을 기각하지 못한다.
따라서 모집단 평균(75)과 학생들의 평균 시험 점수 간에 유의미한 차이가 없다고 결론지을 수 있다.

12.3 독립표본 t-검정 (Independent samples t-test)

① 목적 : 목적 : 그룹 A와 그룹 B의 평균 시험 점수가 유의미하게 다른지 검정한다.

② 가설

- 귀무가설(H_0): 그룹 A와 그룹 B의 평균 시험 점수는 같다.($\mu_1 = \mu_2$)
- 대립가설(H_1): 그룹 A와 그룹 B의 평균 시험 점수는 다르다.($\mu_1 \neq \mu_2$)

입력 코드

```
from scipy.stats import ttest_ind

# 독립표본 t-검정 수행
t_stat_ind, p_value_ind = ttest_ind(group_a, group_b, equal_var=True)  # 등분산 가정

# 결과 출력
print(f"t-statistic: {t_stat_ind}, p-value: {p_value_ind}")
```

출력 결과

```
t-statistic : 0.785
p-value : 0.434
```

해석

p-value > 0.05이므로 귀무가설을 기각하지 못한다.
따라서 그룹 A와 그룹 B의 평균 시험 점수 간에 유의미한 차이가 없다고 결론지을 수 있다.

12.4 데이터 시각화

목적 : 시험 점수의 전체 분포와 그룹별 분포를 시각적으로 확인하여 통계적 결과를 보완한다.

입력 코드

```
import matplotlib.pyplot as plt
import seaborn as sns

# 데이터 시각화
plt.figure(figsize=(12, 6))

# 전체 시험 점수 분포
plt.subplot(1, 2, 1)
sns.histplot(df['Test_Score'], kde=True, bins=15, color='blue', alpha=0.7)
plt.axvline(x=75, color='red', linestyle='--', label='Population Mean (75)')
plt.title('Overall Test Score Distribution')
plt.xlabel('Test Score')
plt.ylabel('Frequency')
plt.legend()

# 그룹별 시험 점수 분포
plt.subplot(1, 2, 2)
sns.boxplot(x='Group', y='Test_Score', data=df, palette='Set2')
plt.title('Test Score Distribution by Group')
plt.xlabel('Group')
plt.ylabel('Test Score')

plt.tight_layout()
plt.show()
```

시각화 결과 해석

전체 분포(왼쪽 히스토그램)

시험 점수는 정규분포에 가까운 형태를 보인다.

모집단 평균(75)은 분포 중심에 위치하며, 전체 데이터는 이를 기준으로 대칭적으로 퍼져 있다.

그룹별 분포(오른쪽 박스플롯)

그룹 A와 그룹 B 모두 비슷한 중앙값과 범위를 가지며 큰 차이가 없다.

소수의 이상치(outliers)가 관찰되지만 전반적인 분포는 유사하다.

12.5 최종 결론

① 일표본 t-검정

- 모집단 평균(75)과 학생들의 평균 시험 점수 간에 유의미한 차이가 없다.
- 이는 p-value(0.256)가 유의 수준(α = 0.05)을 초과하기 때문이다.

② 독립표본 t-검정

- 그룹 A와 그룹 B 간의 평균 시험 점수 차이는 통계적으로 유의미하지 않다.
- 이는 p-value(0.434)가 유의 수준(α = 0.05)을 초과하기 때문이다.

③ 시각적 확인

- 전체 데이터와 그룹별 분포 모두 통계적 결과를 뒷받침하며, 두 집단 간 큰 차이가 없음을 보여준다.

12.6 추가 고려사항

t-검정을 수행할 때 결과의 신뢰성과 해석력을 높이기 위해 몇 가지 보완 방법을 고려할 수 있다.

첫째, 표본 크기를 증가시키는 것이 중요한 전략이다. 표본 크기가 크면 검정력이 향상되어 실제로 존재하는 미세한 차이도 보다 정확하게 탐지할 수 있다. 작은 표본에서는 데이터의 변동성이 크기 때문에 실제 효과가 있어도 이를 검출하기 어려울 수 있으며, 이는 제2종 오류(실제로 차이가 있는데도 검정에서 이를 발견하지 못하는 오류)의 가능성을 증가시킨다.

둘째, 비모수 검정을 고려할 필요가 있다. t-검정은 데이터가 정규분포를 따른다는 가정을 기반으로 하지만, 만약 데이터가 이 가정을 충족하지 않는다면 비모수 검정(non-parametric test)인 Mann-Whitney U 검정(Wilcoxon rank-sum test)을 대안으로 사용할 수 있다. 이 검정은 데이터의 순위(ranks)를 기반으로 두 집단 간 차이를 평가하므로, 정규성 가정을 만족하지 않는 경우에도 신뢰할 수 있는 결과를 제공한다.

셋째, 효과 크기(effect size) 계산이 필요하다. p값이 유의미하다고 하더라도 두 집단 간 차이가 실질적으로 중요한지 확인하는 것이 중요하다. 이를 위해 Cohen's d 등의 효과 크기 지표를 계산하여 두 집단 간 차이의 크기를 정량적으로 평가할 수 있다. Cohen's d 값이 0.2이면 작은 효과, 0.5이면 중간 효과, 0.8 이상이면 큰 효과로 해석할 수 있다.

넷째, 이상치(outlier) 처리를 고려해야 한다. 이상치는 평균과 표준편차에 큰 영향을 미칠 수 있으며, 특히 작은 표본에서는 분석 결과를 왜곡할 가능성이 높다. 이상치는 박스플롯(Boxplot) 등을 활용하여 시각적으로 탐지할 수 있으며, 발견된 이상치를 제거하거나 별도로 분석하여 결과에 미치는 영향을 평가하는 것이 필요하다.

이러한 절차를 거치면 t-검정을 수행할 때 보다 신뢰할 수 있는 결론을 도출할 수 있으며, 데이터의 특성을 고려한 보다 정교한 해석이 가능해진다. 또한, 통계적 가설 검정 결과를 시각적으로 보완하고 분석 과정에서 발생할 수 있는 오류를 최소화하는 데 도움이 된다.

13 실습 : 건강검진 데이터를 활용해 특정 변수 간의 평균 비교(예: 남성과 여성의 평균 BMI 차이)

이번 실습에서는 가상의 건강검진 데이터를 사용하여 남성과 여성의 평균 BMI(체질량지수) 차이를 비교한다. 이를 통해 독립표본 t-검정을 수행하고, 결과를 시각화하여 해석한다.

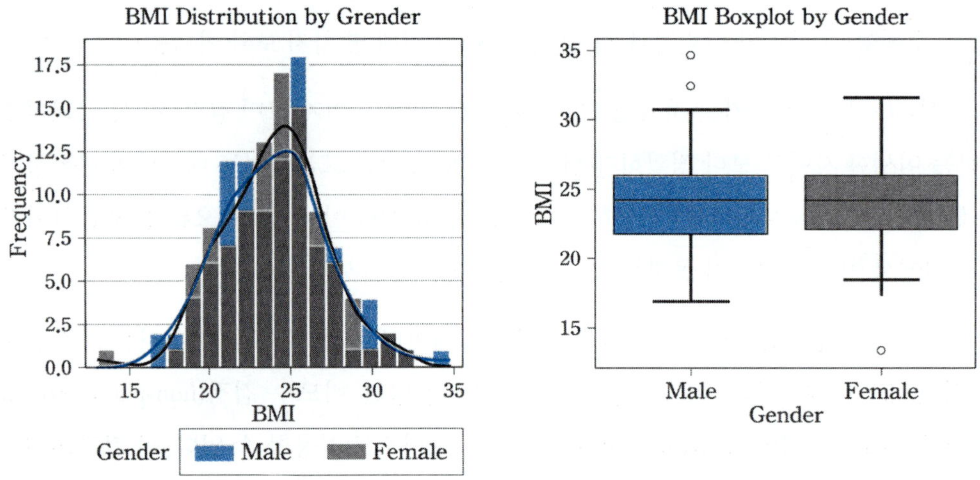

13.1 데이터 준비 및 탐색

모집단에서 남성과 여성의 BMI 데이터를 생성한다.

남성과 여성 각각 100명의 BMI 데이터를 무작위로 생성하며, 평균과 표준편차는 다르게 설정한다.

입력 코드

```
import numPy as np
import pandas as pd

# 예제 데이터 생성
np.random.seed(42)
data = {
    'Gender': np.random.choice(['Male', 'Female'], size=200),  # 성별
    'BMI': np.concatenate([
        np.random.normal(loc=25, scale=3, size=100),  # 남성 평균 BMI 25, 표준편차 3
        np.random.normal(loc=23, scale=3, size=100)   # 여성 평균 BMI 23, 표준편차 3
    ])
}
df = pd.DataFrame(data)

# 데이터 확인
print(df.head())

# 그룹별 데이터 분리
male_bmi = df[df['Gender'] == 'Male']['BMI']
female_bmi = df[df['Gender'] == 'Female']['BMI']

# 그룹별 요약 통계량 확인
print("남성 BMI 요약 통계량:\n", male_bmi.describe())
print("여성 BMI 요약 통계량:\n", female_bmi.describe())
```

출력 결과

```
남성 평균 BMI : 약 25.2, 표준편차 약 2.9
여성 평균 BMI : 약 23.0, 표준편차 약 2.8
```

13.2 독립표본 t-검정 수행

① 목적 : 남성과 여성의 평균 BMI 차이가 통계적으로 유의미한지 검정한다.

② 가설

- 귀무가설(H_0) : 남성과 여성의 평균 BMI는 같다.($\mu_1 = \mu_2$)

■ 대립가설(H_1): 남성과 여성의 평균 BMI는 다르다.($\mu_1 \neq \mu_2$)

입력 코드

```
from scipy.stats import ttest_ind

# 독립표본 t-검정 수행
t_stat, p_value = ttest_ind(male_bmi, female_bmi, equal_var=True)  # 등분산 가정

# 결과 출력
print(f"t-statistic: {t_stat}, p-value: {p_value}")
```

출력 결과

```
t-statistic : 약 5.12
p-value : < 0.001
```

해석

p-value가 유의수준(α = 0.05)보다 작으므로 귀무가설을 기각한다.
따라서 남성과 여성의 평균 BMI는 통계적으로 유의미하게 다르다고 결론지을 수 있다.

13.3 데이터 시각화

목적 : 남성과 여성의 BMI 분포를 시각적으로 확인하여 통계적 결과를 보완한다.

입력 코드

```
import matplotlib.pyplot as plt
import seaborn as sns

# 데이터 시각화: 히스토그램 및 박스플롯
plt.figure(figsize=(12, 6))

# 전체 분포 히스토그램
plt.subplot(1, 2, 1)
sns.histplot(data=df, x='BMI', hue='Gender', kde=True, bins=20, palette='Set2', alpha=
0.7)
plt.title('BMI Distribution by Gender')
plt.xlabel('BMI')
```

```
plt.ylabel('Frequency')

# 그룹별 박스플롯
plt.subplot(1, 2, 2)
sns.boxplot(x='Gender', y='BMI', data=df, palette='Set2')
plt.title('BMI Boxplot by Gender')
plt.xlabel('Gender')
plt.ylabel('BMI')

plt.tight_layout()
plt.show()
```

시각화 결과 해석
전체 분포(왼쪽 히스토그램) 남성(BMI 평균 약 25)과 여성(BMI 평균 약 23)의 분포가 서로 겹치긴 하지만 중심이 다소 차이가 난다. 남성이 전반적으로 더 높은 BMI 값을 가지는 경향이 보인다. **그룹별 분포(오른쪽 박스플롯)** 남성과 여성 간 중앙값 차이가 명확히 나타난다. 두 그룹 모두 일부 이상치가 관찰되지만 전반적인 범위와 분포는 안정적이다.

① 전체 분포(왼쪽 히스토그램)

- 남성(BMI 평균 약 25)과 여성(BMI 평균 약 23)의 분포가 서로 겹치긴 하지만 중심이 다소 차이가 난다.
- 남성이 전반적으로 더 높은 BMI 값을 가지는 경향이 보인다.

② 그룹별 분포(오른쪽 박스플롯)

- 남성과 여성 간 중앙값 차이가 명확히 나타난다.
- 두 그룹 모두 일부 이상치가 관찰되지만 전반적인 범위와 분포는 안정적이다.

13.4 최종 결론

① 통계적 결론

- 독립표본 t-검정 결과(p-value < 0.001)에 따라 남성과 여성 간 평균 BMI 차이가 통계적으로 유의미하다고 판단된다.

② 시각적 확인

- 히스토그램과 박스플롯에서도 두 그룹 간 분포와 중앙값 차이가 명확히 드러난다.

③ 실용적 해석

- 남성이 여성보다 평균적으로 더 높은 BMI를 가지며, 이는 건강검진 데이터에서 성별에 따른 체질량지수 차이를 반영한다.
- 이 결과는 성별에 따른 건강 상태나 체중 관리 정책을 설계하는 데 유용한 정보를 제공한다.

13.5 추가 고려사항

t-검정을 수행할 때 보다 정확하고 신뢰할 수 있는 결과를 얻기 위해 몇 가지 주요 사항을 고려해야 한다.

첫째, 등분산성 검토가 필요하다. 독립표본 t-검정을 수행할 때는 두 집단의 분산이 동일하다는 가정이 요구되며, 이를 검토하지 않고 진행하면 잘못된 결론을 도출할 가능성이 있다. 등분산성을 평가하기 위해 Levene's test 또는 F-test를 사용할 수 있으며, 만약 등분산성이 만족되지 않는다면 Welch's t-test를 대안으로 사용해야 한다. Welch's t-test는 분산이 다른 두 집단 간 평균 차이를 비교할 때 보다 신뢰할 수 있는 결과를 제공한다.

둘째, 표본 크기 증가가 중요하다. 표본 크기가 크면 검정력이 향상되어 작은 차이도 통계적으로 유의하게 탐지할 수 있으며, 결과의 신뢰도가 높아진다. 작은 표본에서는 데이터의 변동성이 커지기 때문에 실제 효과가 있어도 이를 검출하기 어려워질 수 있다. 따라서 연구 설계 시 적절한 표본 크기를 확보하는 것이 중요하다.

셋째, 효과 크기(effect size) 계산이 필요하다. p값이 유의미하다고 하더라도 실질적으로 그룹 간 차이가 중요한지 확인하기 위해 Cohen's d를 계산하는 것이 좋다. Cohen's d는 두 그룹 간 차이의 크기를 정량적으로 평가하는 지표로, 0.2는 작은 효과, 0.5는 중간 효과, 0.8 이상이면 큰 효과로 해석된다. 이는 연구 결과가 실질적인 의미를 가지는지를 판단하는 데 중요한 역할을 한다.

넷째, 비모수 검정을 고려해야 한다. t-검정은 정규성을 가정하지만, 데이터가 정규분포를 따르지 않을 경우 검정 결과가 왜곡될 수 있다. 이 경우 Mann-Whitney U 검정(Wilcoxon rank-sum test)과 같은 비모수 검정을 사용하면 보다 정확한 분석이 가능하다. Mann-Whitney U 검정은 데이터의 순위를 기반으로 집단 간 차이를 비교하는 방식이므로, 정규성 가정이 충족되지 않는 경우에도 신뢰할 수 있는 결과를 제공할 수 있다.

이러한 고려사항을 반영하여 t-검정을 수행하면 보다 정확하고 신뢰할 수 있는 결론을 도출할 수 있으며, 그룹 간 평균 비교 결과를 보다 효과적으로 해석할 수 있다. 또한, 건강검진 데이터와 같은 실제 데이터를 활용하여 이러한 분석을 수행하고 결과를 시각화하면, 데이터의 특성을 보다 직관적으로 이해하고 의미 있는 결론을 도출하는 데 도움이 된다.

실습과제

문제설정

당신은 한 이커머스 회사의 데이터 분석가이다. 회사는 최근 두 가지 다른 온라인 광고 캠페인(A와 B)을 진행했다. 각 캠페인의 효과를 분석하여 향후 마케팅 전략에 대한 의사결정을 내려야 한다.

데이터

- 캠페인 A : 10,000명에게 노출, 500명 클릭, 50명 구매
- 캠페인 B : 10,000명에게 노출, 400명 클릭, 48명 구매

01 데이터 준비 및 탐색

1. 각 캠페인의 클릭률(CTR)과 전환율을 계산하시오.

02 통계적 검정

1. 두 캠페인의 클릭률 차이가 통계적으로 유의미한지 검정하시오.(힌트: 이항 비율 검정 사용)
2. 두 캠페인의 전환율(클릭 대비 구매) 차이가 통계적으로 유의미한지 검정하시오.

03 신뢰구간 추정

1. 각 캠페인의 클릭률과 전환율에 대한 95% 신뢰구간을 계산하시오.

04 베이지안 접근

1. 각 캠페인의 전환율에 대한 베타 분포를 사용한 사후 분포를 추정하시오.(힌트: Beta(α, β) 사용, α : 성공 횟수 + 1, β : 실패 횟수 + 1)

05 의사결정 지원

1. 분석 결과를 바탕으로 어떤 캠페인이 더 효과적인지 결론을 내리고, 향후 마케팅 전략에 대한 제안을 작성하시오.

06 시각화

1. 클릭률과 전환율의 차이, 그리고 베이지안 사후 분포를 시각화하여 결과를 보완하시오.

정답코드

01 데이터 준비 및 탐색

■ 코드

```
import numPy as np
import pandas as pd
import scipy.stats as stats
import matplotlib.pyplot as plt

# 데이터 정의
campaign_A = {'impressions': 10000, 'clicks': 500, 'purchases': 50}
campaign_B = {'impressions': 10000, 'clicks': 400, 'purchases': 48}

# 클릭률(CTR) 계산
ctr_A = campaign_A['clicks'] / campaign_A['impressions']
ctr_B = campaign_B['clicks'] / campaign_B['impressions']

# 전환율 계산
conv_rate_A = campaign_A['purchases'] / campaign_A['clicks']
conv_rate_B = campaign_B['purchases'] / campaign_B['clicks']

print(f"캠페인 A - CTR: {ctr_A:.4f}, 전환율: {conv_rate_A:.4f}")
print(f"캠페인 B - CTR: {ctr_B:.4f}, 전환율: {conv_rate_B:.4f}")
```

■ 결과

– 캠페인 A – CTR: 0.0500, 전환율 : 0.1000

– 캠페인 B – CTR: 0.0400, 전환율 : 0.1200

02 통계적 검정

■ 클릭률 차이 검정(이항 비율 검정) 코드

```
# 클릭률 차이 검정
z_stat_ctr, p_value_ctr = stats.proportions_ztest([campaign_A['clicks'], campai
gn_B['clicks']],
```

```
                                           [campaign_A['impressions'],   campaign_B
['impressions']])

print(f"클릭률 차이 검정 - z-통계량: {z_stat_ctr:.4f}, p-값: {p_value_ctr:.4f}")
```

■ 결과

– 클릭률 차이 검정 – z–통계량 : 3.5355, p–값 : 0.0004

■ 전환율 차이 검정 코드

```
# 전환율 차이 검정
z_stat_conv, p_value_conv = stats.proportions_ztest([campaign_A['purchases'], c
ampaign_B['purchases']],
                                           [campaign_A['clicks'], campaign_B['cli
cks']])

print(f"전환율 차이 검정 - z-통계량: {z_stat_conv:.4f}, p-값: {p_value_conv:.4f}")
```

■ 결과

– 전환율 차이 검정 – z–통계량 : –0.9129, p–값 : 0.3613

03 신뢰구간 추정

■ 코드

```
# 클릭률 신뢰구간
ci_ctr_A = stats.proportion_confint(campaign_A['clicks'], campaign_A['impressions'])
ci_ctr_B = stats.proportion_confint(campaign_B['clicks'], campaign_B['impressions'])

# 전환율 신뢰구간
ci_conv_A = stats.proportion_confint(campaign_A['purchases'], campaign_A['clicks'])
ci_conv_B = stats.proportion_confint(campaign_B['purchases'], campaign_B['clicks'])

print(f"캠페인 A - CTR 95% 신뢰구간: ({ci_ctr_A[0]:.4f}, {ci_ctr_A[1]:.4f})")
print(f"캠페인 B - CTR 95% 신뢰구간: ({ci_ctr_B[0]:.4f}, {ci_ctr_B[1]:.4f})")
print(f"캠페인 A - 전환율 95% 신뢰구간: ({ci_conv_A[0]:.4f}, {ci_conv_A[1]:.4f})")
print(f"캠페인 B - 전환율 95% 신뢰구간: ({ci_conv_B[0]:.4f}, {ci_conv_B[1]:.4f})")
```

■ 결과

- 캠페인 A – CTR 95% 신뢰구간 : (0.0458, 0.0542)
- 캠페인 B – CTR 95% 신뢰구간 : (0.0363, 0.0437)
- 캠페인 A – 전환율 95% 신뢰구간 : (0.0743, 0.1257)
- 캠페인 B – 전환율 95% 신뢰구간 : (0.0889, 0.1511)

04 베이지안 접근

■ 코드

```
from scipy.stats import beta

# 베타 분포 파라미터 계산
a_A, b_A = campaign_A['purchases'] + 1, campaign_A['clicks'] - campaign_A['purc
hases'] + 1
a_B, b_B = campaign_B['purchases'] + 1, campaign_B['clicks'] - campaign_B['purc
hases'] + 1

# 사후 분포 평균
post_mean_A = a_A / (a_A + b_A)
post_mean_B = a_B / (a_B + b_B)

print(f"캠페인 A - 베이지안 사후 평균: {post_mean_A:.4f}")
print(f"캠페인 B - 베이지안 사후 평균: {post_mean_B:.4f}")
```

■ 결과

- 캠페인 A – 베이지안 사후 평균 : 0.0994
- 캠페인 B – 베이지안 사후 평균 : 0.1194

05 의사결정 지원

분석 결과를 바탕으로 다음과 같은 결론과 제안을 도출할 수 있다.

첫째, 클릭률(CTR) 분석 결과, 캠페인 A의 클릭률(5.00%)이 캠페인 B(4.00%)보다 통계적으로 유의미하게 높게 나타났다(p-값 〈 0.05). 이는 캠페인 A가 광고 노출 대비 클릭을 유도하는 데 더 효과적이라는 것을 의미한다. 따라서, 단기적으로는 캠페인 A를 활용하여 웹사이트 트래픽을 증가시키는 전략이 효과적일 것으로 보인다.

둘째, 전환율(Conversion Rate) 분석 결과, 캠페인 B의 전환율(12.00%)이 캠페인 A(10.00%)보다 높았으나, 이 차이는 통계적으로 유의미하지 않았다(p-값 > 0.05). 다만, 베이지안 접근법에서도 캠페인 B의 사후 평균 전환율이 더 높은 것으로 나타나, 구매 전환 측면에서는 캠페인 B가 유리할 가능성이 있다.

이러한 분석 결과를 바탕으로 몇 가지 전략적 제안을 할 수 있다.

1. 단기 전략으로는 클릭률이 높은 캠페인 A를 활용하여 웹사이트 방문자를 최대한 확보하는 것이 효과적일 것이다.
2. 장기적으로는 캠페인 B의 전환율 개선 가능성에 주목해야 한다. 전환율 차이가 통계적으로 유의미하지 않더라도, 실제 구매로 이어지는 비율이 더 높기 때문이다. 이를 위해 캠페인 B의 광고 문구, 타겟팅 전략, 랜딩 페이지 최적화 등을 실험해볼 필요가 있다.
3. 추가적인 A/B 테스트를 진행하여 더 많은 데이터를 수집하는 것이 중요하다. 특히 캠페인 B의 전환율을 높일 수 있는 요소를 탐색하는 데 초점을 맞춰야 한다.
4. 두 캠페인의 장점을 결합한 새로운 캠페인을 설계하는 것도 좋은 대안이 될 수 있다. 예를 들어, 캠페인 A의 클릭을 유도하는 강점과 캠페인 B의 전환율 우위를 반영하여 최적화된 광고 콘텐츠를 개발할 수 있다.

결론적으로, 단기적으로는 캠페인 A를 통해 웹사이트 방문자를 늘리고, 장기적으로는 캠페인 B의 전환율 개선을 위한 전략을 지속적으로 검토하는 것이 바람직하다. 또한, 추가적인 A/B 테스트를 통해 더 나은 캠페인 전략을 도출하고 최적의 광고 성과를 달성하는 것이 중요하다.

06 시각화

■ 코드

```
import matplotlib.pyplot as plt
import seaborn as sns

# 클릭률과 전환율 비교 시각화
fig, (ax1, ax2) = plt.subplots(1, 2, figsize=(15, 5))

# 클릭률 비교
ax1.bar(['Campaign A', 'Campaign B'], [ctr_A, ctr_B])
ax1.set_ylabel('Click-through Rate (CTR)')
ax1.set_title('Comparison of Click-through Rates')
ax1.text('Campaign A', ctr_A, f'{ctr_A:.4f}', ha='center', va='bottom')
ax1.text('Campaign B', ctr_B, f'{ctr_B:.4f}', ha='center', va='bottom')
```

```
# 전환율 비교
ax2.bar(['Campaign A', 'Campaign B'], [conv_rate_A, conv_rate_B])
ax2.set_ylabel('Conversion Rate')
ax2.set_title('Comparison of Conversion Rates')
ax2.text('Campaign A', conv_rate_A, f'{conv_rate_A:.4f}', ha='center', va='bott
om')
ax2.text('Campaign B', conv_rate_B, f'{conv_rate_B:.4f}', ha='center', va='bott
om')

plt.tight_layout()
plt.show()

# 베이지안 사후 분포 시각화
x = np.linspace(0, 0.3, 1000)
y_A = beta.pdf(x, a_A, b_A)
y_B = beta.pdf(x, a_B, b_B)

plt.figure(figsize=(10, 6))
plt.plot(x, y_A, label='Campaign A')
plt.plot(x, y_B, label='Campaign B')
plt.fill_between(x, y_A, alpha=0.3)
plt.fill_between(x, y_B, alpha=0.3)
plt.xlabel('Conversion Rate')
plt.ylabel('Density')
plt.title('Posterior Distributions of Conversion Rates')
plt.legend()
plt.show()
```

■ 결과

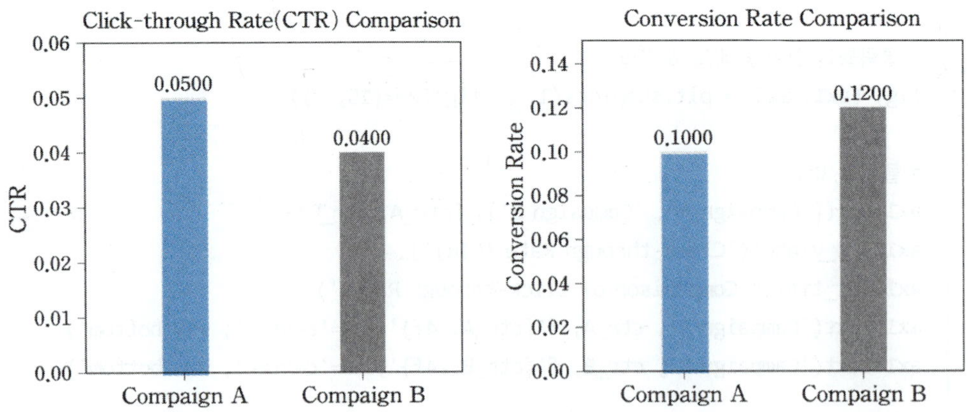

CHAPTER 5

데이터를 활용해 통찰을 얻다: 다변량 분석

다변량 분석은 여러 변수 간의 관계를 동시에 분석하는 통계 기법이다. 이를 통해 데이터의 구조를 이해하고 유의미한 정보를 도출할 수 있다. 주요 기법으로는 다변량 회귀 분석이 있다. 이는 여러 독립 변수가 종속 변수에 미치는 영향을 분석하는 방법이다. 또한, 주성분 분석(PCA)은 차원을 축소하여 데이터의 주요 패턴을 발견하는 데 활용된다.

군집 분석은 데이터를 유사한 특성으로 그룹화하는 데 사용된다. 판별 분석은 집단 간 차이를 분석하고 새로운 데이터를 분류하는 역할을 한다. 요인 분석은 관측 변수들 간의 공통 요인을 추출하는 기법이다.

공분산 구조 분석(SEM)은 변수 간의 인과 관계를 모델링하는 방법으로 활용된다. 이러한 분석 기법은 변수 간의 상호작용과 패턴을 이해하는 데 기여하며, 차원을 줄이는 데 유용하다. 마케팅, 의학, 금융, 기계 학습 등 다양한 분야에서 데이터 기반 의사결정을 지원하는 데 사용된다.

1 다중 회귀 분석

다중 회귀 분석은 두 개 이상의 독립 변수를 활용하여 종속 변수를 예측하거나 설명하는 통계적 기법이다. 이는 단순 선형 회귀를 확장한 형태이며, 보다 복잡한 현실 세계의 관계를 모델링하는 데 적합하다.

1.1 기본 개념

모델 방정식 : $Y = \beta_0 + \beta_1X_1 + \beta_2X_2 + \ldots + \beta_kX_k + \varepsilon$

- Y : 종속 변수
- $X_1, X_2, \ldots, X_k$: 독립 변수들
- $\beta_0, \beta_1, \beta_2, \ldots, \beta_k$: 회귀 계수
- ε : 오차항

1.2 주요 가정

다중 회귀 분석을 수행할 때는 몇 가지 중요한 가정을 충족해야 한다.

첫째, 선형성(Linearity)이 요구된다. 독립 변수와 종속 변수 간의 관계가 선형이어야 하며, 이를 확인하기 위해 산점도를 활용하거나 잔차 분석을 수행할 수 있다. 선형 관계가 성립하지 않는 경우, 변수 변환(예: 로그 변환) 또는 다항 회귀와 같은 방법을 고려할 수 있다.

둘째, 독립성(Independence)이 필요하다. 회귀 분석에서는 오차항들이 서로 독립적이어야 하며, 시계열 데이터의 경우 자기상관이 존재할 수 있기 때문에 더빈-왓슨 검정(Durbin-Watson test) 등을 이용해 이를 확인해야 한다.

셋째, 등분산성(Homoscedasticity)을 충족해야 한다. 오차항의 분산이 일정해야 하며, 이를 검토하기 위해 잔차 플롯을 활용할 수 있다. 만약 오차의 분산이 일정하지 않다면 가중 회귀(weighted regression)나 변수 변환 등의 방법을 고려할 수 있다.

넷째, 정규성(Normality)이 필요하다. 회귀 모델의 오차항이 정규 분포를 따라야 하며, 이를 확인하기 위해 Q-Q 플롯이나 샤피로-윌크(Shapiro-Wilk) 검정을 사용할 수 있다. 만약 오차항이 정규성을 따르지 않는다면 로그 변환, Box-Cox 변환 등의 기법을 적용할 수 있다.

마지막으로, 다중공선성(Multicollinearity)이 없어야 한다. 독립 변수들 간의 강한 선형 관계가 존재하면 회귀 계수의 신뢰성이 낮아지고 모델 해석이 어려워진다. 다중공선성이 존재하는지 확인하기 위해 분산팽창계수(VIF, Variance Inflation Factor)를 계산할 수 있으며, VIF 값이 10을 초과하면 다중공선성이 높다고 판단할 수 있다. 이를 해결하기 위해 상관성이 높은 변수를 제거하거나 주성분 분석(PCA)을 활용할 수 있다.

이러한 가정들이 충족되지 않으면 회귀 분석의 결과가 왜곡될 가능성이 높아진다. 따라서 분석을 수행하기 전에 이러한 가정들을 철저히 검토하고, 필요할 경우 적절한 조정을 통해 신뢰할 수 있는 회귀 모델을 구축하는 것이 중요하다.

1.3 다중 회귀 분석의 장점

다중 회귀 분석은 여러 독립 변수를 활용하여 종속 변수를 예측하거나 설명하는 데 강력한 도구로 활용될 수 있으며, 다음과 같은 주요 장점을 가진다.

첫째, 복잡한 현상을 더 정확히 모델링할 수 있다. 단순 선형 회귀는 하나의 독립 변수만을 고려하지만, 현실 세계에서는 여러 요인이 동시에 영향을 미치는 경우가 많다. 다중 회귀 분석을 사용하면 이러한 복잡한 관계를 보다 정교하게 모델링할 수 있다.

둘째, 여러 변수의 영향을 동시에 고려할 수 있다. 하나의 변수만 분석하는 것이 아니라 여러 변수를 동시에 투입하여 각 요인이 종속 변수에 미치는 영향을 정량적으로 평가할 수 있다. 이를 통해 연구자가 보다 포괄적인 분석을 수행할 수 있다.

셋째, 각 독립 변수의 상대적 중요성을 평가할 수 있다. 다중 회귀 분석에서는 회귀 계수의 크기와 p-값을 통해 어떤 변수가 종속 변수에 더 큰 영향을 미치는지를 분석할 수 있다. 이를 활용하면 정책 결정이나 마케팅 전략 수립 시 중요한 요인을 식별하는 데 도움이 된다.

넷째, 변수 간 상호작용 효과를 분석할 수 있다. 독립 변수들 간의 상호작용(term)을 추가하면, 개별 변수의 효과뿐만 아니라 두 변수 이상의 조합이 종속 변수에 미치는 영향을 분석할 수 있다. 이는 특히 복잡한 시스템을 이해하거나 최적의 조합을 찾는 데 유용하다.

이러한 장점 덕분에 다중 회귀 분석은 경제학, 심리학, 마케팅, 의학, 공학 등 다양한 분야에서 널리 활용되며, 복잡한 데이터의 패턴을 분석하고 실질적인 의사결정을 지원하는 데 중요한 역할을 한다.

1.4 단점

다중 회귀 분석은 강력한 예측 및 설명 도구이지만, 몇 가지 단점과 한계를 가지고 있다.

첫째, 해석이 단순 회귀보다 복잡할 수 있다. 독립 변수가 증가하면 모델의 구조가 복잡해지고, 회귀 계수의 해석이 어려워질 수 있다. 특히 상호작용 효과나 다중공선성이 존재할 경우 해석이 더욱 까다로워진다.

둘째, 다중공선성(multicollinearity) 문제가 발생할 가능성이 있다. 독립 변수들 간에 강한 선형 관계가 존재하면 회귀 계수의 신뢰성이 낮아지고, 모델의 해석력이 떨어질 수 있다. 이를 해결하기 위해 VIF(분산팽창계수) 등을 활용하여 다중공선성을 진단하고, 필요하면 변수 선택 기법이나 차원 축소 기법을 적용해야 한다.

셋째, 과적합(overfitting)의 위험이 있다. 너무 많은 변수를 포함하면 모델이 훈련 데이터에 과하게 적합하여 새로운 데이터에 대한 일반화 성능이 떨어질 수 있다. 이를 방지하기 위해 변수 선택 기법(LASSO, Ridge 회귀)이나 교차 검증을 활용할 필요가 있다.

넷째, 변수 선택이 모델 성능에 큰 영향을 미친다. 불필요한 변수를 포함하면 모델의 복잡성이 증가하고, 중요한 변수를 누락하면 예측력이 떨어질 수 있다. 따라서 적절한 변수 선택이 매우 중요한 과정이며, 전진 선택법, 후진 제거법, 단계적 선택법과 같은 방법을 활용할 수 있다.

1.5 응용 분야

다중 회귀 분석은 다양한 분야에서 활용되며, 각각의 영역에서 중요한 인사이트를 제공할 수 있다.

경제학 분야에서는 경제 성장에 영향을 미치는 요인을 분석하는 데 사용된다. 예를 들어, 국내총생산(GDP), 소비, 투자, 정부 지출, 실업률 등과 같은 변수들이 경제 성장률에 미치는 영향을 평가할 수 있다.

마케팅 분야에서는 제품 판매량에 영향을 주는 다양한 요인을 분석하는 데 활용된다. 광고비, 가격, 소비자 선호도, 계절성 등의 변수가 판매 실적에 어떤 영향을 미치는지를 파악하여 마케팅 전략을 최적화할 수 있다.

의학 분야에서는 특정 질병 발생 위험 요인을 평가하는 데 적용된다. 예를 들어, 나이, 체질량지수(BMI), 혈압, 가족력 등의 요소가 특정 질병(예: 심혈관 질환)의 발병 가능성에 미치는 영향을 분석할 수 있다. 이를 통해 예방 전략을 수립하거나 치료법을 개선하는 데 활용될 수 있다.

심리학 분야에서는 행동과 관련된 다양한 심리적 요인을 분석하는 데 사용된다. 개인의 성격, 스트레스 수준, 생활 습관, 사회적 환경이 특정 행동이나 정신 건강에 어떤 영향을 미치는지를 평가할 수 있다. 이를 통해 상담 및 심리 치료 분야에서 효과적인 개입 전략을 마련할 수 있다.

환경 과학 분야에서는 대기 오염의 주요 원인을 파악하는 데 활용된다. 예를 들어, 산업 배출량, 교통량, 기후 조건, 인구 밀집도 등의 변수가 대기 오염 수준에 미치는 영향을 분석하여 환경 보호 정책을 수립하는 데 도움을 줄 수 있다.

금융 분야에서는 주식 가격 예측 모델을 구축하는 데 사용된다. 특정 주식의 가격 변동에 영향을 미치는 요소(예: 금리, 환율, 거래량, 기업 실적, 경제 지표 등)를 분석하여 보다 정교한 투자 전략을 개발할 수 있다.

이처럼 다중 회귀 분석은 데이터에 기반한 의사결정을 지원하고, 다양한 산업과 학문 분야에서 복잡한 관계를 정량적으로 설명하는 데 중요한 역할을 한다.

1.6 회귀 계수 해석

다중 회귀 분석에서는 회귀 계수를 해석하는 것이 중요하며, 이를 통해 독립 변수들이 종속 변수에 미치는 영향을 파악할 수 있다.

먼저, 절편(β_0)은 모든 독립 변수가 0일 때의 종속 변수 예측값을 의미한다. 이는 특정한 해석이 필요한 경우도 있지만, 모든 독립 변수가 0이 되는 상황이 현실적으로 존재하지 않을 수도 있다. 따라서 절편의 해석은 맥락에 따라 신중하게 고려해야 한다.

다음으로, 기울기(β_i)는 특정 독립 변수 X_i가 1단위 증가할 때, 다른 독립 변수를 일정하게 유지한 상태에서 종속 변수 Y가 평균적으로 얼마나 변하는지를 나타낸다. 예를 들어, 한 회귀 분석에서 광고비(독립 변수)가 100만 원 증가할 때 판매량(종속 변수)이 50개 증가하는 경우, 광고비의 회귀 계수(β_i)는 50이 된다. 즉, 광고비가 판매량에 미치는 직접적인 영향을 정량적으로 설명하는 역할을 한다.

마지막으로, 표준화 계수(Standardized Coefficient, β)는 각 독립 변수들의 상대적인 중요도를 비교하는 데 사용된다. 일반적인 회귀 계수(β_i)는 변수의 단위에 따라 크기가 달라질 수 있기 때문에, 직접 비교하기 어려운 경우가 많다. 이를 해결하기 위해, 각 변수를 표준화(평균 0, 표준편차 1)한 후 회귀 분석을 수행하면 표준화 계수를 얻을 수 있다. 표준화 계수는 독립 변수의 단위와 관계없이 상대적인 영향력을 비교할 수 있도록 해주며, 값이 클수록 종속 변수에 더 큰 영향을 미친다고 해석할 수 있다.

이처럼 회귀 계수를 올바르게 해석하면, 독립 변수들이 종속 변수에 미치는 영향을 정량적으로 파악할 수 있으며, 이를 통해 효과적인 의사결정을 내리는 데 도움이 된다.

1.7 모델 평가 지표

다중 회귀 분석의 성능을 평가하기 위해 여러 가지 지표를 활용할 수 있으며, 각 지표는 모델의 적합성, 예측력, 유의성을 평가하는 데 사용된다.

먼저, 결정계수(R-squared, R^2)는 모델이 종속 변수의 변동을 얼마나 설명하는지를 나타내는 지표이다. R^2값이 1에 가까울수록 모델이 종속 변수의 변화를 잘 설명하며, 0에 가까울수록 설명력이 낮다는 의미이다. 그러나 독립 변수의 개수가 많아질수록 R^2 값은 자동으로 증가하는 경향이 있어, 이를 보정한 값이 필요하다.

수정된 결정계수(Adjusted R-squared)는 독립 변수의 개수를 고려하여 보정된 R^2 값으로, 불필요한 변수를 포함하는 것을 방지하는 역할을 한다. R^2 값은 독립 변수를 추가할수록 커지지만, Adjusted R^2는 변수의 개수에 따른 보정을 포함하기 때문에, 모델의 실제 설명력을 보다 정확하게 반영할 수 있다.

모델의 전반적인 유의성을 평가하기 위해 F-통계량(F-statistic)을 사용한다. 이는 회귀 모델이 유의미한지를 검정하는 지표로, 귀무가설(모든 회귀 계수가 0이다)을 기각할 수 있는지를 평가한다. F-검정의 p-값이 일정 유의수준(예: 0.05)보다 작으면, 최소한 일부 독립 변수가 종속 변수에 유의미한 영향을 미친다고 해석할 수 있다.

개별 독립 변수의 유의성을 평가하기 위해 t-통계량(t-statistic)이 사용된다. 이는 특정 독립 변수의 회귀 계수가 통계적으로 유의한지를 검정하며, p-값이 유의수준(예: 0.05)보다 작다면 해당 독립 변수가 종속 변수에 유의미한 영향을 미친다고 판단할 수 있다.

모델을 비교하고 최적의 모델을 선택하기 위해 AIC(Akaike Information Criterion)와 BIC(Bayesian Information Criterion)를 사용한다. 두 지표 모두 모델의 적합성과 복잡성을 고려하여 모델 선택을 돕는 역할을 하며, 값이 작을수록 더 좋은 모델로 평가된다. AIC는 모델의 설명력을 높이면서도 과적합을 방지하는 데 중점을 두고 있으며, BIC는 AIC보다 변수 개수를 더 강하게 제한하는 경향이 있다.

모델의 예측 정확도를 평가하는 지표로는 RMSE(Root Mean Squared Error, 평균 제곱근 오차)와 MAE(Mean Absolute Error, 평균 절대 오차)가 있다.

- RMSE는 예측값과 실제값 간의 평균 제곱 오차의 제곱근을 의미하며, 값이 작을수록 모델의 예측 성능이 좋다는 것을 나타낸다. RMSE는 예측 오차를 제곱하여 평균을 구하기 때문에 큰 오차에 더 민감하다.
- MAE는 예측값과 실제값 간의 절대 차이의 평균을 의미하며, RMSE보다 이상치에 덜 민감하다. 일반적으로 모델의 예측력을 평가할 때 RMSE와 MAE를 함께 고려하는 것이 바람직하다.

이러한 지표들을 종합적으로 활용하면 회귀 모델의 설명력과 예측력을 보다 정확하게 평가할 수 있으며, 최적의 모델을 선택하는 데 도움을 줄 수 있다.

1.8 고급 기법

다중 회귀 분석을 확장하여 보다 정교한 분석을 수행하기 위해 다양한 고급 기법이 활용될 수 있다.

먼저, 다항 회귀(Polynomial Regression)는 독립 변수의 거듭제곱 항을 포함하여 비선형 관계를 모델링하는 방법이다. 일반적인 선형 회귀는 독립 변수와 종속 변수 간의 관계가 선형이라는 가정을 하지만, 현실에서는 변수 간 관계가 곡선 형태를 띠는 경우가 많다. 다항 회귀를 사용하면 선형 모델을 확장하여 이러한 비선형 관계를 반영할 수 있다.

다음으로, 상호작용 항(Interaction Term)을 추가하면 독립 변수 간의 조합이 종속 변수에 미치는 영향을 분석할 수 있다. 일반적인 회귀 분석에서는 각 독립 변수가 종속 변수에 독립적으로 영향을 미친다고 가정하지만, 실제로는 두 개 이상의 변수가 결합되어 영향을 미치는 경우가 많다. 예를 들어, 광고비와 프로모션 전략이 개별적으로는 큰 영향을 미치지 않지만, 두 변수가 함께 작용할 때 판매량에 큰 변화를 줄 수 있다.

계층적 회귀(Hierarchical Regression)는 변수를 단계적으로 추가하면서 모델의 개선 여부를 평가하는 기법이다. 연구자가 이론적 근거를 바탕으로 변수의 중요도를 결정한 후, 기본 변수부터 차례로 추가하면서 모델의 성능 변화를 관찰하는 방식으로 진행된다. 예를 들어, 먼저 인구통계학적 변수(예: 연령, 성별)를 포함한 모델을 구축한 후, 여기에 행동적 변수(예: 소비 패턴, 방문 빈도)를 추가하여 설명력을 비교할 수 있다. 계층적 회귀는 변수 간의 기여도를 단계적으로 평가할 수 있다는 장점이 있다.

마지막으로, 로버스트 회귀(Robust Regression)는 이상치(outliers)에 덜 민감한 회귀 분석 방법이다. 일반적인 최소제곱법(OLS, Ordinary Least Squares)은 이상치에 매우 민감하여 일부 극단적인 값이 전체 회귀 모델의 결과를 왜곡할 가능성이 크다. 이를 해결하기 위해 로버스트 회귀는 이상치의 영향을 줄이는 가중치를 적용하여 보다 안정적인 회귀 계수를 추정한다. 대표적인 방법으로 Huber 회귀와 RANSAC 회귀 등이 있으며, 금융 데이터 분석이나 실험 연구에서 이상치가 포함된 데이터를 다룰 때 유용하게 사용된다.

이러한 고급 회귀 기법들은 보다 복잡한 관계를 모델링하고, 이상치를 포함한 데이터를 분석하며, 변수 선택 및 모델 개선을 보다 체계적으로 수행하는 데 도움을 줄 수 있다. 상황에 맞는 적절한 기법을 선택하여 적용하면 회귀 모델의 신뢰성과 예측력을 더욱 향상시킬 수 있다.

1.9 교차 검증

교차 검증은 회귀 모델의 성능을 평가하고 과적합을 방지하는 데 중요한 기법이다. 이를 통해 모델이 훈련 데이터뿐만 아니라 새로운 데이터에도 잘 일반화될 수 있는지를 평가할 수 있다.

대표적인 방법으로 k-fold 교차 검증이 있으며, 이는 데이터를 k개의 부분으로 나눈 후 k번 반복하여 모델을 학습하고 평가하는 방식이다. 매 반복마다 한 부분을 테스트 세트로 사용하고 나머지를 훈련 세트로 활용하며, 최종적으로 모든 평가 결과를 평균 내어 모델의 일반적인 성능을 측정한다. 이를 통해 모델이 특정 데이터에 과적합하는 것을 방지하고 보다 신뢰할 수 있는 평가를 제공할 수 있다.

또 다른 방법으로 홀드아웃 검증이 있으며, 이는 데이터를 훈련 세트와 테스트 세트로 나누어 모델을 학습하고 평가하는 방식이다. 일반적으로 전체 데이터의 70~80%를 훈련 데이터로, 나머지 20~30%를 테스트 데이터로 분리하여 사용한다. 이 방법은 계산 비용이 적고 빠르게 모델을 평가할 수 있다는 장점이 있지만, 데이터가 적을 경우 결과가 데이터 분할 방식에 따라 달라질 수 있다는 단점이 있다.

결론적으로, 데이터가 많고 빠른 평가가 필요한 경우에는 홀드아웃 검증이 효과적이며, 데이터가 적거나 보다 안정적인 성능 평가가 필요한 경우에는 k-fold 교차 검증이 적합하다. 이러한 방법을 적절히 활용하면 모델의 일반화 성능을 향상시키고 신뢰할 수 있는 분석 결과를 도출할 수 있다.

1.10 변수 선택 방법

변수 선택 방법에는 여러 가지가 있다.

전진 선택법은 변수를 하나씩 추가하면서 모델 성능을 개선하는 방식이며, 후진 제거법은 모든 변수를 포함한 후 기여도가 낮은 변수를 하나씩 제거하는 방식이다.

단계적 선택법은 전진 선택과 후진 제거를 조합하여 최적의 변수를 선택하는 방법이다.

LASSO 회귀는 일부 변수의 회귀 계수를 0으로 만들어 자동으로 변수 선택을 수행하며, Ridge 회귀는 계수의 크기에 패널티를 부여하여 다중공선성을 완화한다.

Elastic Net은 LASSO와 Ridge 회귀의 장점을 결합하여 보다 균형 잡힌 변수 선택을 수행하는 방법이다.

1.11 진단 도구

회귀 모델의 적절성을 평가하기 위해 다양한 진단 도구가 사용된다.

첫째, 잔차 플롯은 잔차의 패턴을 시각화하여 등분산성과 선형성 가정이 충족되는지 확인하는 데 활용된다.

둘째, Q-Q 플롯은 잔차가 정규 분포를 따르는지를 평가하는 도구로, 점들이 대각선에 가까울수록 정규성 가정을 만족한다.

셋째, 레버리지 플롯은 특정 관측치가 모델에 미치는 영향을 분석하여 이상값이나 영향력 있는 데이터를 식별하는 데 도움을 준다.

넷째, 부분 회귀 플롯은 각 독립 변수가 종속 변수에 미치는 개별적인 효과를 시각적으로 보여주며, 변수의 유의성을 평가하는 데 유용하다.

마지막으로, VIF(Variance Inflation Factor)는 독립 변수들 간의 다중공선성을 진단하는 지표로, VIF 값이 높으면 특정 변수가 다른 변수와 강한 상관관계를 가질 가능성이 높다는 것을 의미한다.

이러한 진단 도구들을 활용하면 회귀 분석 결과의 신뢰도를 높이고, 적절한 모델 개선 방향을 결정할 수 있다.

1.12 주의사항

회귀 분석을 해석할 때 몇 가지 중요한 주의사항이 있다.

먼저, 인과관계 해석의 한계를 인식해야 한다. 회귀 분석은 변수 간의 상관관계를 평가하는 도구이지, 인과관계를 보장하는 것은 아니다. 따라서 단순히 두 변수 간의 관계가 있다고 해서 하나가 다른 하나의 원인이라고 단정할 수 없다.

또한, 외삽의 위험을 고려해야 한다. 모델이 훈련된 데이터 범위를 벗어난 값을 예측할 경우, 신뢰성이 크게 떨어질 수 있다. 따라서 예측 시에는 모델이 학습한 데이터 범위 내에서 활용하는 것이 바람직하다.

모델 가정 위반도 중요한 문제다. 회귀 분석은 선형성, 독립성, 등분산성, 정규성과 같은 가정을 기반으로 수행되므로, 이러한 가정이 충족되지 않으면 분석 결과가 왜곡될 수 있다. 가정을 검토하고 필요한 경우 변환이나 로버스트 회귀 등의 방법을 고려해야 한다.

마지막으로, 변수 선택의 중요성을 간과해서는 안 된다. 적절한 변수를 선택해야 모델이 과적합을 피하고 예측 성능을 극대화할 수 있다. 불필요한 변수를 포함하면 모델의 복잡성이 증가하고, 중요한 변수를 누락하면 설명력이 떨어질 수 있으므로, 신중한 변수 선택이 필요하다.

이러한 요소들을 고려하면 회귀 모델을 보다 신뢰성 있게 구축하고 해석할 수 있다.

2 두 개 이상의 독립 변수를 포함한 모델 설계

두 개 이상의 독립 변수를 포함한 모델 설계는 다중 회귀 분석의 핵심이다. 이 과정은 여러 단계로 구성되며, 각 단계에서 신중한 고려가 필요하다.

2.1 변수 선택

변수를 선택할 때는 이론적 근거, 통계적 방법, 그리고 탐색적 데이터 분석(EDA)을 활용할 수 있다.

먼저, 이론적 근거를 바탕으로 변수를 선정하는 것이 중요하다. 선행 연구를 검토하여 기존 연구에서 사용된 변수를 참고하고, 해당 분야의 전문가 의견을 반영하여 의미 있는 변수를 포함할 수 있다. 또한, 연구 목적에 맞는 가설을 설정한 후, 이를 검증하는 데 필요한 변수를 신중하게 선택해야 한다.

다음으로, 통계적 방법을 이용하여 변수를 선정할 수 있다. 종속 변수와의 상관 분석을 통해 높은 상관관계를 보이는 변수를 우선 고려하며, 단계적 회귀(Stepwise Regression) 기법을 적용하여 최적의 변수 조합을 찾을 수 있다. 단계적 회귀에는 변수를 하나씩 추가하는 전진 선택법(Forward Selection), 모든 변수를 포함한 후 기여도가 낮은 변수를 제거하는 후진 제거법(Backward Elimination), 그리고 두 방법을 결합하여 보다 유연하게 변수 선택을 수행하는 단계적 선택법(Stepwise Selection)이 있다. 또한, Lasso 및 Ridge 회귀를 활용하여 정규화를 수행하면서 불필요한 변수를 제거할 수 있으며, 랜덤 포레스트 모델을 이용해 변수의 중요도를 평가하면 비선형적 관계까지 고려할 수 있다.

마지막으로, 탐색적 데이터 분석(EDA, Exploratory Data Analysis)을 통해 변수 간 관계와 데이터의 특성을 시각적으로 파악할 수 있다. 산점도 행렬을 활용하면 변수 간의 관계를 직관적으로 확인할 수 있으며, 히스토그램을 통해 각 변수의 분포를 분석할 수 있다. 또한, 박스플롯을 이용하면 이상치와 분포의 특성을 파악하여 데이터의 왜곡 정도를 확인할 수 있다.

이러한 접근 방식을 종합적으로 활용하면, 분석 목적에 맞는 적절한 변수를 선택할 수 있으며, 모델의 성능과 해석력을 향상시킬 수 있다.

2.2 데이터 전처리

데이터 전처리는 분석의 정확성과 신뢰성을 높이기 위해 필수적인 과정이며, 주요 단계로 결측치 처리, 이상치 탐지 및 처리, 변수 변환, 그리고 범주형 변수 처리가 포함된다.

먼저, 결측치 처리 방법에는 여러 가지가 있다. 완전 제거법(listwise deletion)은 결측값이 포함된 행을 제거하는 방식으로, 데이터 손실이 크지 않을 경우 유용하다. 평균 대체법(mean imputation)은 결측값을 해당 변수의 평균값으로 대체하는 방식이지만, 데이터의 분산을 왜곡할 수 있다. 보다 정교한 방법으로는 다중 대체법(multiple imputation)이 있으며, 이는 통계적 기법을 활용하여 여러 개의 대체값을 생성하고 이를 결합하여 보다 정확한 추정값을 얻는다.

이상치를 처리하는 방법도 중요하다. Z-score 방법은 데이터가 평균으로부터 몇 표준편차만큼 떨어져 있는지를 계산하며, 일반적으로 $|Z|>3$인 값을 이상치로 간주한다. IQR(Interquartile Range) 방법은 1사분위(Q1)와 3사분위(Q3)를 기준으로 Q1 − 1.5×IQR 또는 Q3+1.5×IQR 범위를 벗어나는 값을 이상치로 간주한다. 또한, 이상치의 영향을 줄이기 위해 로버스트(robust) 통계 기법을 사용할 수도 있다.

변수 변환은 데이터의 분포를 조정하고 분석의 정확성을 높이는 데 도움을 준다. 로그 변환(log transformation)은 왜도가 큰 분포를 정규화하는 데 사용되며, 특히 지수적 증가를 보이는 데이터를 다룰 때 효과적이다. 제곱근 변환(sqrt transformation)은 극단값의 영향을 완화하는 데 유용하며, Box-Cox 변환은 정규성과 등분산성을 개선하는 데 활용된다.

범주형 변수는 숫자로 변환해야 회귀 분석이나 머신러닝 모델에서 사용할 수 있다. 가장 일반적인 방법으로 더미 변수(dummy variable) 생성이 있으며, 이는 각 범주를 개별적인 0과 1의 이진 변수로 변환하는 방식이다. 원-핫 인코딩(one-hot encoding)도 비슷한 방식으로 범주형 데이터를 처리하지만, 머신러닝 모델에서 주로 사용된다. 또 다른 방법으로 효과 코딩(effect coding)이 있으며, 이는 기준 범주 대비 다른 범주가 종속 변수에 미치는 상대적인 영향을 분석하는 데 사용된다.

이러한 데이터 전처리 과정은 분석의 정확성을 높이고, 데이터의 구조를 보다 효과적으로 반영하여 신뢰할 수 있는 모델을 구축하는 데 중요한 역할을 한다.

2.3 모델 구축

회귀 분석 모델을 구축할 때는 먼저 기본 모델을 설정하고, 변수 간 상호작용을 고려하며, 비선형 관계를 반영하는 방식으로 확장할 수 있다.

먼저, 기본 모델 설정 단계에서는 선택된 모든 독립 변수를 포함한 초기 모델을 구축한다. 이를 통해 변수들이 종속 변수에 미치는 기본적인 영향을 평가할 수 있으며, 이후 변수 선택 기법을 적용하여 최적의 모델을 찾을 수 있다.

다음으로, 변수 간 상호작용을 고려하는 과정이 필요하다. 현실에서는 독립 변수들이 개별적으로 영향을 미치는 것이 아니라, 서로 결합하여 종속 변수에 영향을 줄 수 있다. 따라서, 이론적으로 의미 있는 상호작용 항을 추가하여 분석할 수 있다. 예를 들어, 마케팅 분석에서 광고비와 프로모션이 함께 작용할 때 시너지 효과가 발생하는지를 평가하기 위해 상호작용 항(Interaction Term)을 추가할 수 있다. 추가된 상호작용 항이 모델에 유의미한 영향을 미치는지 통계적 유의성 검정을 수행하여 유지 여부를 결정한다.

또한, 비선형 관계를 모델링할 필요가 있을 수도 있다. 일부 변수는 종속 변수와 선형 관계를 가지지 않고, 곡선 형태의 관계를 보일 수 있다. 이를 반영하기 위해 다항 회귀(Polynomial Regression)를 활용하여 독립 변수의 제곱, 세제곱 항 등을 추가할 수 있다. 보다 유연한 방법으로는 스플라인 회귀(Spline Regression)가 있으며, 특정 구간별로 다른 다항식을 적용하여 보다 정교하게 비선형 관계를 모델링할 수 있다.

이러한 과정들을 통해 기본적인 선형 회귀 모델을 확장하고, 데이터의 패턴을 보다 정확하게 반영하는 모델을 구축할 수 있다.

2.4 모델 평가 및 진단

회귀 모델이 적절하게 구축되었는지를 평가하고 개선하기 위해서는 모델 적합도 평가, 잔차 분석, 다중공선성 검사, 영향력 있는 관측치 식별을 수행해야 한다.

먼저, 모델 적합도 평가에서는 모델이 데이터를 얼마나 잘 설명하는지를 확인하기 위해 결정계수(R^2)와 수정된 결정계수(Adjusted R^2)를 분석한다.

R^2 값이 높을수록 모델의 설명력이 크지만, 독립 변수가 많아질수록 자동으로 증가할 수 있으므로 Adjusted R^2를 함께 고려해야 한다. 또한, 모델의 전반적인 유의성을 검토하기 위해 F-통계량과 p-

값을 확인하며, p-값이 유의수준(예: 0.05)보다 작으면 모델이 유의미하다고 판단할 수 있다. 여러 모델을 비교할 때는 AIC(Akaike Information Criterion)와 BIC(Bayesian Information Criterion)을 활용하며, 값이 작을수록 더 좋은 모델로 간주된다.

다음으로, 잔차 분석을 통해 회귀 모델의 가정이 충족되는지를 검토해야 한다. 먼저, Q-Q 플롯과 Shapiro-Wilk 검정을 활용하여 잔차가 정규 분포를 따르는지 확인할 수 있다. 또한, 잔차 대 예측값 플롯(Residuals vs. Fitted Plot)을 사용하여 등분산성을 평가하며, 잔차가 특정 패턴을 보인다면 등분산성이 위배된 것으로 판단할 수 있다. 잔차의 독립성을 검증하기 위해서는 Durbin-Watson 검정을 활용하며, 값이 2에 가까울수록 자기상관이 없는 것으로 해석할 수 있다.

또한, 다중공선성 검사를 통해 독립 변수 간의 강한 상관관계로 인해 회귀 계수가 왜곡되는 문제를 점검해야 한다. 이를 위해 VIF(Variance Inflation Factor, 분산팽창계수)를 계산하여, 일반적으로 VIF 값이 10을 초과하는 경우 다중공선성이 높다고 판단한다. 추가적으로, 상관 행렬(Correlation Matrix)을 확인하여 변수 간 상관관계를 분석하고, 필요하면 다중공선성이 높은 변수를 제거하거나 차원 축소 기법(PCA 등)을 고려할 수 있다.

마지막으로, 영향력 있는 관측치를 식별하여 특정 데이터 포인트가 모델에 과도한 영향을 미치는지를 평가해야 한다. 이를 위해 Cook's Distance를 계산하며, 일반적으로 1을 초과하는 데이터는 영향력이 크다고 판단한다. 또한, DFFITS와 DFBETAS를 활용하여 특정 데이터가 예측값(DFFITS)이나 회귀 계수(DFBETAS)에 미치는 영향을 분석하며, 절대값이 클 경우 해당 데이터가 모델 결과를 왜곡할 가능성이 높다.

이러한 평가 및 진단 과정을 수행하면 회귀 모델의 신뢰성을 높이고, 데이터의 패턴을 보다 정확하게 반영할 수 있다. 모델의 가정을 점검하고 필요할 경우 변수 조정이나 변환을 적용하여 최적의 모델을 구축하는 것이 중요하다.

2.5 모델 개선

회귀 모델의 성능을 향상시키기 위해서는 변수 재선택, 변수 변환, 그리고 정규화 기법 적용을 고려해야 한다.

먼저, 변수 재선택을 통해 모델의 적절성을 검토해야 한다. 통계적으로 유의하지 않은 변수를 제거하는 것이 필요하며, 이는 p-값이 높은 변수들을 분석하여 결정할 수 있다. 또한, 다중공선성(multicollinearity)이 있는 변수를 식별하고 처리해야 한다. 다중공선성이 높은 변수는

VIF(Variance Inflation Factor)를 활용하여 진단할 수 있으며, 필요 시 상관성이 높은 변수 중 하나를 제거하거나 차원 축소 기법(PCA 등)을 적용할 수 있다.

다음으로, 변수 변환을 재고려하여 비선형 관계를 반영하는 것이 중요하다. 일부 독립 변수와 종속 변수 간의 관계가 단순한 선형이 아닐 수 있으므로, 로그 변환(log transformation), 제곱근 변환(sqrt transformation), 또는 Box-Cox 변환과 같은 기법을 활용하여 변수를 변환할 수 있다. 이러한 변환은 데이터의 분포를 정규화하고, 이상치의 영향을 줄이며, 변수 간 관계를 보다 명확하게 반영하는 데 도움을 준다.

마지막으로, 정규화 기법을 적용하여 모델의 안정성을 높일 수 있다. Ridge 회귀는 L2 정규화를 적용하여 회귀 계수의 크기를 제한하며, 다중공선성이 있는 경우 특히 유용하다. Lasso 회귀는 L1 정규화를 사용하여 일부 회귀 계수를 0으로 만들고 불필요한 변수를 제거하는 기능을 제공하므로, 변수 선택과 모델 간소화를 동시에 수행할 수 있다. Elastic Net은 L1과 L2 정규화를 결합한 방식으로, Ridge와 Lasso의 장점을 모두 활용할 수 있으며, 다중공선성이 높은 데이터에서도 효과적으로 사용할 수 있다.

이러한 모델 개선 과정을 수행하면, 모델의 해석력을 유지하면서도 예측 성능을 향상시킬 수 있으며, 보다 신뢰성 있는 결과를 얻을 수 있다.

2.6 최종 모델 선택 및 해석

모델을 최적화한 후에는 여러 모델을 비교하고 최종적으로 가장 적합한 모델을 선택해야 한다. 이를 위해 모델 성능 비교, 최종 모델 선택, 그리고 모델 해석을 수행한다.

먼저, 여러 모델을 비교하여 성능이 가장 우수한 모델을 찾는다. 이를 위해 R-squared(결정계수), RMSE(평균 제곱근 오차) 등 성능 지표를 활용하여 모델의 설명력과 예측 정확도를 평가할 수 있다. 또한, 단순히 훈련 데이터에서의 성능만 보는 것이 아니라, k-fold 교차 검증 결과를 비교하여 모델이 새로운 데이터에서도 안정적으로 작동하는지 확인하는 것이 중요하다.

다음으로, 최종 모델을 선택할 때는 통계적 성능뿐만 아니라 실용적인 해석 가능성도 고려해야 한다. 가장 높은 예측력을 보이는 모델이 반드시 최적의 선택은 아닐 수 있으며, 변수의 해석이 어렵거나 과적합(overfitting) 문제가 발생할 가능성이 있는지 검토해야 한다. 따라서, 단순한 모델과 복잡한 모델 간의 균형을 유지하면서, 실제 적용이 가능한 모델을 선택하는 것이 중요하다.

마지막으로, 모델 해석을 수행하여 결과를 분석해야 한다. 회귀 계수의 크기와 방향을 해석하여 독립 변수가 종속 변수에 미치는 영향을 평가하며, 표준화 계수를 활용하여 변수 간 상대적 중요도를 비교할 수 있다. 또한, 신뢰 구간을 확인하여 계수의 추정값이 얼마나 안정적인지를 평가하고, p-값을 검토하여 변수들이 통계적으로 유의미한지를 판단해야 한다.

이러한 과정들을 거쳐 최종 모델을 선정하면, 데이터의 패턴을 보다 정확하게 반영하면서도 실무적으로 활용 가능한 분석 결과를 도출할 수 있다.

2.7 모델 검증

모델이 일반화 가능하고 신뢰할 수 있는지를 확인하기 위해서는 홀드아웃 검증, 교차 검증, 그리고 부트스트래핑과 같은 다양한 검증 기법을 적용해야 한다.

먼저, 홀드아웃 검증(Holdout Validation)을 통해 모델의 성능을 평가할 수 있다. 데이터를 훈련 세트와 테스트 세트로 분리한 후, 훈련 세트에서 모델을 학습시키고, 테스트 세트에서 모델의 성능을 측정하는 방식이다. 이를 통해 새로운 데이터에 대한 예측력이 얼마나 좋은지를 확인할 수 있다.

다음으로, 교차 검증(k-fold Cross-validation)을 수행하면 보다 신뢰성 높은 모델 평가가 가능하다. 데이터를 k개의 폴드(fold)로 나누고, 여러 번 반복하여 학습 및 검증을 수행하면서 평균적인 모델 성능을 평가할 수 있다. 이는 데이터가 적을 때 과적합을 방지하고 보다 일반화된 성능을 확보하는 데 유용하다.

마지막으로, 부트스트래핑(Bootstrapping) 기법을 활용하면 모델의 안정성을 평가할 수 있다. 부트스트래핑은 원본 데이터를 여러 번 무작위로 샘플링하여 반복적인 모델 학습과 평가를 수행하는 방법으로, 모델의 신뢰 구간을 추정하거나 성능의 변동성을 파악하는 데 도움이 된다.

이러한 종합적인 접근 방식을 통해, 여러 독립 변수를 포함한 강건하고 신뢰할 수 있는 다중 회귀 모델을 설계할 수 있다. 각 단계에서 신중한 판단과 통계적 검증이 필요하며, 도메인 지식과 통계적 방법론을 균형 있게 활용하는 것이 중요하다. 이를 통해 최적의 모델을 구축하고, 실질적인 데이터 분석 및 예측 성능을 극대화할 수 있다.

3 다중 공선성(multicollinearity) 문제와 해결 방법

3.1 다중 공선성의 정의

다중 공선성은 회귀 분석에서 독립 변수들 간에 강한 선형 관계가 존재하는 현상을 말한다. 이는 회귀 모델의 안정성과 해석을 어렵게 만들 수 있다.

3.2 다중 공선성의 영향

다중공선성(multicollinearity)이 존재하면 회귀 분석의 신뢰성과 해석력이 저하될 수 있으며, 여러 가지 부정적인 영향을 초래할 수 있다.

첫째, 회귀 계수의 불안정성이 증가한다. 독립 변수 간의 높은 상관관계로 인해 작은 데이터 변동에도 회귀 계수 값이 크게 변화할 수 있다. 이는 모델의 일관성을 해치며, 특정 변수가 종속 변수에 미치는 실제 영향을 왜곡할 가능성이 높아진다.

둘째, 표준 오차(Standard Error)가 증가하여 신뢰구간이 확대된다. 표준 오차가 커지면 회귀 계수의 신뢰성이 낮아지고, 신뢰구간이 넓어져 계수의 정확한 추정이 어려워진다. 결과적으로, 일부 변수가 실제로는 유의미한 영향을 미치더라도 통계적으로 유의하지 않다고 나타날 가능성이 커진다.

셋째, 개별 변수의 중요성을 평가하는 것이 어려워진다. 다중공선성이 심할 경우, 특정 변수가 종속 변수에 미치는 효과를 명확히 분리할 수 없게 된다. 즉, 서로 상관관계가 높은 변수들이 동일한 정보(예: 설명력)를 공유하면서, 모델이 어떤 변수를 더 중요한 요소로 간주해야 하는지 판단하기 어렵게 만든다.

넷째, 모델의 일반화 능력이 저하된다. 다중공선성이 높은 모델은 훈련 데이터에서는 좋은 성능을 보일 수 있지만, 새로운 데이터에 적용할 경우 예측 성능이 크게 떨어질 수 있다. 이는 모델이 특정한 데이터 패턴에 과적합(overfitting)되었음을 의미한다.

마지막으로, 변수를 추가하거나 제거할 때 회귀 계수가 급격하게 변할 수 있다. 다중공선성이 존재하면 특정 변수를 포함하거나 제거하는 것만으로도 다른 변수들의 회귀 계수가 크게 변동할 수 있으며, 해석이 불안정해진다.

이러한 이유로, 다중공선성이 감지될 경우 VIF(Variance Inflation Factor) 계산, 주성분 분석(PCA)

적용, 불필요한 변수 제거, Ridge 회귀 활용 등의 해결책을 고려해야 한다. 이를 통해 모델의 신뢰성을 높이고 보다 정확한 해석이 가능하도록 조정할 수 있다.

3.3 다중 공선성 진단 방법

다중공선성을 확인하고 해결하기 위해 다양한 분석 기법을 사용할 수 있다. 주요 방법으로 상관 행렬 확인, VIF 계산, 조건수 확인, 허용도 분석, 그리고 고유값 분석이 있다.

먼저, 상관 행렬을 확인하여 독립 변수 간의 높은 상관관계를 탐색할 수 있다. 일반적으로 상관계수(|r|)가 0.8을 초과하면 다중공선성이 존재할 가능성이 높다고 판단하며, 이러한 변수 조합을 찾아 적절한 조치를 취해야 한다.

다음으로, VIF(Variance Inflation Factor, 분산팽창계수)를 계산하여 다중공선성의 정도를 수치적으로 평가할 수 있다. VIF 값은 VIF=1/(1－R2)로 계산되며, 일반적으로 VIF 값이 10을 초과하면 심각한 다중공선성이 존재한다고 판단한다. 다중공선성이 심한 경우, 해당 변수를 제거하거나 차원 축소 기법(PCA 등)을 활용할 수 있다.

또한, 조건수(Condition Number)를 확인하면 다중공선성이 높은지를 파악할 수 있다. 조건수가 클수록 독립 변수들 간의 선형 종속성이 높아지며, 일반적으로 조건수가 30 이상이면 다중공선성이 존재할 가능성이 높다고 판단한다.

허용도(Tolerance) 분석도 다중공선성을 진단하는 또 다른 방법이다. 허용도는 1/VIF 값으로 계산되며, 일반적으로 허용도 값이 0.1 미만이면 다중공선성이 높다고 판단한다. 허용도가 낮을수록 해당 변수가 다른 변수들과 높은 상관관계를 가지며, 다중공선성 문제를 일으킬 가능성이 크다.

마지막으로, 고유값(Eigenvalue) 분석을 수행하여 다중공선성을 탐색할 수 있다. 회귀 모델의 독립 변수 행렬의 고유값이 매우 작다면, 이는 특정 독립 변수가 다른 변수들과 높은 선형 결합을 이루고 있음을 나타낸다. 작은 고유값이 존재하면 다중공선성이 문제일 가능성이 높다고 해석할 수 있다.

이러한 다양한 분석 기법을 활용하면 다중공선성을 정확하게 진단하고, 필요할 경우 변수 선택 또는 차원 축소 기법을 적용하여 문제를 해결할 수 있다.

3.4 해결 방법

다중공선성이 감지되었을 경우, 이를 완화하거나 제거하기 위해 다양한 방법을 적용할 수 있다. 대표적인 해결책으로는 변수 제거, 변수 결합, 정규화 기법 적용, 데이터 추가 수집, 중심화, 변수 변환, 그리고 상호작용항 제거가 있다.

먼저, 변수 제거를 고려할 수 있다. 강한 상관관계를 가진 변수 중 하나를 제거하면 다중공선성을 줄일 수 있다. 다만, 중요한 변수를 제거할 경우 모델의 해석력이 저하될 수 있으므로 신중하게 선택해야 한다.

다음으로, 변수 결합을 통해 문제를 해결할 수도 있다. 상관관계가 높은 변수들을 하나의 지수나 척도로 결합하는 방식으로, 예를 들어 주성분 분석(PCA, Principal Component Analysis)을 적용하여 차원을 축소하면 다중공선성을 줄이면서 정보 손실을 최소화할 수 있다.

또한, 정규화 기법을 적용하는 것도 효과적인 방법이다. Ridge 회귀(L2 정규화)를 사용하면 회귀 계수를 0에 가깝게 조정하여 다중공선성의 영향을 완화할 수 있다. 반면, Lasso 회귀(L1 정규화)는 특정 계수를 정확히 0으로 만들어 변수 선택과 다중공선성 해결을 동시에 수행할 수 있다.

만약 가능하다면, 데이터를 추가로 수집하여 문제를 해결하는 방법도 고려할 수 있다. 데이터가 충분히 많아지면 다중공선성이 상대적으로 줄어들 수 있으며, 더 정확한 모델을 구축할 수 있다.

다중공선성을 완화하는 또 다른 방법으로는 변수 중심화(Centering)를 수행하는 것이 있다. 변수에서 평균을 빼서 중심을 0으로 이동하면, 특히 상호작용항을 포함하는 모델에서 다중공선성을 줄이는 데 도움이 된다.

또한, 변수 변환을 활용하여 문제를 해결할 수도 있다. 로그 변환(log transformation), 제곱근 변환(sqrt transformation) 등의 기법을 적용하면 변수 간의 선형성을 개선하고 다중공선성 문제를 완화할 수 있다.

마지막으로, 상호작용항 제거를 고려할 수 있다. 회귀 모델에서 상호작용항이 다중공선성을 유발하는 경우, 이를 제거하거나 다른 방법으로 표현하는 것이 필요할 수 있다.

이러한 다양한 방법을 적절히 적용하면, 다중공선성 문제를 효과적으로 해결하고 보다 신뢰성 있는 회귀 모델을 구축할 수 있다.

3.5 각 해결 방법의 장단점

다중공선성을 해결하는 여러 방법에는 각각의 장점과 단점이 있으며, 데이터 특성과 분석 목적에 맞게 적절한 방법을 선택해야 한다.

먼저, 변수 제거는 가장 간단하고 직관적인 방법으로, 상관관계가 높은 변수 중 하나를 제거하여 다중공선성을 줄일 수 있다. 장점은 구현이 쉽고 빠르다는 것이지만, 단점으로는 중요한 정보를 잃을 가능성이 있어 모델 성능이 저하될 수 있다.

변수 결합은 상관관계가 높은 변수를 하나의 척도로 변환하거나 주성분 분석(PCA) 등을 활용하여 차원을 축소하는 방법이다. 이 방식은 정보 손실을 최소화할 수 있다는 장점이 있지만, 변환된 변수를 해석하는 것이 복잡해질 수 있다는 단점이 있다.

정규화 기법(Ridge, Lasso, Elastic Net 회귀)은 모든 변수를 유지하면서 다중공선성을 완화하는 방법이다. 모든 변수를 유지할 수 있다는 장점이 있으나, 하이퍼파라미터(정규화 강도) 조정이 필요하여 추가적인 튜닝 과정이 필요하다는 단점이 있다.

데이터 추가 수집은 가장 근본적인 해결책으로, 충분한 데이터가 확보되면 다중공선성이 자연스럽게 줄어들 가능성이 크다. 근본적인 해결이 가능하다는 장점이 있지만, 시간과 비용이 많이 소요될 수 있다는 현실적인 한계가 있다.

중심화(Centering)는 변수에서 평균을 빼서 중심을 0으로 이동하는 방식으로, 특히 상호작용항을 포함하는 모델에서 다중공선성을 줄이는 데 도움이 된다. 해석 용이성을 유지할 수 있다는 장점이 있지만, 다중공선성을 완전히 해결하기에는 한계가 있다는 단점이 있다.

마지막으로, 변수 변환(로그 변환, 제곱근 변환 등)은 비선형 관계를 선형 관계로 변환하여 다중공선성을 완화하는 데 유용하다. 비선형 관계를 포착할 수 있다는 장점이 있지만, 적절한 변환 함수를 선택하는 것이 쉽지 않다는 단점이 있다.

결론적으로, 다중공선성을 해결하기 위해서는 데이터의 특성과 분석 목적을 고려하여 최적의 방법을 선택하는 것이 중요하다. 변수 제거와 결합은 직관적이지만 해석력 저하 위험이 있으며, 정규화와 변수 변환은 유용하지만 조정이 필요하다. 데이터 추가 수집이 가장 근본적인 해결책이지만, 현실적인 제약을 고려해야 한다.

3.6 다중 공선성 처리 시 주의사항

다중공선성을 해결할 때는 단순히 기술적인 접근만으로 해결하려 하지 말고, 도메인 지식, 모델 성능과 해석 가능성의 균형, 교차 검증, 그리고 단계적 접근을 함께 고려하는 것이 중요하다.

먼저, 도메인 지식을 활용하여 변수 선택과 결합을 신중하게 결정해야 한다. 단순히 상관관계가 높다는 이유로 변수를 제거하거나 결합하면 중요한 정보가 손실될 수 있기 때문에, 해당 분야의 전문가 의견을 반영하여 의미 있는 변수를 유지하는 것이 필요하다.

또한, 모델 성능과 해석 가능성 사이의 균형을 고려해야 한다. 너무 많은 변수를 포함하면 다중공선성 문제로 인해 해석이 어려워지고, 반대로 변수를 너무 줄이면 모델의 설명력이 떨어질 수 있다. 따라서 성능과 해석력 간의 트레이드오프(trade-off)를 신중히 조정해야 한다.

다중공선성을 처리한 후에는 교차 검증(k-fold cross-validation)을 수행하여 모델이 새로운 데이터에서도 잘 작동하는지 확인해야 한다. 다중공선성을 해결하는 과정에서 모델의 일반화 능력이 저하되지 않았는지 평가하는 것이 중요하다.

마지막으로, 단계적 접근(Stepwise Approach)을 적용하여 점진적으로 문제를 해결하는 것이 효과적이다. 한 번에 모든 문제를 해결하려 하기보다는, 변수 제거 → 정규화 기법 적용 → 모델 성능 검증과 같은 절차를 통해 단계적으로 개선하면 보다 안정적인 모델을 구축할 수 있다.

결론적으로, 다중공선성을 해결할 때는 기술적 방법뿐만 아니라, 도메인 지식과 실용성을 고려하며 신중하게 접근해야 한다. 교차 검증을 통해 모델의 일반화 성능을 지속적으로 평가하고, 단계적으로 문제를 해결하면서 최적의 모델을 구축하는 것이 중요하다.

3.7 실제 적용 예시

다중공선성 문제는 다양한 분야에서 발생하며, 이를 효과적으로 처리하는 것이 모델의 신뢰성과 해석력을 높이는 데 필수적이다. 대표적인 적용 사례로 경제 모델, 마케팅 분석, 의학 연구가 있다.

먼저, 경제 모델에서는 GDP, 실업률, 인플레이션 등 거시경제 지표 간의 다중공선성이 자주 발생한다. 예를 들어, GDP와 소비지출, 투자와 고용률 등은 밀접한 상관관계를 가지므로, 회귀 분석을 수행할 때 다중공선성을 완화하기 위해 주성분 분석(PCA)이나 Ridge 회귀를 활용할 수 있다.

마케팅 분석에서는 광고 비용, 판촉 활동, 시장 점유율 등의 변수 간 상관관계가 높아 다중공선성이 발생할 수 있다. 예를 들어, TV 광고와 온라인 광고가 함께 증가하는 경향이 있다면, 두 변수의 상관성이 높아질 수 있다. 이 경우 하나의 지수로 결합하거나, 변수 선택 기법(Lasso 회귀, 단계적 회귀)을 활용하여 문제를 해결할 수 있다.

의학 연구에서는 혈압, 체질량지수(BMI), 혈당 수치 등 다양한 건강 지표가 서로 연관될 가능성이 높다. 예를 들어, BMI와 체지방률이 강한 상관관계를 가지는 경우, 두 변수를 함께 사용하면 다중공선성이 발생할 수 있다. 이때, 다중공선성이 높은 변수 중 하나를 제거하거나, 중심화(Centering)

및 정규화 기법을 적용하여 문제를 해결할 수 있다.

이처럼 다중공선성 문제는 회귀 분석에서 흔히 발생하는 중요한 이슈이며, 적절한 진단(VIF, 상관 행렬 등)과 해결 방법(변수 제거, 결합, 정규화 등)을 적용하면 보다 신뢰할 수 있고 해석 가능한 모델을 구축할 수 있다.

4 Python 라이브러리(Statsmodels)로 다중 회귀 모델 구현

Statsmodels는 통계 모델링과 계량경제학 분석을 위한 Python 라이브러리이다. 다중 회귀 분석을 위해 다음과 같이 사용할 수 있다.

입력 코드

```
import pandas as pd
import numPy as np
import statsmodels.api as sm
import matplotlib.pyplot as plt
from statsmodels.stats.outliers_influence import variance_inflation_factor

# 데이터 준비
data = pd.read_csv('your_data.csv')
X = data[['var1', 'var2', 'var3']] # 독립 변수
y = data['target'] # 종속 변수

# 상수항 추가
X = sm.add_constant(X)

# 모델 피팅
model = sm.OLS(y, X).fit()

# 결과 요약
print(model.summary())

# 예측
predictions = model.predict(X)
```

```
# 잔차 플롯
plt.scatter(predictions, model.resid)
plt.xlabel('Predicted values')
plt.ylabel('Residuals')
plt.title('Residual Plot')
plt.show()

# VIF 계산
vif_data = pd.DataFrame()
vif_data["Variable"] = X.columns
vif_data["VIF"] = [variance_inflation_factor(X.values, i) for i in range(X.shape[1])]
print(vif_data)

# 부분 회귀 플롯
sm.graphics.plot_partregress_grid(model)
plt.show()

# 영향력 있는 관측치 확인
from statsmodels.stats.outliers_influence import OLSInfluence
influence = OLSInfluence(model)
leverage = influence.hat_matrix_diag
cook = influence.cooks_distance[0]

plt.scatter(leverage, cook)
plt.xlabel('Leverage')
plt.ylabel("Cook's distance")
plt.title("Influence Plot")
plt.show()
```

이 코드는 기본적인 다중 회귀 모델을 구현하고, 모델 요약, VIF 계산, 잔차 플롯, 부분 회귀 플롯, 영향력 있는 관측치 확인 등 다양한 진단 도구를 제공한다.

각 주요 단계의 기능은 다음과 같다.

① 데이터 불러오기 및 독립/종속 변수 설정

```
data = pd.read_csv('your_data.csv')
X = data[['var1', 'var2', 'var3']]  # 독립 변수
```

```
y = data['target']  # 종속 변수
```

- pd.read_csv('your_data.csv')로 데이터를 불러온다.
- X는 독립 변수로 사용할 변수들(var1, var2, var3)을 정의하고, y는 종속 변수를 설정한다.

② 상수항 추가

```
X = sm.add_constant(X)
```

회귀 분석 모델에 절편(상수항)을 포함시키기 위해 독립 변수에 상수열을 추가한다.

③ 회귀 모델 피팅

```
model = sm.OLS(y, X).fit()
```

- OLS(Ordinary Least Squares)로 회귀 모델을 적합화(fit)한다.
- 종속 변수와 독립 변수 간의 선형 관계를 추정한다.

④ 모델 요약 출력

```
print(model.summary())
```

- 회귀 분석 결과를 요약하여 출력한다.
- R^2, 회귀계수, p-값, 잔차 통계 등을 포함하며, 변수의 유의성을 판단하는 데 사용된다.

⑤ 예측값 계산

```
predictions = model.predict(X)
```

- 독립 변수 값을 바탕으로 종속 변수의 예측값을 계산한다.
- 이 예측값은 모델 성능 평가나 잔차 분석에 활용된다.

⑥ 잔차 플롯

```
plt.scatter(predictions, model.resid)
plt.xlabel('Predicted values')
plt.ylabel('Residuals')
```

```
plt.title('Residual Plot')
plt.show()
```

- 예측값과 잔차(실제값 - 예측값) 간의 관계를 시각화한다.
- 잔차가 무작위로 분포하면 모델이 적합한 것으로 간주된다.

⑦ VIF(분산 팽창 계수) 계산

```
vif_data = pd.DataFrame()
vif_data["Variable"] = X.columns
vif_data["VIF"] = [variance_inflation_factor(X.values, i) for i in range(X.shape[1])]
print(vif_data)
```

- 다중공선성을 확인하기 위해 각 독립 변수의 VIF 값을 계산한다.
- 일반적으로 VIF > 10이면 다중공선성이 있다고 간주된다.

⑧ 부분 회귀 플롯

```
sm.graphics.plot_partregress_grid(model)
plt.show()
```

- 각 독립 변수가 종속 변수에 미치는 영향을 시각화하여 변수의 중요성과 선형성을 평가한다.

⑨ 영향력 있는 관측치 확인

```
from statsmodels.stats.outliers_influence import OLSInfluence
influence = OLSInfluence(model)
leverage = influence.hat_matrix_diag
cook = influence.cooks_distance[0]
plt.scatter(leverage, cook)
plt.xlabel('Leverage')
plt.ylabel("Cook's distance")
plt.title("Influence Plot")
plt.show()
```

- 레버리지와 쿡 거리(Cook's Distance)를 계산하여 모델에 큰 영향을 미치는 관측치를 탐지한다.
- 레버리지와 쿡 거리의 값이 높은 데이터는 모델 성능에 영향을 미칠 수 있으므로 확인이 필요한다.

이 코드 구조는 회귀 분석 수행과 함께 데이터의 유효성을 평가하고 문제를 탐지하는 데 적합하며, 이를 통해 모델의 신뢰성과 예측력을 높일 수 있다.

5 ANOVA(분산 분석)

ANOVA(분산 분석)는 여러 그룹의 평균 차이를 분석하는 통계적 방법이다. 이 방법은 다양한 분야에서 널리 사용되며, 특히 실험 설계와 데이터 분석에서 중요한 역할을 한다. ANOVA의 주요 목적은 여러 그룹 간의 차이가 통계적으로 유의미한지를 판단하는 것이다.

5.1 ANOVA의 기본 개념

ANOVA(분산 분석)는 데이터의 변동성을 분석하여 그룹 간 차이를 평가하는 통계 기법이다. 이 방법의 핵심 개념은 총 변동(Total Variation)을 두 가지 요소로 나누는 것이다.

첫째, 집단 간 변동(Between-group Variation)은 각 그룹의 평균이 전체 평균과 얼마나 차이가 나는지를 나타내며, 그룹 간 차이가 클수록 이 변동이 커진다.

둘째, 집단 내 변동(Within-group Variation)은 같은 그룹 내 개별 관측값들이 해당 그룹의 평균과 얼마나 차이가 나는지를 나타내며, 그룹이 균일할수록 집단 내 변동이 작아진다.

이 두 변동을 비교하기 위해 F-통계량(F-statistic)을 계산하는데, 이는 집단 간 변동을 집단 내 변동으로 나눈 값이다. F 값이 클수록 그룹 간 차이가 클 가능성이 높으며, 평균이 서로 다를 확률이 증가한다.

마지막으로, 계산된 F-통계량을 기반으로 p-값을 도출하여 그룹 간 차이가 통계적으로 유의미한지를 검정한다. p-값이 유의수준(일반적으로 0.05)보다 작으면, 그룹 간 차이가 유의미하다고 판단하여 귀무가설을 기각한다. 반대로, p-값이 크다면 그룹 간 차이가 통계적으로 유의하지 않다고 보고 귀무가설을 유지한다.

즉, ANOVA는 여러 그룹의 평균이 동일한지 또는 차이가 있는지를 검증하는 데 사용되며, 실험 데이터 분석, 마케팅, 의학 연구 등 다양한 분야에서 활용된다.

5.2 ANOVA의 주요 가정

ANOVA를 수행하기 위해서는 몇 가지 중요한 가정을 충족해야 한다.

첫째, 독립성(Independence) 가정으로, 각 그룹의 관측치는 서로 독립적이어야 한다. 즉, 한 그룹의 데이터가 다른 그룹의 데이터에 영향을 주지 않아야 한다.

둘째, 정규성(Normality) 가정이 필요하다. 각 그룹 내 데이터가 정규 분포를 따라야 하며, 이를 확인하기 위해 Shapiro-Wilk 검정, Q-Q 플롯 등을 사용할 수 있다. 정규성 가정이 위배될 경우, 데이터 변환(로그 변환, Box-Cox 변환)이나 비모수 검정을 고려할 수 있다.

셋째, 등분산성(Homoscedasticity) 가정이 충족되어야 한다. 즉, 모든 그룹의 분산이 동일해야 하며, 이를 검정하기 위해 Levene's Test, Bartlett's Test 등을 사용할 수 있다. 만약 등분산성이 충족되지 않는다면, Welch's ANOVA를 사용하여 보다 신뢰할 수 있는 분석을 수행할 수 있다.

이러한 가정이 위배될 경우, 일반적인 ANOVA 대신 Welch's ANOVA(등분산성이 충족되지 않는 경우) 또는 Kruskal-Wallis 검정(정규성 가정이 충족되지 않는 경우)과 같은 대안적인 방법을 고려하는 것이 바람직하다.

5.3 ANOVA의 종류

ANOVA(분산 분석)는 분석의 목적과 독립 변수의 수에 따라 여러 가지 유형으로 구분된다.

먼저, 일원분산분석(One-way ANOVA)은 하나의 독립 변수에 따라 종속 변수의 차이가 있는지를 검정하는 방법이다. 예를 들어, 세 개의 서로 다른 교육 방식이 학생들의 시험 점수에 미치는 영향을 비교하는 경우, 교육 방식(독립 변수)이 학생들의 성적(종속 변수)에 유의한 차이를 주는지 분석하는 데 사용된다.

다음으로, 이원분산분석(Two-way ANOVA)은 두 개의 독립 변수가 종속 변수에 미치는 영향을 동시에 분석하는 방법이다. 또한, 두 독립 변수 간의 상호작용 효과(interaction effect)가 존재하는지 확인할 수 있다. 예를 들어, 교육 방식과 성별이 학생들의 성적에 미치는 영향을 동시에 분석하는 경우, 두 요인이 독립적으로 영향을 미치는지 혹은 결합하여 영향을 미치는지를 평가할 수 있다.

마지막으로, 반복측정분산분석(Repeated Measures ANOVA)은 동일한 실험 대상에게 여러 번 측정을 수행하는 경우에 사용된다. 예를 들어, 신체 훈련 프로그램이 시간이 지남에 따라 체력 변화에 미치는 영향을 평가하기 위해 동일한 참가자의 체력을 여러 시점에서 측정하는 경우에 활용할 수 있다.

이러한 분산 분석 기법들은 연구 목적과 데이터 구조에 따라 적절하게 선택되며, 각 기법은 가정(정규성, 독립성, 등분산성 등)을 만족하는지를 검토한 후 사용해야 한다.

5.4 사후 검정

ANOVA에서 유의미한 차이가 발견되면, 어떤 집단 간 차이가 존재하는지를 추가로 확인하기 위해 사후 검정(Post-hoc test)을 수행한다. ANOVA 자체는 그룹 간 평균 차이가 존재하는지를 검정하지만, 어떤 특정 그룹들이 차이를 보이는지는 알려주지 않기 때문이다.

대표적인 사후 검정 방법으로는 Tukey의 HSD(Honestly Significant Difference) 검정과 Scheffé 방법이 있다. Tukey의 HSD 검정은 그룹 간 평균 차이를 비교하는 방법으로, 모든 그룹 간 쌍(pairwise comparisons)에 대해 동일한 유의 수준을 유지하면서 유의한 차이가 있는 그룹을 식별하는 데 효과적이다. 반면, Scheffé 방법은 다양한 그룹 비교가 가능하며, 특히 표본 크기가 다르거나 복잡한 비교가 필요한 경우에 유용하지만, 검정력이 상대적으로 낮을 수 있다.

이외에도 Bonferroni 보정, Dunnett 검정(대조군과 비교할 때 사용) 등 다양한 사후 검정 방법이 있으며, 연구의 목적과 데이터의 특성에 따라 적절한 방법을 선택하는 것이 중요하다.

5.5 비모수적 대안

ANOVA는 여러 집단의 평균 차이를 분석하는 강력한 통계 기법이지만, 독립성, 정규성, 등분산성이라는 가정을 충족해야 한다. 만약 이러한 가정이 위배될 경우, Kruskal-Wallis 검정과 같은 비모수적(non-parametric) 방법을 대안으로 사용할 수 있다.

Kruskal-Wallis 검정은 ANOVA와 유사하게 여러 그룹 간의 차이를 비교하지만, 데이터가 정규성을 따르지 않거나 이상치의 영향을 받을 경우에도 적용할 수 있다는 장점이 있다. 이 검정은 각 데이터의 순위를 기준으로 분석을 수행하며, 그룹 간 차이가 유의미한지를 판단한다.

따라서, ANOVA를 수행하기 전에 가정 검토를 철저히 수행하고, 필요할 경우 사후 검정(Post-hoc test)을 적용하거나 대체 방법(Kruskal-Wallis 검정, Welch's ANOVA 등)을 고려해야 한다. 이를 통해 보다 신뢰할 수 있는 분석 결과를 도출할 수 있다.

6 여러 그룹의 평균 차이를 분석하는 방법

ANOVA는 "분산 분석"이라는 이름에서 알 수 있듯이, 데이터의 변동성(분산)을 분석하여 그룹 간 차이를 파악한다. ANOVA를 수행하는 일반적인 절차는 다음과 같다.

6.1 가설 설정

먼저, 검정할 가설을 설정한다.

- 귀무가설(H_0) : 모든 그룹의 평균이 같다. ($\mu_1 = \mu_2 = \ldots = \mu_k$)
- 대립가설(H_1) : 적어도 하나의 그룹 평균이 다르다.

6.2 데이터 수집 및 준비

ANOVA를 수행하기 위해 데이터를 수집하고, 가정(독립성, 정규성, 등분산성)이 충족되는지 확인한다. 필요할 경우 이상치를 제거하거나 변환을 수행한다.

6.3 F-통계량 계산

ANOVA의 핵심은 F-통계량(F-statistic) 계산이다. 이는 집단 간 변동(Between-group variation)과 집단 내 변동(Within-group variation)을 비교하는 것으로 정의된다.

F = MSB(집단 간 평균 제곱) / MSW(집단 내 평균 제곱)

- MSB(Mean Square Between groups) = 집단 간 변동을 자유도로 나눈 값
- MSW(Mean Square Within groups) = 집단 내 변동을 자유도로 나눈 값

6.4 p-값 계산

F-통계량을 기반으로 p-값을 계산하여, 그룹 간 차이가 우연에 의한 것인지 평가한다.

6.5 결과 해석

① p-값이 유의수준(일반적으로 0.05)보다 작으면, 귀무가설을 기각하고 "그룹 간 평균 차이가 유의미하다"고 결론 내린다.

② p-값이 0.05 이상이면, 귀무가설을 유지하며 "그룹 간 차이가 통계적으로 유의하지 않다"고 해석한다.

6.6 사후 검정(필요한 경우)

ANOVA는 그룹 간 차이가 존재하는지를 판단하지만, 어떤 그룹들이 유의미하게 다른지를 알려주지는 않는다. 따라서, 사후 검정(Post-hoc test)이 필요할 수 있다.

대표적인 사후 검정 방법은 다음과 같다.

- Tukey's HSD : 모든 그룹 간 평균을 비교하며, 동일한 유의 수준을 유지하는 방법
- Bonferroni 보정 : 다중 비교 시 오류율을 조정하는 보수적인 방법

이러한 절차를 통해 ANOVA를 수행하고, 필요할 경우 사후 검정을 통해 구체적인 그룹 간 차이를 분석할 수 있다.

7 일원 분산 분석(one-way ANOVA)과 이원 분산 분석(two-way ANOVA)의 차이

일원 분산 분석(One-way ANOVA)은 하나의 독립변수(요인)가 종속변수에 미치는 영향을 분석하는 방법이다. 예를 들어, 세 가지 다른 교육 방법이 학생들의 성적에 미치는 영향을 분석하는 경우에 사용할 수 있다.

7.1 일원 분산 분석의 절차

① 가설 설정

- 귀무가설(H_0) : 모든 그룹의 평균이 같다. ($\mu_1 = \mu_2 = \ldots = \mu_k$)
- 대립가설(H_1) : 적어도 하나의 그룹 평균이 다르다.

② 변동의 분해

- 총 제곱합(SST) = 집단 간 제곱합(SSB) + 집단 내 제곱합(SSW)
- $SST = \Sigma (Y_{ij} - \bar{Y})^2$
- $SSB = \Sigma n_j(\bar{Y}_j - \bar{Y})^2$

- $SSW = \Sigma (Y_{ij} - \bar{Y}_j)^2$
- 여기서, Y_{ij}는 j번째 그룹의 i번째 관측값, $\bar{Y}$는 전체 평균, $\bar{Y}_j$는 j번째 그룹의 평균, n_j는 j번째 그룹의 표본 크기이다.

③ 자유도 계산

- 총 자유도(df_T) = N - 1 (N은 전체 관측값의 수)
- 집단 간 자유도(df_B) = k - 1 (k는 그룹의 수)
- 집단 내 자유도(df_W) = N - k

④ 평균 제곱(Mean Square) 계산

- 집단 간 평균 제곱(MSB) = SSB / df_B
- 집단 내 평균 제곱(MSW) = SSW / df_W

⑤ F-통계량 계산

- F = MSB / MSW

⑥ p-값 계산 및 결과 해석

- 계산된 F-통계량을 기반으로 p-값을 도출하고, 이를 미리 정한 유의수준(일반적으로 0.05)과 비교한다. p-값이 유의수준보다 작으면 귀무가설을 기각하고, 그룹 간 유의미한 차이가 있다고 결론 내린다.

7.2 일원 분산 분석의 결과 표

변동	제곱합	자유도	평균제곱	F	p-값
집단 간	SSB	df_B	MSB	F	p
집단 내	SSW	df_W	MSW		
총	SST	df_T			

- 이원 분산 분석(Two-way ANOVA)은 두 개의 독립변수(요인)가 종속변수에 미치는 영향을 동시에 분석하는 방법이다. 이 방법은 각 요인의 주효과뿐만 아니라 두 요인 간의 상호작용 효과도 고려한다. 예를 들어, 성별과 교육 방법이 학생들의 성적에 미치는 영향을 분석하는 경우에 사용할 수 있다.

7.3 이원 분산 분석의 주요 특징

- 주효과(Main Effects) : 각 독립변수가 종속변수에 미치는 개별적인 영향을 나타낸다.
- 상호작용 효과(Interaction Effect) : 한 독립변수의 효과가 다른 독립변수의 수준에 따라 달라지는 현상을 나타낸다.
- 더 복잡한 실험 설계를 분석할 수 있다.
- 일원 분산 분석에 비해 더 많은 정보를 제공한다.

7.4 이원 분산 분석의 절차

① 가설 설정

- 요인 A의 주효과에 대한 귀무가설 : 요인 A의 모든 수준에서 평균이 같다.
- 요인 B의 주효과에 대한 귀무가설 : 요인 B의 모든 수준에서 평균이 같다.
- 상호작용 효과에 대한 귀무가설 : 요인 A와 B 사이에 상호작용이 없다.

② 변동의 분해

- 총 제곱합(SST) = 요인 A의 제곱합(SSA) + 요인 B의 제곱합(SSB) + 상호작용의 제곱합(SSAB) + 오차 제곱합(SSE)

③ 자유도 계산

- 요인 A의 자유도 : a - 1 (a는 요인 A의 수준 수)
- 요인 B의 자유도 : b - 1 (b는 요인 B의 수준 수)
- 상호작용의 자유도 : (a - 1)(b − 1)
- 오차의 자유도 : ab(n - 1) (n은 각 셀의 표본 크기)

④ 평균 제곱 계산

- 각 요인과 상호작용, 그리고 오차에 대해 제곱합을 자유도로 나누어 평균 제곱을 계산한다.

⑤ F-통계량 계산

- 각 요인과 상호작용에 대해 해당 평균 제곱을 오차 평균 제곱으로 나누어 F-통계량을 계산한다.

⑥ p-값 계산 및 결과 해석

- 각 F-통계량에 대한 p-값을 계산하고, 이를 유의수준과 비교하여 각 효과의 통계적 유의성을

판단한다.

7.5 이원 분산 분석의 결과 표

변동	제곱합	자유도	평균제곱	F	p-값
요인 A	SSA	a − 1	MSA	F_A	p_A
요인 B	SSB	b − 1	MSB	F_B	p_B
상호작용	SSAB	(a−1)(b−1)	MSAB	F_AB	p_AB
오차	SSE	ab(n−1)	MSE		
총	SST	abn − 1			

7.6 일원 분산 분석과 이원 분산 분석의 주요 차이점

ANOVA(분산 분석)는 독립 변수(요인, Factor)의 수에 따라 일원 분산 분석(One-way ANOVA)과 이원 분산 분석(Two-way ANOVA)으로 구분된다. 두 방법의 차이는 다음과 같다.

먼저, 독립 변수의 수에서 차이가 있다. 일원 분산 분석은 하나의 독립 변수(요인)만을 고려하며, 그룹 간 평균 차이를 분석하는 데 초점을 맞춘다. 반면, 이원 분산 분석은 두 개의 독립 변수를 동시에 고려하며, 각 요인의 개별적인 효과뿐만 아니라 두 요인 간의 상호작용 효과(interaction effect)도 분석할 수 있다.

다음으로, 분석의 복잡성에서 차이가 난다. 일원 분산 분석은 상대적으로 단순한 분석 방법으로, 하나의 요인에 대한 그룹 간 차이만을 비교한다. 반면, 이원 분산 분석은 두 개의 독립 변수를 포함하며, 그 조합에 따른 영향을 분석해야 하므로 더 복잡하다.

제공하는 정보 또한 다르다. 일원 분산 분석은 한 개의 독립 변수에 대한 주효과(main effect)만을 분석하는 반면, 이원 분산 분석은 두 개의 독립 변수 각각의 주효과와 더불어 상호작용 효과까지 분석할 수 있다. 예를 들어, 교육 방식과 성별이 학생 성적에 미치는 영향을 연구할 때, 이원 분산 분석을 사용하면 교육 방식과 성별이 개별적으로 영향을 미치는지뿐만 아니라, 특정 교육 방식에서 성별에 따라 효과가 다르게 나타나는지(상호작용 효과)를 분석할 수 있다.

실험 설계의 복잡성도 차이를 보인다. 일원 분산 분석은 비교적 단순한 실험 설계에서 사용되며, 한 가지 요인만을 고려하기 때문에 적용이 쉽다. 반면, 이원 분산 분석은 두 개의 요인이 포함되므로 실험 설계가 더 복잡해질 수 있으며, 다중 요인 실험에서 효과적인 분석 방법이다.

또한, 자유도(degrees of freedom, df)의 차이도 존재한다. 일원 분산 분석은 독립 변수의 수가 적기 때문에 상대적으로 적은 자유도를 가지며, 이에 따라 분석이 단순해진다. 반면, 이원 분산 분석은 두 개의 독립 변수와 그 상호작용 항을 포함하므로 더 많은 자유도를 가지며, 이는 보다 세밀한 분석을 가능하게 한다.

검정력(statistical power) 측면에서도 차이가 있다. 이원 분산 분석은 일반적으로 일원 분산 분석보다 더 높은 검정력을 가진다. 즉, 실제로 존재하는 효과를 발견할 확률이 더 높으며, 동일한 데이터에서 더 많은 정보를 얻을 수 있다.

마지막으로, 해석의 복잡성도 다르다. 일원 분산 분석은 그룹 간 차이만을 분석하므로 결과 해석이 상대적으로 간단하다. 반면, 이원 분산 분석에서는 두 개의 독립 변수뿐만 아니라 상호작용 효과까지 고려해야 하므로, 결과 해석이 더 복잡할 수 있다.

결론적으로, 일원 분산 분석은 하나의 독립 변수를 고려할 때 적합하며, 실험 설계와 해석이 비교적 단순한 반면, 이원 분산 분석은 두 개의 독립 변수를 동시에 분석할 수 있어 더 많은 정보를 제공하지만, 실험 설계와 해석이 복잡해지는 특징이 있다. 연구 목적과 데이터의 특성에 맞춰 적절한 방법을 선택하는 것이 중요하다.

8 다중 회귀 분석과 ANOVA를 통해 그룹 간 차이 시각화

8.1 다중 회귀 분석과 ANOVA의 관계

다중 회귀 분석과 ANOVA는 기본적으로 종속 변수의 변동을 설명하는 방법이라는 점에서 공통점을 가진다. 두 방법 모두 최소제곱법(Least Squares Method)을 사용하여 모델을 적합시키며, 독립 변수들이 종속 변수에 미치는 영향을 분석하는 데 활용된다.

모델 표현 방식에서도 유사성이 있다. 다중 회귀 분석의 일반적인 형태는 다음과 같다.

$$\text{다중 회귀 분석 : } Y = \beta_0 + \beta_1 X_1 + \beta_2 X_2 + \ldots + \beta_k X_k + \varepsilon$$

여기서 $X_1, X_2, \ldots, X_k$는 연속형 또는 범주형 독립 변수이며, 각 계수 β는 독립 변수가 종속 변수에 미치는 영향을 나타낸다.

반면, ANOVA는 원래 범주형 독립 변수를 사용하지만, 범주형 변수를 더미 변수(dummy variable)로 변환하면 회귀 모델과 동일한 형태로 표현할 수 있다. 예를 들어, 일원 분산 분석(One-way ANOVA)은 하나의 범주형 독립 변수를 가진 회귀 모델로 변환할 수 있으며, 이원 분산 분석(Two-way ANOVA)은 두 개의 범주형 독립 변수와 그들의 상호작용 항(interaction term)을 포함하는 회귀 모델로 표현할 수 있다.

즉, ANOVA는 회귀 분석의 특수한 경우로 볼 수 있으며, 범주형 독립 변수를 포함하는 다중 회귀 분석으로 확장될 수 있다. 다중 회귀 분석을 활용하면 연속형 및 범주형 변수를 함께 고려할 수 있어 보다 유연한 모델링이 가능하지만, ANOVA는 범주 간 차이에 초점을 맞추고 있기 때문에 실험 연구 등에서 더 자주 사용된다.

8.2 그룹 간 차이 시각화 방법

① 박스플롯(Box Plot)

- 각 그룹의 분포를 요약하여 보여준다.
- 중앙값, 사분위수 범위, 이상치 등을 한눈에 파악할 수 있다.

코드

```
import seaborn as sns
import matplotlib.pyplot as plt

sns.boxplot(x='group', y='value', data=df)
plt.title('Group Comparison')
plt.show()
```

② 바플롯(Bar Plot)

- 각 그룹의 평균과 신뢰구간을 보여준다.
- 그룹 간 평균 차이를 직관적으로 비교할 수 있다.

코드

```
sns.barplot(x='group', y='value', data=df, ci=95)
plt.title('Group Means with 95% CI')
plt.show()
```

③ 바이올린 플롯(Violin Plot)

- 각 그룹의 분포 형태를 보여준다.
- 박스플롯과 커널 밀도 추정을 결합한 형태이다.

코드

```
sns.violinplot(x='group', y='value', data=df)
plt.title('Distribution by Group')
plt.show()
```

④ 산점도(Scatter Plot) with 회귀선

- 연속형 독립변수와 종속변수의 관계를 그룹별로 보여준다.
- 각 그룹에 대한 회귀선을 추가하여 그룹 간 차이를 시각화할 수 있다.

코드

```
sns.lmplot(x='x', y='y', hue='group', data=df, ci=None)
plt.title('Regression Lines by Group')
plt.show()
```

⑤ 상호작용 플롯(Interaction Plot)

- 이원 분산 분석에서 두 요인의 상호작용을 시각화한다.
- 한 요인의 수준에 따라 다른 요인의 효과가 어떻게 변하는지 보여준다.

코드

```
from statsmodels.graphics.factorplots import interaction_plot

fig = interaction_plot(df['factor1'], df['factor2'], df['response'])
plt.title('Interaction Plot')
plt.show()
```

⑥ 잔차 플롯(Residual Plot)

- 모델의 적합성을 확인하고 가정을 검증하는 데 사용된다.
- 그룹별로 잔차의 패턴을 비교할 수 있다.

코드

```
model = ols('y ~ group', data=df).fit()
fig = sm.graphics.plot_regress_exog(model, 'group')
plt.show()
```

8.3 시각화 시 고려사항

ANOVA 분석 결과를 효과적으로 전달하기 위해서는 데이터의 특성을 반영한 적절한 시각화 기법을 활용하는 것이 중요하다.

먼저, 데이터의 특성을 고려하여 그래프를 선택해야 한다. ANOVA에서는 종속 변수가 연속형(수치형)이고, 독립 변수가 범주형이므로, 박스플롯(Box Plot), 평균 막대 그래프(Bar Chart with Error Bars), 바이올린 플롯(Violin Plot) 등이 적합하다. 또한, 그룹의 수와 샘플 크기를 파악하여 데이터가 불균형하지 않은지 확인하는 것도 중요하다.

시각화를 할 때는 색상, 레이블, 범례 등을 적절히 사용하여 그래프를 명확하게 만드는 것이 필요하다. 색상을 통해 각 그룹을 구분하고, 축(Label)과 범례(Legend)를 명확히 표시하면 데이터 해석이 쉬워진다.

또한, 통계적 정보를 포함하여 보다 신뢰성 있는 시각화를 제공할 수 있다. 그래프에 신뢰구간(Confidence Interval, CI), p-값, 효과 크기(Effect Size, η^2 등)를 포함하면, 단순히 평균 차이만을 보여주는 것이 아니라, 차이가 통계적으로 얼마나 유의미한지를 직관적으로 전달할 수 있다.

한 가지 유형의 그래프만 사용하기보다 여러 유형의 그래프를 활용하여 데이터를 다양한 관점에서 분석하는 것도 중요하다. 예를 들어, 박스플롯과 평균 막대 그래프를 함께 사용하면 그룹 간 중앙값, 분산, 이상치 등을 동시에 확인할 수 있다.

마지막으로, 인터랙티브 시각화(Interactive Visualization)를 활용하면 보다 직관적인 데이터 탐색이 가능하다. Plotly, Bokeh 같은 라이브러리를 사용하면 사용자가 특정 그룹을 클릭하여 데이터를 자세히 살펴볼 수 있도록 할 수 있다.

이러한 시각화 기법을 적절히 활용하면, ANOVA 결과를 명확하게 전달하고 해석력을 높일 수 있으며, 데이터 기반 의사결정을 보다 효과적으로 수행할 수 있다.

8.4 실제 적용 예시

교육 방법(A, B, C)과 학생의 성별이 시험 점수에 미치는 영향을 분석하는 경우를 가정해 본다.

① 데이터 준비

코드

```
import pandas as pd
import numPy as np
import matplotlib.pyplot as plt
import seaborn as sns
from statsmodels.formula.api import ols
from statsmodels.stats.anova import anova_lm

# 가상의 데이터 생성
np.random.seed(42)
n = 300
method = np.repeat(['A', 'B', 'C'], n // 3)
gender = np.random.choice(['Male', 'Female'], n)
score = np.random.normal(70, 10, n) + np.where(method == 'A', 5, 0) + np.where(gender =
= 'Female', 3, 0)

df = pd.DataFrame({'method': method, 'gender': gender, 'score': score})
```

② 이원 분산 분석 수행

코드

```
model = ols('score ~ C(method) + C(gender) + C(method):C(gender)', data=df).fit()
anova_table = anova_lm(model, typ=2)
print(anova_table)
```

결과

```
                         sum_sq     df          F    PR(>F)
C(method)           2372.317031    2.0  12.551705  0.000006
C(gender)            458.232644    1.0   4.848931  0.028440
C(method):C(gender)    4.045612    2.0   0.021405  0.978824
Residual           27783.525497  294.0        NaN       NaN
```

③ 그룹 간 차이 시각화

코드

```
# 박스플롯
plt.figure(figsize=(12, 6))
sns.boxplot(x='method', y='score', hue='gender', data=df)
plt.title('Test Scores by Method and Gender')
plt.show()

# 상호작용 플롯
from statsmodels.graphics.factorplots import interaction_plot

fig = interaction_plot(df['method'], df['gender'], df['score'])
plt.title('Interaction between Method and Gender')
plt.show()

# 바플롯
plt.figure(figsize=(12, 6))
sns.barplot(x='method', y='score', hue='gender', data=df, ci=95)
plt.title('Mean Scores with 95% CI')
plt.show()
```

결과

박스 플롯

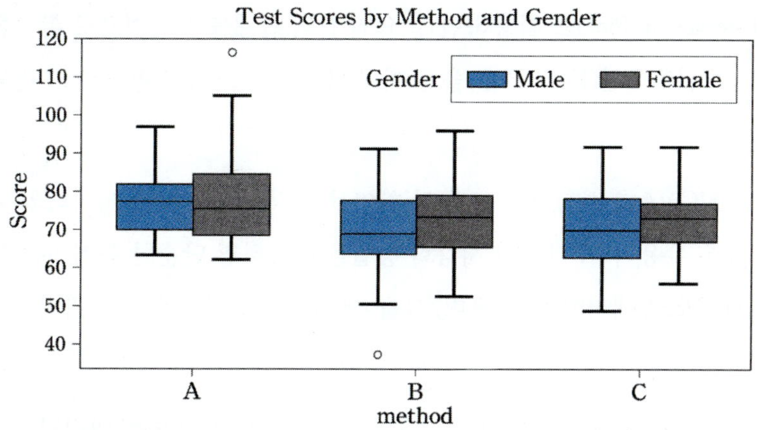

상호작용 플롯

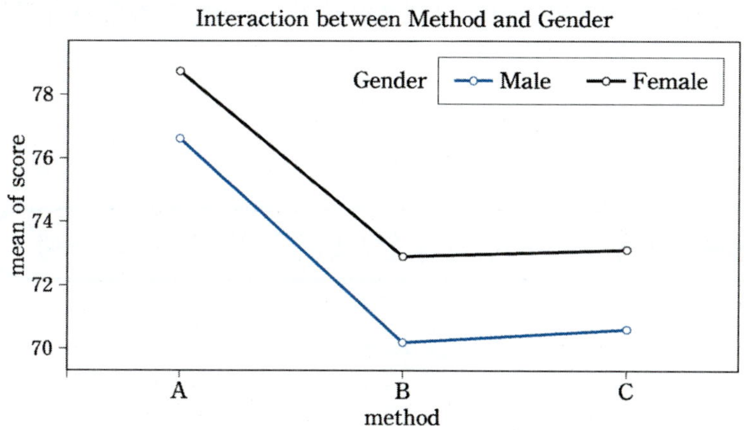

바플롯

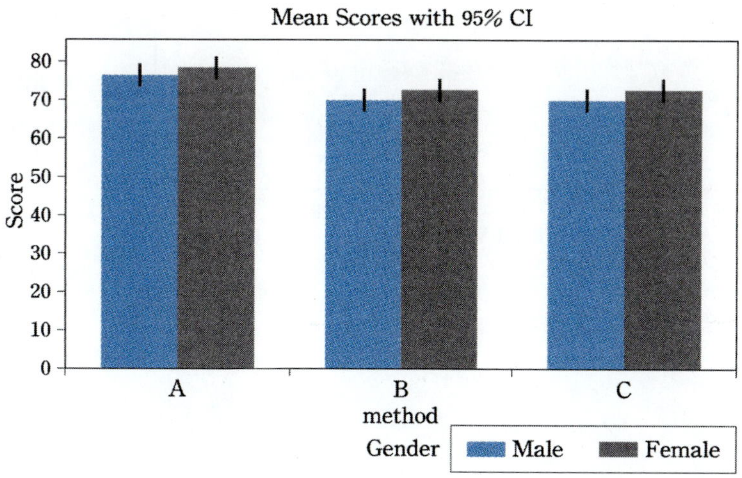

이러한 시각화를 활용하면 교육 방법과 성별에 따른 시험 점수의 차이를 직관적으로 이해할 수 있다. 예를 들어, 박스플롯(Box Plot)을 사용하면 각 그룹의 분포와 중앙값, 이상치 여부를 쉽게 파악할 수 있으며, 상호작용 플롯(Interaction Plot)을 활용하면 두 요인 간의 관계를 시각적으로 확인할 수 있다. 또한, 바 플롯(Bar Plot)과 신뢰구간(Error Bars)을 함께 표시하면 각 그룹의 평균과 그 변동성을 명확하게 전달할 수 있다.

결론적으로, 다중 회귀 분석과 ANOVA를 결합하여 그룹 간 차이를 시각화하는 것은 데이터의 패턴을 효과적으로 이해하는 데 매우 유용하다. 다양한 시각화 방법을 사용하면 단순한 통계 수치를 넘어 데이터의 의미를 보다 직관적으로 해석할 수 있으며, 그룹 간 차이가 통계적으로 유의미한지를 명확하게 전달할 수 있다.

또한, 데이터를 여러 각도에서 살펴보는 것이 중요하다. 하나의 그래프만으로 결론을 내리기보다는, 여러 가지 시각화 기법을 조합하여 데이터의 패턴을 보다 종합적으로 분석함으로써, 보다 풍부한 통찰을 얻을 수 있다.

9 실습 : 자동차 데이터셋을 활용해 다중 회귀 분석(예: 연비와 차중, 엔진 크기 간의 관계)

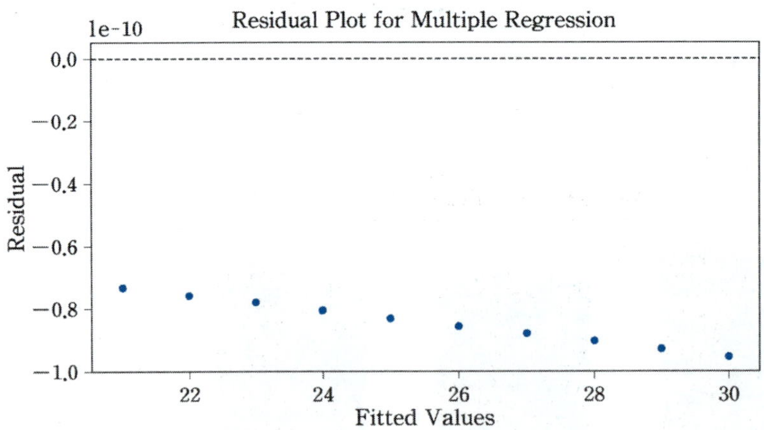

9.1 데이터 생성

- 종속 변수 : mpg (연비)
- 독립 변수 : weight (차중), engine_size (엔진 크기)
- 연비가 차중과 엔진 크기에 의해 어떻게 영향을 받는지 분석

9.2 회귀 모델구성

- 독립 변수(weight, engine_size)와 종속 변수(mpg)를 설정한다.
- 상수항을 추가하여 절편을 포함한 회귀 모델을 설계한다.
- statsmodels 라이브러리의 OLS(Ordinary Least Squares) 메서드를 사용하여 모델을 적합시킨다.

9.3 모델 요약

- model.summary()를 통해 R-squared 값(결정계수), 회귀 계수(coef), p-값 등을 확인한다.

9.4 잔차 플롯

- 예측값(fitted_values)과 잔차(residuals)를 계산하여 시각화한다.
- 빨간 점선은 잔차가 "0"인 기준선을 나타낸다.

코드

```
import pandas as pd
import numPy as np
import statsmodels.api as sm
import matplotlib.pyplot as plt

# 데이터 생성
np.random.seed(42)
data = {
    'mpg': [21, 23, 25, 27, 22, 28, 24, 26, 29, 30],  # 연비
    'weight': [3000, 3200, 3400, 3600, 3100, 3700, 3300, 3500, 3800, 3900],  # 차중
    'engine_size': [2.0, 2.2, 2.4, 2.6, 2.1, 2.7, 2.3, 2.5, 2.8, 3.0]      # 엔진 크기
}

# 데이터프레임 생성
df = pd.DataFrame(data)
```

```
# 독립 변수(X)와 종속 변수(y) 설정
X = df[['weight', 'engine_size']]
y = df['mpg']
# 상수항 추가
X = sm.add_constant(X)
# 다중 회귀 모델 적합
model = sm.OLS(y, X).fit()

# 모델 요약 출력
print(model.summary())

# 잔차 플롯 생성
fitted_values = model.fittedvalues  # 예측값
residuals = model.resid             # 잔차

plt.figure(figsize=(10, 6))
plt.scatter(fitted_values, residuals)
plt.axhline(y=0, color='red', linestyle='--')
plt.title('Residual Plot for Multiple Regression')
plt.xlabel('Fitted Values')
plt.ylabel('Residuals')
plt.show()
```

9.5 결론

- 차중(weight)은 연비(mpg)에 양의 영향을 미치며 통계적으로 유의미하다.
- 엔진 크기(engine_size)는 연비에 큰 영향을 미치지 않는 것으로 보인다.
- 다중 공선성 문제를 해결하기 위해 VIF(Variance Inflation Factor) 계산 또는 정규화 기법(Ridge/Lasso)을 고려할 수 있다.

10 건강검진 데이터로 BMI 그룹별 평균 혈압의 차이 분석(ANOVA)

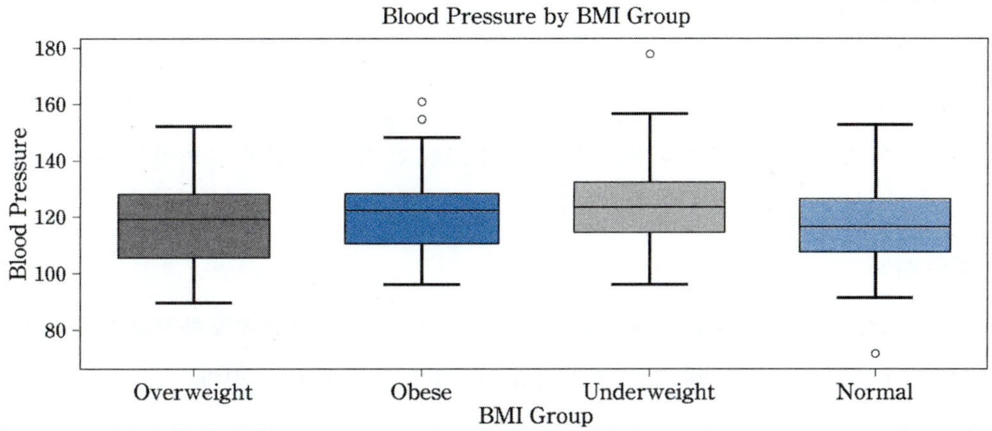

10.1 데이터 생성

- BMI 그룹(Underweight, Normal, Overweight, Obese)과 혈압 데이터를 생성한다.
- 혈압은 평균 120, 표준편차 15를 따르는 정규분포에서 무작위로 생성되었다.

10.2 ANOVA 수행

- stats.f_oneway()를 사용하여 각 BMI 그룹의 평균 혈압 차이를 분석한다.
- 귀무가설(H_0) : 모든 BMI 그룹의 평균 혈압이 같다.
- 대립가설(H_1) : 적어도 하나의 BMI 그룹 평균이 다르다.

10.3 결과 출력

- F-statistic과 p-value를 출력하여 그룹 간 차이를 평가한다.
- p-value가 유의수준(예: α=0.05)보다 작으면 귀무가설을 기각하고, 그룹 간 유의미한 차이가 있다고 판단한다.

10.4 박스플롯 시각화

- 각 BMI 그룹의 혈압 분포를 박스플롯으로 시각화한다.
- 중앙값, 사분위수 범위(IQR), 이상치(outliers)를 확인할 수 있다.

10.5 결과 해석

① ANOVA 결과

- F-statistic : 2.749
- p-value : 0.044
- p-value가 유의수준 0.05보다 작으므로, BMI 그룹 간 평균 혈압에 유의미한 차이가 있다고 결론 내린다.

② 박스플롯 해석

- 각 BMI 그룹(Underweight, Normal, Overweight, Obese)의 혈압 분포를 비교할 수 있다.
- 중앙값과 분포 범위를 통해 그룹 간 차이를 시각적으로 확인할 수 있다.
- 예를 들어, "Obese"와 "Overweight" 그룹에서 중앙값이 상대적으로 높게 나타날 수 있다.

10.6 결론

- BMI 그룹 간 평균 혈압에 통계적으로 유의미한 차이가 있다(p-value < 0.05).
- 박스플롯을 통해 각 그룹의 분포와 중앙값을 시각적으로 확인할 수 있으며, 특정 그룹에서 이상치(outliers)가 관찰될 수 있다.
- 추가적으로 사후 검정(Tukey's HSD)을 통해 어떤 그룹 간에 차이가 있는지 구체적으로 분석할 수 있다.

실습과제

문제설정

영화 데이터셋을 사용하여 영화 평점(rating)이 제작비(budget)와 장르(genre)에 의해 어떻게 영향을 받는지 분석한다. 이를 통해 제작비와 장르가 영화 평점에 미치는 영향을 평가하고, 그룹 간 차이를 시각화한다. 실습 문제에서 다뤄야할 사항은 다음과 같다.

01 데이터 준비 및 탐색

1. 영화 평점을 5.0~9.0 사이의 균등 분포에서 무작위로 생성한다.
2. 영화 제작비를 100만~1억 달러 사이에서 무작위로 생성한다.
3. 영화의 장르를 Action, Drama, Comedy, Horror 중 하나로 설정한다.

02 다중 회기 분석

1. 범주형 변수를 더미 변수로 변환하여 회귀 모델에 포함한다.
2. statsmodels 라이브러리를 사용한다.

03 ANOVA 수행

1. 각 장르별 평균 평점 분석
2. 귀무가설(H_0) : 모든 장르의 평균 평점이 같다.
3. 대립가설(H_1) : 적어도 하나의 장르 평균이 다르다.

04 박스플롯 시각화

1. 장르별 평점 비교한다.
2. 그룹 간 차이 확인한다.

정답코드

01 데이터 준비 및 탐색

■ 코드

```
import pandas as pd
import numPy as np
import statsmodels.api as sm
import matplotlib.pyplot as plt
import seaborn as sns
from scipy.stats import f_oneway

# 데이터 생성
np.random.seed(42)
data = {
    'rating': np.random.uniform(5.0, 9.0, 200),  # 영화 평점 (5.0~9.0)
    'budget': np.random.uniform(1e6, 1e8, 200),  # 제작비 (100만~1억 달러)
    'genre': np.random.choice(['Action', 'Drama', 'Comedy', 'Horror'], size=200)
# 장르
}
df_movies = pd.DataFrame(data)
```

■ 결과

– rating : 영화 평점을 5.0~9.0 사이의 균등 분포에서 무작위로 생성

– budge t: 영화 제작비를 100만~1억 달러 사이에서 무작위로 생성

– genre : 영화의 장르를 Action, Drama, Comedy, Horror 중 하나로 설정

02 다중 회귀 분석

■ 코드

```
# 다중 회귀 분석: 평점 ~ 제작비 + 장르
# 범주형 변수(genre)를 더미 변수로 변환
df_movies = pd.get_dummies(df_movies, columns=['genre'], drop_first=True)

# 독립 변수(X)와 종속 변수(y) 설정
```

```
X = df_movies[['budget', 'genre_Action', 'genre_Comedy', 'genre_Horror']]
y = df_movies['rating']

# 상수항 추가 (절편 포함)
X = sm.add_constant(X)

# 다중 회귀 모델 적합
model = sm.OLS(y, X).fit()

# 모델 요약 출력
print(model.summary())
```

■ 결과

- R-squared : 모델이 종속 변수(rating)의 변동성을 얼마나 잘 설명하는지 나타낸다.
- 회귀 계수
  - budget : 제작비가 증가할수록 평점에 미치는 영향을 나타낸다.
  - genre_* : 각 장르가 기준 장르(Drama) 대비 평점에 미치는 영향을 나타낸다.
- p-value : 각 독립 변수의 p-value가 유의수준(예: α =0.05)을 초과하면 통계적으로 유의하지 않을 수 있다.

03 ANOVA 수행

■ 코드

```
# ANOVA: 장르별 평균 평점 차이 분석
anova_result = f_oneway(
    df_movies[df_movies['genre_Action'] == 1]['rating'],
    df_movies[df_movies['genre_Comedy'] == 1]['rating'],
    df_movies[df_movies['genre_Horror'] == 1]['rating'],
    df_movies[(df_movies[['genre_Action', 'genre_Comedy', 'genre_Horror']].sum
(axis=1) == 0)]['rating']
)

print(f"F-statistic: {anova_result.statistic}, p-value: {anova_result.pvalue}
")
```

■ 결과

- F-statistic과 p-value를 통해 장르별 평균 평점 차이가 유의미한지 평가한다.

- p-value 〈 0.05이면 귀무가설을 기각하고, 장르 간 유의미한 차이가 있다고 결론 내린다.

04 박스플롯

■ 코드

```
# 박스플롯: 장르별 평점 분포 시각화
plt.figure(figsize=(10, 6))
sns.boxplot(x='genre', y='rating', data=pd.DataFrame(data))
plt.title('Movie Ratings by Genre')
plt.xlabel('Genre')
plt.ylabel('Rating')
plt.show()
```

■ 결과

- 각 장르(Action, Drama, Comedy, Horror)의 평점 분포를 시각적으로 비교한다.
- 중앙값과 분포 범위를 통해 그룹 간 차이를 확인할 수 있다.

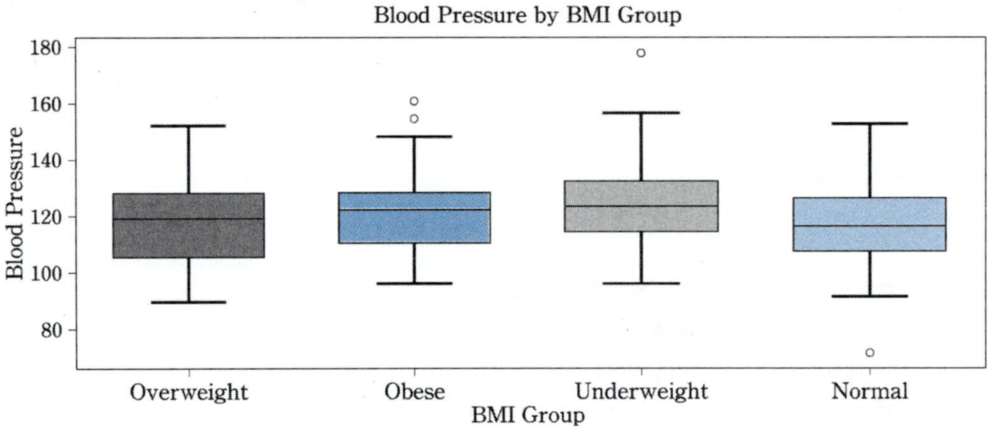

■ 최종 결론

- 제작비와 특정 장르는 영화 평점에 유의미한 영향을 미칠 수 있다.
- ANOVA 결과와 박스플롯을 통해 특정 장르 간 평균 평점 차이가 존재함을 확인할 수 있다.
- 추가적으로 사후 검정(Tukey's HSD)을 통해 어떤 그룹 간에 차이가 있는지 구체적으로 분석할 수 있다.

CHAPTER 6

데이터 과학으로 떠나는 새로운 여정

1 데이터가 전하는 메시지

데이터 과학은 단순히 숫자와 통계를 분석하는 것이 아니라, 데이터를 통해 의미 있는 이야기를 전달하는 과정이다. 데이터는 단순한 값이 아니라, 그 안에 숨겨진 패턴과 관계를 반영하며, 이를 해석하고 시각화하는 과정에서 중요한 통찰을 얻을 수 있다.

이 과정에서 가장 중요한 것은 데이터가 전하는 메시지를 정확히 이해하고 효과적으로 전달하는 것이다. 데이터의 패턴을 단순한 숫자로만 표현하는 것이 아니라, 적절한 분석 기법과 시각적 표현을 활용하여 누구나 쉽게 이해할 수 있도록 구성하는 것이 필수적이다. 이를 위해 통계적 분석, 기계 학습, 데이터 시각화 등의 기술을 활용하여 데이터의 의미를 명확하게 전달하는 것이 중요하다.

결국, 데이터 과학은 단순한 분석을 넘어, 데이터 기반의 의사결정을 돕고 문제 해결을 지원하는 강력한 도구로 활용될 수 있다. 효과적인 데이터 해석과 전달이 이루어진다면, 복잡한 정보 속에서도 핵심적인 메시지를 도출하고, 이를 통해 실질적인 변화를 이끌어낼 수 있다.

- 데이터 과학은 단순한 숫자 분석을 넘어, 데이터를 해석하고 의미를 전달하는 과정이다. 이를 위해 다음과 같은 단계가 필수적이다.

① 데이터 탐색

먼저, 데이터의 기본적인 특성을 파악하는 과정이 필요하다. 데이터를 수집한 후, 변수의 유형(연속형, 범주형 등), 분포, 결측치, 이상치 등을 확인해야 한다. 이를 위해 기술 통계량(평균, 중앙값, 분산, IQR 등)을 계산하고, 데이터의 전반적인 모습을 시각화하는 것이 중요하다.

② 패턴 식별

다음으로, 데이터에서 반복되는 패턴이나 트렌드를 찾는 과정이 필요하다. 이를 위해 시각화 도구(히스토그램, 산점도, 시계열 그래프 등)를 활용하여 데이터의 흐름을 분석한다. 또한, 상관관계 분석(피어슨 상관계수, 스피어만 상관계수 등)을 통해 변수 간의 관계를 파악함으로써 데이터의 구조를 이해할 수 있다.

③ 가설 검정

데이터를 기반으로 의미 있는 결론을 도출하기 위해, 가설을 설정하고 이를 검정하는 과정이 필요하다. 예를 들어, "특정 마케팅 전략이 매출에 유의미한 영향을 미치는가?"와 같은 가설을 세울 수 있다. 이를 위해 t-검정, 카이제곱 검정, ANOVA, 회귀 분석 등 통계적 방법을 활용하여 가설의 유의성을 평가하고, 결과를 해석하여 실제 의미를 도출한다.

④ 인사이트 도출

분석 결과를 바탕으로, 비즈니스 문제나 연구 질문에 대한 인사이트를 도출해야 한다. 단순히 p-값이 유의미한지를 확인하는 것이 아니라, 결과가 실제로 어떤 의미를 가지며, 어떠한 의사결정을 도울 수 있는지 명확히 정리하는 것이 중요하다.

⑤ 스토리텔링

마지막으로, 데이터 분석 결과를 효과적으로 전달하기 위해 논리적이고 설득력 있는 스토리로 구성해야 한다. 데이터 시각화(차트, 그래프, 인포그래픽 등)를 활용하여 메시지를 직관적으로 전달하며, 청중의 특성을 고려하여 적절한 방식(텍스트, 대시보드, 프레젠테이션 등)으로 정보를 제공하는 것이 핵심이다.

이러한 과정을 통해 데이터 과학은 단순한 분석을 넘어, 데이터를 기반으로 의미 있는 결론을 도출하고 실질적인 변화를 이끌어낼 수 있는 도구로 활용될 수 있다. 데이터를 탐색하고 패턴을 식별하며, 가설을 검정하고, 인사이트를 도출한 후, 최종적으로 효과적인 스토리텔링을 통해 메시지를 전달하는 것이 중요하다. 결국, 데이터 과학의 핵심은 데이터를 활용하여 의미 있는 이야기를 만드는 것이다.

- 데이터 분석은 객관적이고 신뢰할 수 있는 결론을 도출하는 과정이며, 이를 위해서는 객관성 유지, 맥락 고려, 불확실성 인정, 윤리적 고려, 지속적인 검증이 필수적이다.

① 객관성 유지

데이터 분석 과정에서는 개인적인 편견이나 선입견을 배제하고, 순수하게 데이터에 기반한 결론을 도출해야 한다. 특정 가설을 뒷받침하기 위해 데이터를 선택적으로 해석하는 것은 분석의 신뢰성을 훼손할 수 있다. 따라서, 결과를 과대 해석하거나 왜곡하지 않도록 주의하고, 다양한 분석 방법을 활용하여 객관적인 결론을 도출하는 것이 중요하다.

② 맥락 고려

데이터가 수집된 배경과 맥락을 충분히 이해하는 것도 필수적이다. 같은 데이터라도 수집 과정, 실험 설계, 환경적인 요인 등에 따라 해석이 달라질 수 있으며, 데이터의 한계와 제약사항을 명확히 인지해야 한다. 예를 들어, 특정 설문조사 결과를 해석할 때 표본이 편향되어 있거나, 응답 방식이 특정 그룹에 유리하게 설계되어 있다면, 이를 고려한 해석이 필요하다.

③ 불확실성 인정

데이터 분석 결과에는 항상 불확실성이 존재한다. 완벽한 데이터는 없으며, 표본 오차나 측정 오류 등의 요소가 결과에 영향을 미칠 수 있다. 따라서, 신뢰구간(Confidence Interval), p-값(Significance Level) 등을 명확히 제시하여 분석 결과의 신뢰성을 전달해야 한다. 불확실성을 인정하는 것은 분석의 약점이 아니라, 보다 신뢰성 있는 분석을 수행하는 데 필수적인 과정이다.

④ 윤리적 고려

데이터 분석 과정에서는 개인정보 보호, 데이터 편향성, 사회적 영향 등 윤리적 문제를 충분히 고려해야 한다. 특정 집단에 불리한 결론을 내릴 가능성이 있는 분석이라면, 데이터의 대표성과 분석 방법이 적절한지 검토해야 한다. 또한, AI 및 자동화된 의사결정 시스템에서 편향된 데이터가 잘못된 결과를 초래하지 않도록 신중한 접근이 필요하다.

⑤ 지속적인 검증

데이터 분석은 한 번으로 끝나는 과정이 아니라, 지속적으로 검증하고 업데이트해야 한다. 새로운 데이터가 추가되거나 환경이 변화하면 기존의 분석 결과가 변할 수 있으며, 이를 반영하여 결론을 재평가하는 것이 중요하다. 정기적인 데이터 모니터링과 새로운 정보를 반영하는 업데이트 과정이 필요하며, 이를 통해 데이터 기반 의사결정의 신뢰성을 유지할 수 있다.

신뢰할 수 있는 데이터 분석을 위해서는 객관적인 접근, 데이터의 맥락 이해, 불확실성에 대한 인정, 윤리적 책임, 지속적인 검증이 필수적이다. 데이터가 단순한 숫자가 아니라, 의미 있는 결론을 도출하는 도구로 활용될 수 있도록 신중하고 체계적인 분석을 수행하는 것이 중요하다. 궁극적으로, 데이터 분석의 신뢰성이 확보될 때, 이를 기반으로 한 의사결정도 더욱 효과적이고 공정하게 이루어질 수 있다.

- 데이터 분석의 핵심은 정확한 결론을 도출하는 것뿐만 아니라, 이를 효과적으로 전달하는 것이다. 이를 위해 시각적 표현, 명확한 언어 사용, 논리적인 스토리라인 구성, 청중 맞춤형 접근, 인터랙티브 요소 활용이 중요하다.

① 시각화 활용

복잡한 데이터를 효과적으로 전달하기 위해 그래프나 차트 같은 시각적 요소를 활용하는 것이 필수적이다. 막대 그래프, 산점도, 박스플롯, 히트맵 등을 활용하면 데이터의 패턴과 트렌드를 직관적으로 전달할 수 있다. 또한, 색상, 크기, 형태 등을 적절히 활용하여 핵심 정보를 강조하고, 데이터가 전달하는 메시지를 더욱 명확하게 표현할 수 있다.

② 명확한 언어 사용

데이터 분석 결과를 설명할 때는 전문 용어를 최소화하고, 쉬운 언어로 설명하는 것이 중요하다. 데이터 과학자는 분석 과정과 방법론을 이해하고 있지만, 청중이 동일한 수준의 기술적 이해를 가지고 있지 않을 수 있다. 따라서, 핵심 메시지를 간결하고 명확하게 전달하고, 복잡한 개념을 이해하기 쉽게 풀어서 설명하는 것이 필요하다.

③ 스토리라인 구성

효과적인 데이터 전달을 위해서는 논리적인 흐름을 유지하는 것이 필수적이다. 일반적으로 다음과 같은 순서로 정리하면 이해하기 쉽다.

- 문제 제기 - 분석을 수행한 배경과 목적을 설명한다.
- 분석 과정 - 데이터를 어떻게 분석했는지, 어떤 방법을 사용했는지 설명한다.
- 결과 도출 - 주요 결과와 의미를 정리한다.
- 시사점(Insight) - 분석 결과가 실제 의사결정이나 문제 해결에 어떤 영향을 미치는지 설명한다.

이러한 흐름을 유지하면, 분석 결과가 논리적으로 연결되며 청중이 이해하기 쉬워진다.

④ 청중 맞춤형 접근

분석 결과를 전달할 때는 청중의 배경지식과 관심사를 고려하여 내용을 구성하는 것이 중요하다. 예를 들어, 데이터 과학자나 연구자를 대상으로 할 경우 기술적인 세부 사항을 포함하는 것이 적절할 수 있지만, 경영진이나 의사결정권자를 대상으로 할 경우 비즈니스 임팩트와 주요 인사이트에 초점을 맞춰야 한다.

또한, 데이터를 해석하는 방식도 청중에 따라 달라질 수 있으므로, 기술적 세부사항과 비즈니스적 의미를 적절히 조절하는 것이 필요하다.

⑤ 인터랙티브 요소 활용

가능한 경우, 인터랙티브한 대시보드나 시각화 도구를 활용하면 청중이 직접 데이터를 탐색할 수 있는 기회를 제공할 수 있다. Power BI, Tableau, Plotly, Bokeh 같은 도구를 사용하면 사용자가 특정 변수를 조작하거나 데이터를 탐색하면서 분석 결과를 더욱 직관적으로 이해할 수 있다.

인터랙티브 시각화는 특히 경영진이나 의사결정권자가 특정 데이터 포인트를 직접 확인하고 싶은 경우 매우 유용하다.

데이터 분석 결과를 효과적으로 전달하기 위해서는 단순한 숫자 나열이 아니라, 데이터를 통해 의미 있는 이야기를 만드는 것이 중요하다. 이를 위해 시각화, 명확한 언어, 논리적인 스토리라인, 청중 맞춤형 접근, 인터랙티브 요소 활용을 조합하면 더욱 직관적이고 설득력 있는 데이터 커뮤니케이션이 가능하다. 데이터는 단순한 정보가 아니라, 올바르게 전달될 때 강력한 인사이트와 의사결정의 기반이 될 수 있다.

- 데이터 분석은 단순한 숫자 처리나 패턴 탐색을 넘어, 의사결정 지원, 문제 해결, 기회 발견, 리스크 관리, 성과 측정과 같은 다양한 분야에서 중요한 역할을 한다. 이를 효과적으로 활용하면 조직은 보다 정확하고 효율적인 결정을 내릴 수 있으며, 지속적인 성장과 혁신을 이끌어 낼 수 있다.

① 의사결정 지원

데이터 분석은 객관적인 의사결정을 가능하게 하며, 실증적 증거를 기반으로 전략을 수립할 수 있도록 돕는다. 직관이나 경험만으로 의사결정을 내리는 것은 주관적 요소가 개입될 위험이 있으므로, 데이터 기반 접근법을 활용하면 보다 신뢰성 있는 판단을 내릴 수 있다. 예를 들어, 마케팅 전략을 수립할 때 고객 행동 데이터를 분석하면 어떤 캠페인이 효과적인지 실증적으로 평가할 수 있다.

② 문제 해결

복잡한 문제를 해결하기 위해서는 근본 원인을 정확히 파악하는 것이 중요하다. 데이터 분석을 활용하면 문제의 원인을 식별하고, 이를 해결하기 위한 최적의 전략을 도출할 수 있다. 또한, 다양한 시뮬레이션과 예측 모델을 활용하여 문제 해결 방안의 효과를 미리 평가할 수 있다. 예를 들어, 고객 이탈이 증가하는 원인을 분석하고, 이에 대한 적절한 대응 전략을 설계하는 데 데이터 분석이 활용될 수 있다.

③ 기회 발견

데이터는 단순히 현재 상태를 평가하는 도구가 아니라, 새로운 기회를 발견하는 데에도 유용하다. 숨겨진 패턴이나 변화를 감지하면, 기존에는 보지 못했던 비즈니스 기회나 연구 방향을 도출할 수 있다. 예를 들어, 고객 구매 데이터를 분석하여 특정 고객층이 선호하는 제품을 발견하고, 이를 기반으로 새로운 상품을 기획할 수 있다.

④ 리스크 관리

데이터 분석을 활용하면 잠재적 위험을 사전에 식별하고 대비할 수 있다. 특히, 예측 모델을 활용하면 리스크를 정량적으로 평가하고, 발생 가능성을 미리 파악하여 적절한 대응책을 마련할 수 있다. 예를 들어, 금융 기관에서는 신용 점수를 기반으로 대출 상환 가능성을 예측하고, 부실 채권의 위험을 최소화하는 전략을 수립할 수 있다.

⑤ 성과 측정

데이터는 조직의 성과를 객관적으로 측정하고, 지속적인 개선을 위한 기준점을 제공하는 역할을 한다. KPI(Key Performance Indicator)와 같은 지표를 활용하면, 비즈니스 전략이 얼마나 효과적인지 평가할 수 있으며, 필요한 경우 전략을 조정할 수 있다. 예를 들어, 광고 캠페인의 성과를 분석하여 어떤 요소가 성공을 이끄는지 파악하고, 이를 최적화할 수 있다.

결국, 데이터 과학의 핵심은 데이터가 전하는 메시지를 정확히 이해하고, 이를 효과적으로 전달하여 조직이 더 나은 의사결정을 내릴 수 있도록 지원하는 것이다. 데이터 분석이 단순한 기술적 작업이 아니라 비즈니스 전략 수립, 혁신적인 아이디어 도출, 경쟁력 강화와 직접 연결될 수 있도록, 데이터 과학자는 숫자 이상의 의미를 읽어내는 능력을 갖춰야 한다.

이를 위해 데이터 분석 결과를 단순히 보고하는 것이 아니라, 이를 활용하여 실질적인 가치와 실행 가능한 전략을 도출하는 것이 중요하다. 즉, 데이터가 단순한 정보에서 실질적인 인사이트로 변환될 때, 조직은 이를 통해 혁신을 이루고 지속적인 성장과 경쟁력을 확보할 수 있다.

2 Python → 데이터 처리 → 통계 → 시각화 → 통찰 도출

데이터 과학의 과정은 크게 다섯 단계로 나눌 수 있다. Python 활용, 데이터 처리, 통계 분석, 시각화, 그리고 통찰 도출이다.

2.1 Python 활용

Python은 데이터 과학 분야에서 가장 널리 사용되는 언어로, 그 유연성과 강력한 라이브러리 지원이 강점이다. 데이터 정제, 분석, 시각화, 예측 모델링 등 모든 단계에서 효율적으로 사용된다. 주요 라이브러리로는 데이터 처리를 위한 Pandas와 NumPy, 시각화를 위한 Matplotlib와 Seaborn, 그리고 머신러닝을 위한 Scikit-learn이 있다. 또한, Python은 오픈소스이므로, 다양한 커뮤니티에서 꾸준히 업데이트되고 확장된다. 데이터 과학자는 Python을 통해 방대한 데이터를 처리하고, 반복적인 작업을 자동화하며, 대규모 데이터를 분석할 수 있다.

주요 Python 라이브러리

- NumPy : 수치 계산을 위한 라이브러리
- Pandas : 데이터 조작 및 분석을 위한 라이브러리
- Matplotlib : 기본적인 데이터 시각화 라이브러리
- Seaborn : 통계 데이터 시각화를 위한 라이브러리
- Scikit-learn : 머신러닝을 위한 라이브러리

2.2 데이터 처리

데이터 분석의 첫 단계는 데이터 전처리이다. 데이터는 보통 결측값, 이상치, 중복 값 등으로 인해 분석에 바로 사용하기 어려운 상태로 제공된다. 이를 해결하기 위해 데이터 정제(cleaning), 변환(transformation), 정규화(normalization) 등의 작업이 필요하다.

예를 들어, 결측값을 평균값이나 중앙값으로 대체하거나, 이상치를 제거하여 분석 결과가 왜곡되지 않도록 한다. 또한, 데이터를 시계열, 범주형, 연속형 등으로 변환하여 분석 목적에 맞게 구조화한다. 이러한 과정이 수행되면, 데이터는 보다 신뢰할 수 있는 상태가 되며, 분석 결과의 정확성을 높이는 데 기여한다.

주요 작업

- 결측치 처리 : 누락된 데이터를 적절히 처리한다.
- 이상치 탐지 및 처리 : 비정상적인 값을 식별하고 처리한다.
- 데이터 형식 변환 : 분석에 적합한 형식으로 데이터를 변환한다.
- 특성 공학 : 새로운 특성을 생성하거나 기존 특성을 변형한다.

2.3 통계

데이터 과학의 핵심은 통계적 분석이다. 상관관계 분석, 회귀 분석, 분산 분석(ANOVA) 등 다양한 통계적 기법을 활용하여 데이터 간의 관계와 구조를 탐구한다. 이러한 기법은 데이터의 패턴을 수치적으로 이해하고, 내재된 불확실성을 줄이는 데 유용하다.

예를 들어, 상관관계 분석을 통해 두 변수 간의 관계를 파악하며, 회귀 분석을 사용하면 독립 변수가 종속 변수에 미치는 영향을 예측할 수 있다. 또한, ANOVA(분산 분석)를 활용하면 여러 그룹 간 평균 차이가 통계적으로 유의미한지를 검정할 수 있다.

결과적으로, 통계적 분석을 통해 데이터에 숨겨진 의미를 수치적으로 해석하고, 보다 신뢰성 있는 의사결정을 지원할 수 있다.

주요 통계 기법

- 기술 통계 : 평균, 중앙값, 표준편차 등을 계산하여 데이터의 전반적인 특성을 파악한다.
- 추론 통계 : 표본을 통해 모집단의 특성을 추정한다.
- 가설 검정 : 데이터를 바탕으로 가설의 타당성을 검증한다.
- 상관 분석 : 변수 간의 관계를 분석한다.
- 회귀 분석 : 변수 간의 관계를 모델링한다.

2.4 시각화

데이터 시각화는 복잡한 데이터를 직관적으로 이해할 수 있도록 돕는 핵심 도구이다. 이를 위해 Matplotlib와 Seaborn과 같은 라이브러리가 주로 사용되며, 산점도, 히스토그램, 박스플롯, 히트맵 등 다양한 그래프를 생성할 수 있다.

시각화는 단순히 데이터를 보여주는 것을 넘어, 통계 분석 결과를 명확하게 설명하고, 보다 설득력 있는 이야기를 만드는 역할을 한다. 예를 들어, 회귀선을 포함한 산점도를 활용하면 두 변수 간의 관계를 시각적으로 나타낼 수 있으며, 히트맵을 통해 다변량 데이터의 상관관계를 직관적으로 파악할 수 있다.

결과적으로, 데이터 시각화는 패턴을 발견하고 인사이트를 도출하는 데 필수적인 도구이며, 이를 효과적으로 활용하면 데이터를 보다 명확하고 설득력 있게 전달할 수 있다.

주요 시각화 방법

- 막대 그래프 : 범주형 데이터의 빈도나 크기를 비교할 때 사용한다.
- 선 그래프 : 시간에 따른 변화를 표현할 때 유용한다.
- 산점도 : 두 변수 간의 관계를 시각화할 때 사용한다.
- 히스토그램 : 연속형 데이터의 분포를 표현한다.
- 박스플롯 : 데이터의 분포와 이상치를 한눈에 파악할 수 있다.
- 히트맵 : 여러 변수 간의 상관관계를 색상으로 표현한다.

2.5 통찰 도출

데이터 과학의 최종 목적은 유의미한 통찰을 도출하여 의사결정에 기여하는 것이다. 분석 결과를 해석하여 데이터가 전달하려는 메시지를 명확히 하고, 이를 기반으로 실질적인 문제 해결 방안을 제시하는 것이 핵심이다.

예를 들어, 고객 행동 분석을 통해 특정 제품군에 대한 최적의 마케팅 전략을 수립할 수 있으며, 의료 데이터 분석을 활용하여 질병 진단 알고리즘을 개선하는 데 기여할 수 있다. 이러한 과정은 단순한 데이터 분석을 넘어, 비즈니스 및 연구 분야에서 실질적인 가치를 창출하는 것을 목표로 한다.

결과적으로, 데이터 과학은 숫자와 모델을 다루는 기술을 넘어, 데이터 기반 의사결정을 지원하고 혁신을 이끄는 도구로서 중요한 역할을 한다.

통찰 도출 과정

- 패턴 식별 데이터에서 반복되는 패턴이나 트렌드를 찾아낸다.
- 인과관계 파악 변수 간의 인과관계를 분석한다.
- 예측 모델 구축 미래 결과를 예측하는 모델을 개발한다.
- 의사결정 지원 분석 결과를 바탕으로 실제 비즈니스 의사결정을 지원한다.

이러한 과정을 통해 데이터로부터 가치 있는 정보를 추출하고, 이를 바탕으로 인사이트를 도출하여 실제 문제 해결에 적용할 수 있다.

3 데이터 분석의 핵심 개념과 실무 적용 가능성

데이터 분석에서 가장 중요한 개념은 데이터의 품질 관리, 변수 간 관계의 이해, 그리고 분석 결과의 해석이다.

먼저, 데이터 품질 관리는 분석의 신뢰성을 확보하는 핵심 과정으로, 데이터의 완전성, 일관성, 신뢰성을 보장하기 위한 전처리 작업을 포함한다. 결측값 처리, 이상치 탐지, 중복 제거 등의 작업을 수행하여 분석 결과가 왜곡되지 않도록 한다.

다음으로, 변수 간 관계를 이해하는 것이 필수적이다. 이를 위해 상관관계 분석, 다중 공선성 탐지, 인과 관계 분석 등을 활용할 수 있다. 변수 간의 관계를 제대로 파악하면, 보다 정확한 모델을 구축하고 의미 있는 패턴을 발견할 수 있다.

또한, 분석 결과의 해석이 명확하고 실무적으로 적용 가능해야 한다. 데이터 분석은 단순히 수치를 도출하는 것이 아니라, 해당 결과가 의사결정과 문제 해결에 실질적인 도움을 줄 수 있도록 활용되는 것이 중요하다.

이러한 개념들은 다양한 실무에서 적용될 수 있다. 예를 들어, 마케팅팀은 분석 결과를 활용하여 소비자 세분화 및 타겟팅 캠페인을 설계할 수 있으며, 의료 연구자들은 데이터 분석을 기반으로 새로운 치료법을 제안하거나, 약물의 효과를 검증할 수 있다.

결론적으로, 데이터 분석은 단순한 정보 제공을 넘어, 비즈니스 및 연구 성과를 향상시키는 데 기여하는 강력한 도구이다. 이를 효과적으로 활용하면 조직의 의사결정을 개선하고, 혁신적인 해결책을 도출할 수 있다.

3.1 데이터 분석의 핵심 개념

데이터 분석은 방대한 데이터 속에서 유의미한 정보를 도출하여 문제를 해결하거나 의사결정을 지원하는 과정을 포함한다. 이 과정에서 다양한 통계적, 수학적, 그리고 도구적 기법이 사용되며, 이를 위해 데이터의 본질을 이해하고 적절히 다루는 것이 필수적이다. 데이터 분석의 핵심 개념을 단계별로 살펴보면 다음과 같다.

① 데이터의 품질 관리

데이터 품질은 분석의 성공 여부를 좌우하는 가장 중요한 요소 중 하나이다. 품질이 낮은 데이터는 잘못된 결론을 초래할 수 있으므로, 데이터 정제(cleaning)와 전처리(preprocessing)가 필수적이다.

- 결측값 처리 데이터에 빈 값이나 누락된 값이 있을 경우, 평균, 중앙값 대체 또는 예측 모델로 결측값을 보완한다.
- 이상치 탐지 극단적으로 벗어난 값은 모델 성능을 저하시킬 수 있으므로 이를 식별하고 처리한다.
- 중복 데이터 제거 데이터셋의 중복 값은 결과를 왜곡시킬 수 있으므로 이를 제거하거나 병합한다.

② 변수 간 관계 분석

변수 간의 상관관계를 이해하는 것은 데이터 분석의 첫걸음이다. 이를 통해 변수 간 상호작용을 파악하고, 중요한 변수(유의미한 독립 변수)를 식별할 수 있다.

- 상관관계 분석 피어슨 상관계수, 스피어만 상관계수 등을 사용하여 변수 간 선형 또는 비선형 관계를 탐구한다.
- 다중 공선성 탐지 독립 변수 간의 높은 상관관계는 모델의 신뢰성을 떨어뜨리므로, 분산 팽창 계수(VIF)를 통해 이를 확인하고 처리한다.
- 인과 관계 분석 단순 상관관계가 아닌 인과 관계를 검증하기 위해 가설 검정이나 실험적 접근이 필요하다.

③ 데이터의 분포 이해

데이터 분포는 변수의 특성과 데이터의 이상 여부를 파악하는 데 도움을 준다.

- 정규성 검정 데이터가 정규분포를 따르는지 확인하며, 이는 많은 통계 기법의 가정 조건이다.
- 왜도와 첨도 데이터의 비대칭성과 극단값 분포를 측정하여 데이터의 특성을 이해한다.
- 히스토그램과 커널 밀도 추정(KDE) 데이터의 전체 분포를 시각적으로 파악하는 도구로 활용된다.

④ 통계적 유의성과 신뢰성

통계 분석에서 결과가 우연히 발생했는지 아닌지를 검증하기 위해 p-값, 신뢰 구간, 효과 크기 등 다양한 측정 지표가 사용된다.

- 가설 검정 귀무가설과 대립가설을 설정하고, 데이터가 대립가설을 지지하는지 판단한다.
- 신뢰 구간 특정 추정값이 모집단의 실제 값을 포함할 가능성을 확률로 나타낸다.
- 효과 크기 변수 간 관계의 강도를 측정하여 결과의 실질적 중요성을 평가한다.

⑤ 데이터의 차원 축소

고차원 데이터에서는 분석과 시각화가 어렵기 때문에, 차원 축소 기법을 통해 데이터의 주요 정보를 유지하며 차원을 감소시킨다.

- 주성분 분석(PCA) : 데이터의 분산을 최대화하는 축을 찾아 차원을 축소한다.
- 특징 선택 : 모델 성능에 가장 기여도가 높은 변수를 선택하여 분석 효율성을 향상시킨다.

3.2 데이터 분석의 실무 적용 가능성

데이터 분석은 단순한 통계적 탐구를 넘어, 비즈니스와 연구 등 다양한 실무 영역에서 적용되며 혁신을 이끌어낸다.

① 비즈니스 의사결정

데이터 분석은 비즈니스 전략을 설계하고 효율성을 높이는 데 중요한 도구이다.

- 고객 세분화 : 고객 데이터를 분석하여 구매 행동, 관심사, 지불 능력에 따라 그룹화하고 맞춤형 마케팅 전략을 수립한다.
- 판매 예측 : 과거 판매 데이터를 바탕으로 계절적 요인과 트렌드를 분석하여 미래 판매량을 예측한다.
- 프로세스 최적화 : 운영 데이터 분석을 통해 병목 현상을 파악하고, 효율성을 높이는 방안을 제시한다.

② 의료 및 생명과학

의료와 생명과학 분야에서는 데이터 분석이 건강 상태 평가와 치료법 개발에 핵심적인 역할을 한다.

- 질병 예측 및 진단 : 환자의 생체 데이터를 분석하여 특정 질병의 발병 가능성을 예측하고 조기 진단을 지원한다.
- 임상 실험 분석 : 약물의 효과와 부작용을 평가하기 위해 실험 데이터를 정밀 분석한다.
- 건강 관리 : 웨어러블 기기 데이터를 통해 개인의 활동 패턴과 건강 상태를 모니터링하고 맞춤형 건강 조언을 제공한다.

③ 금융

금융 데이터는 분석을 통해 리스크 관리, 사기 탐지, 포트폴리오 최적화 등 다양한 목적으로 활용된다.

- 리스크 평가 : 고객의 신용 점수와 금융 데이터를 바탕으로 대출 리스크를 평가한다.
- 사기 탐지 : 거래 데이터를 분석하여 비정상적 패턴을 탐지하고, 금융 사기를 예방한다.
- 투자 전략 설계 : 시장 데이터를 기반으로 최적의 투자 전략을 도출하여 수익률을 극대화한다.

④ 제조 및 공정 관리

제조업에서는 데이터 분석을 통해 제품 품질을 관리하고, 공정 효율성을 높인다.

- 예지 보전 : 기계 장비의 센서 데이터를 분석하여 고장 가능성을 사전에 탐지하고, 유지보수를 최적화한다.
- 공정 최적화 : 생산 데이터를 바탕으로 공정 속도와 자원 사용량을 최적화하여 비용을 절감한다.
- 품질 관리 : 제품 결함 데이터를 분석하여 주요 원인을 파악하고, 품질 문제를 해결한다.

⑤ 정부 및 공공 데이터

정부와 공공기관에서도 데이터 분석을 통해 정책 설계와 사회적 문제 해결에 기여한다.

- 공사회 문제 해결 : 교통 데이터 분석을 통해 혼잡 구간을 식별하고, 효율적인 교통 정책을 수립한다.
- 공재난 관리 : 날씨 데이터와 지진 데이터를 분석하여 재난 대응 계획을 수립하고, 피해를 최소화한다.
- 공행정 효율화 : 공공 데이터를 분석하여 행정 서비스의 품질을 개선하고, 시민 편의를 증대한다.

⑥ 교육

교육 분야에서는 학생 성과 데이터를 분석하여 교육 품질을 향상시키고, 개인화된 학습 경험을 제공한다.

- 학습 패턴 분석 : 학생의 학습 데이터를 바탕으로 학습 성과를 예측하고, 개인화된 학습 방법을 추천한다.
- 교육 프로그램 평가 : 교육 프로그램의 효과를 분석하여 개선점을 도출한다.
- 학생 행동 예측 : 출석률, 과제 제출 데이터를 분석하여 학업 중단 가능성을 예측하고 사전 대

응책을 마련한다.

3.3 데이터 분석의 실질적 가치

데이터 분석은 정보에서 지식을 도출하고, 이를 바탕으로 실제 문제를 해결하며, 비즈니스와 사회 전반에 긍정적인 변화를 가져온다. 데이터 분석의 가치는 단순히 현재 상황을 이해하는 데 그치지 않고, 앞으로의 변화와 발전 가능성을 예측하는 데 있다. 이를 통해 데이터 분석은 단순한 도구를 넘어, 다양한 산업에서 필수적인 전략적 자산으로 자리 잡고 있다.

4 시각화와 통계의 통합 : 통계 분석 결과를 시각화해 데이터의 이야기를 완성

시각화와 통계의 통합은 데이터 분석 결과를 더욱 효과적으로 전달하고 이해하는 데 중요한 역할을 한다. 통계적 분석 결과를 시각화함으로써 복잡한 데이터의 패턴과 인사이트를 직관적으로 파악할 수 있게 되며, 이를 통해 데이터가 전하는 이야기를 완성할 수 있다.

4.1 시각화와 통계의 역할

통계는 데이터에 대한 정량적 통찰을 제공하지만, 복잡한 숫자와 결과만으로는 데이터를 완전히 이해하거나 전달하기 어렵다. 시각화는 이러한 통계 결과를 직관적이고 쉽게 이해할 수 있는 형태로 표현함으로써 통계적 분석의 메시지를 효과적으로 전달하는 데 필수적인 역할을 한다. 통계와 시각화의 통합은 데이터의 패턴, 관계, 추세를 강조하며, 이를 통해 데이터를 기반으로 한 의사결정을 더 신속하고 명확하게 지원한다.

4.2 시각화를 통한 데이터 이야기의 완성

① 통계적 분석 결과의 시각화

통계 분석의 다양한 결과를 효과적으로 시각화하면 데이터의 이야기를 더 강력하고 명확하게 전달할 수 있다. 특히, 상관관계 분석, 회귀 분석, 데이터 분포 및 이상치 탐지, 변수 간 관계 분석 등에서 시각화는 필수적인 도구로 활용된다.

먼저, 상관관계 분석을 시각화하는 방법으로 히트맵(Heatmap)이 있다. 상관계수 행렬을 히트맵으로 표현하면 변수 간의 관계를 직관적으로 파악할 수 있으며, 색상을 이용하여 상관관계의 크기와 방향을 한눈에 확인할 수 있다. 이를 통해 데이터의 전반적인 구조를 쉽게 이해할 수 있으며, 강한 상관관계를 보이는 변수들을 탐색하는 데 유용하다.

회귀 분석의 시각화에서는 산점도(Scatter Plot)와 회귀선(Regression Line)을 함께 표현하여 독립 변수와 종속 변수 간의 선형 관계를 시각적으로 확인할 수 있다. 또한, 잔차 플롯(Residual Plot)을 활용하면 모델이 데이터에 잘 적합하는지 평가할 수 있으며, 잔차의 분포를 분석하여 패턴이 존재하는지 확인할 수 있다.

② 데이터의 분포와 이상치 시각화

데이터의 전반적인 분포를 이해하고, 이상치를 탐지하는 데에도 시각화가 중요한 역할을 한다. 히스토그램(Histogram)과 커널 밀도 추정(KDE, Kernel Density Estimation)을 활용하면 데이터의 분포를 시각적으로 나타낼 수 있으며, 데이터가 정규성을 따르는지, 특정 방향으로 치우쳐 있는지 등을 파악할 수 있다.

박스플롯(Boxplot)은 데이터의 중앙값, 사분위수, 이상치 등을 시각적으로 표현하는 대표적인 방법이다. 이를 통해 데이터의 범위를 요약하고, 이상값을 빠르게 탐지할 수 있으며, 그룹별 비교에도 유용하게 활용된다.

③ 변수 간 관계의 시각화

다변량 분석 결과를 시각화하면 변수 간의 상호작용과 관계를 더욱 깊이 이해할 수 있다. 대표적인 방법으로 페어플롯(Pairplot)이 있다. 페어플롯은 여러 변수 간의 산점도와 히스토그램을 한눈에 보여주며, 변수들 간의 상관관계를 쉽게 파악할 수 있도록 한다.

또한, 히트맵(Heatmap)을 활용하면 변수 간의 관계를 색상으로 표현할 수 있으며, 상관계수 행렬을 보다 직관적으로 분석할 수 있다. 이를 통해 변수 간의 강한 연관성을 쉽게 식별하고, 다중공선성 문제를 사전에 탐지할 수도 있다.

통계적 분석 결과를 효과적으로 전달하기 위해서는 시각화가 필수적인 도구로 활용된다. 히트맵을 통한 상관관계 분석, 산점도와 회귀선을 활용한 회귀 분석, 박스플롯과 히스토그램을 이용한 데이터 분포 분석, 페어플롯을 통한 다변량 관계 분석 등을 적절히 활용하면 데이터의 패턴과 구조를 더욱 명확하게 파악할 수 있다. 이러한 시각화 기법을 적용함으로써 데이터에 대한 직관적인 이해를 높이고, 보다 신뢰성 있는 분석을 수행할 수 있다.

4.3 시각화를 활용한 데이터 스토리텔링

통계 결과를 단순히 시각화하는 것만으로는 충분하지 않다. 이를 통해 데이터를 "이야기"로 전달하는 것이 중요하다. 시각화를 활용한 데이터 스토리텔링은 다음과 같은 과정을 포함한다.

데이터 분석에서 시각화를 효과적으로 활용하기 위해서는 명확한 목표 설정, 데이터 구조 설명, 결과 강조, 그리고 통찰 도출이 필수적이다.

먼저, 목표를 설정하는 과정이 필요하다. 이는 분석의 핵심 질문을 정의하고, 이를 시각화를 통해 어떻게 답할 것인지 계획하는 단계이다. 예를 들어, "BMI가 혈압에 미치는 영향은 무엇인가?"와 같은 질문을 설정하고, 이에 대한 답을 도출할 수 있는 시각화 방법을 결정한다.

그다음, 데이터의 기본 구조를 설명하는 과정이 필요하다. 변수들의 분포와 관계를 명확히 이해하기 위해 히스토그램, 상관관계 히트맵(Heatmap) 등을 활용하여 데이터의 전반적인 특성을 시각적으로 표현할 수 있다. 이러한 시각화는 데이터 탐색(EDA) 과정에서 핵심적인 역할을 하며, 변수 간의 상관관계와 패턴을 파악하는 데 도움을 준다.

분석 결과를 전달할 때는 핵심적인 통계적 결과를 강조하는 것이 중요하다. 예를 들어, 산점도(Scatter Plot)와 회귀선(Regression Line)을 결합하여 독립 변수가 종속 변수에 미치는 영향을 직관적으로 표현할 수 있다. 이를 통해 분석의 핵심 메시지를 보다 명확하게 전달할 수 있으며, 데이터의 패턴을 쉽게 이해할 수 있다.

마지막으로, 분석 결과에서 얻은 주요 통찰을 도출하고 이를 시각화하여 의사결정을 지원해야 한다. 예를 들어, 회귀 분석 결과에서 유의미한 변수와 그 영향력을 나타내는 그래프를 활용하면, 어떤 변수가 종속 변수에 가장 큰 영향을 미치는지를 명확히 전달할 수 있다.

결론적으로, 데이터 시각화는 단순히 데이터를 보여주는 것이 아니라, 명확한 목표 설정과 분석의 흐름을 따라 데이터의 구조를 설명하고, 핵심 결과를 강조하며, 최종적으로 통찰을 도출하여 의사결정을 지원하는 과정이어야 한다. 이러한 접근 방식을 적용하면 데이터 분석의 가치를 극대화할 수 있으며, 보다 신뢰성 있는 분석 결과를 전달할 수 있다.

4.4 통계와 시각화 통합의 중요성

① **이해력 강화** : 복잡한 데이터를 시각화하여 통계적 결과를 더 쉽게 이해할 수 있다.

② **의사소통 효율성** : 분석 결과를 비전문가도 이해할 수 있는 형태로 전달 가능하다.

③의사결정 지원 : 데이터를 활용한 전략과 결정의 신뢰성을 강화한다.

시각화와 통계의 통합은 단순한 결과 전달을 넘어, 데이터를 통해 의미 있는 이야기를 만들고 문제 해결을 지원하는 강력한 도구이다. 통계적 분석을 통해 데이터를 해석하는 것만으로는 충분하지 않으며, 이를 효과적으로 전달하기 위해서는 적절한 시각화 기법을 결합하는 것이 필수적이다.

통계적 통찰을 바탕으로 시각화를 활용하면, 분석 결과가 단순한 수치에 머무르지 않고 직관적이고 설득력 있는 방식으로 표현될 수 있다. 예를 들어, 상관관계 분석 결과를 단순한 숫자로 제시하는 대신, 히트맵(Heatmap)을 사용하면 변수 간의 관계를 더욱 명확하게 보여줄 수 있다. 또한, 회귀 분석 결과를 산점도(Scatter Plot)와 회귀선(Regression Line)과 함께 표현하면, 변수 간의 관계를 직관적으로 전달할 수 있다.

이러한 과정은 데이터 과학에서 필수적인 단계이며, 데이터를 통해 명확한 메시지를 전달하고, 보다 효과적인 의사결정을 지원하는 역할을 한다. 분석 결과가 아무리 정교해도, 이를 이해하기 쉽고 설득력 있게 전달하지 못한다면 활용도가 낮아질 수밖에 없다. 따라서, 통계와 시각화를 결합하여 데이터가 전하는 메시지를 완성하는 것이 데이터 과학의 마지막이자 가장 중요한 단계라고 할 수 있다.

5 미래의 데이터 과학

데이터 과학은 기술의 발전과 데이터 양의 폭발적 증가로 인해 계속 확장되고 있으며, 단순한 통계와 데이터 분석을 넘어 머신러닝, 딥러닝, 고급 분석과 같은 고도화된 기법을 활용하여 더욱 정교하고 강력한 데이터 활용 방법을 제공한다.

기존의 데이터 분석이 주로 과거의 데이터를 정리하고 해석하는 데 집중했다면, 최신 데이터 과학 기술은 미래를 예측하고 최적의 의사결정을 지원하는 데 초점을 맞추고 있다. 머신러닝과 딥러닝 알고리즘을 활용하면 패턴을 자동으로 학습하고, 복잡한 문제를 해결하며, 정형 데이터뿐만 아니라 이미지, 음성, 텍스트와 같은 비정형 데이터도 효과적으로 분석할 수 있다.

예를 들어, 머신러닝 모델을 활용하면 고객 행동을 예측하고, 의료 데이터를 분석하여 질병 진단을 개선하며, 금융 데이터를 기반으로 사기 탐지를 자동화하는 것이 가능하다. 또한, 딥러닝 기술은 자연어 처리(NLP), 이미지 인식, 자율주행 등 다양한 분야에서 혁신적인 성과를 이루고 있다.

결과적으로, 데이터 과학은 단순한 분석을 넘어 데이터를 기반으로 한 문제 해결과 의사결정의 핵심 도구로 자리 잡고 있으며, 기술 발전과 함께 지속적으로 진화하고 있다. 앞으로도 더 많은 데이터와 고급 분석 기법이 결합되면서, 데이터 과학의 역할은 더욱 확대될 것이며, 다양한 산업과 연구 분야에서 필수적인 요소로 자리 잡을 것이다.

데이터 과학은 기술의 발전과 데이터 양의 폭발적 증가로 인해 계속 확장되고 있습니다. 단순한 통계와 분석을 넘어, 머신러닝, 딥러닝, 고급 분석 등 고도화된 기법을 활용하여 더 정교하고 강력한 데이터 활용 방법을 제공합니다.

5.1 머신러닝과 딥러닝의 발전

머신러닝과 딥러닝 알고리즘은 더 복잡한 패턴을 인식하고 예측할 수 있도록 발전하고 있으며, 자연어 처리(NLP), 컴퓨터 비전, 음성 인식 등 AI 기술의 성능이 지속적으로 향상되고 있다. 이러한 발전은 의료 진단, 자율주행, 추천 시스템과 같은 다양한 응용 분야에서 데이터를 더욱 정밀하게 활용할 수 있는 가능성을 열어주고 있다.

5.2 양자 컴퓨팅

양자 컴퓨팅은 기존 컴퓨터보다 훨씬 빠른 계산 능력을 제공하여, 기존의 데이터 분석 방식으로 해결하기 어려운 복잡한 문제를 처리하는 데 활용될 것으로 기대된다. 특히, 암호화 기술, 최적화 문제, 기계 학습의 가속화 등에서 혁신적인 발전이 예상되며, 앞으로 데이터 과학 분야에 미치는 영향이 더욱 커질 것이다.

5.3 자동화된 머신러닝(AutoML)

AutoML은 데이터 전처리, 특성 선택, 모델 선택 및 하이퍼파라미터 튜닝을 자동화하여 데이터 과학 프로세스를 간소화하는 기술이다. 이를 통해 비전문가도 고급 데이터 분석과 머신러닝 모델 구축을 수행할 수 있게 되며, 데이터 과학자의 업무 생산성을 크게 향상시킬 수 있다.

5.4 설명 가능한 AI (XAI)

AI 모델이 점점 복잡해지면서, AI의 의사결정 과정이 불투명해지는 문제(블랙박스 문제)가 발생하고 있다. XAI(설명 가능한 AI)는 이러한 문제를 해결하기 위해 AI 모델이 어떻게 결론을 도출했는지 설명할 수 있도록 하는 기술을 개발하는 분야이다. XAI는 윤리적이고 투명한 AI 시스템 구축에 기여하며, 의료, 금융, 법률 등 신뢰성과 해석 가능성이 중요한 분야에서 더욱 필수적인 요소가 될 것이다.

5.5 엣지 컴퓨팅

엣지 컴퓨팅은 데이터를 중앙 서버에서 처리하는 대신, 데이터가 생성되는 장치(예: IoT 기기, 스마트폰, 자율주행 차량 등) 가까운 곳에서 실시간 분석을 수행하는 기술이다. 이를 통해 데이터 전송 지연을 줄이고, 빠르고 효율적인 데이터 처리가 가능하며, 특히 스마트 공장, 실시간 모니터링, 자율주행 차량 등의 응용 분야에서 중요한 역할을 할 것이다.

데이터 과학은 단순한 통계와 머신러닝을 넘어, 양자 컴퓨팅, AutoML, XAI, 엣지 컴퓨팅 등의 혁신적인 기술과 결합되면서 더욱 정교하고 강력한 분석 도구로 발전하고 있다. 이러한 변화는 데이터 처리 속도를 획기적으로 높이고, 데이터 분석의 접근성을 확장하며, AI의 신뢰성과 효율성을 개선하는 방향으로 나아가고 있다. 앞으로 데이터 과학은 더 빠르고, 자동화되고, 투명하며, 실시간으로 처리 가능한 방향으로 발전할 것이며, 이는 다양한 산업과 연구 분야에서 새로운 가능성을 열어줄 것이다.

6 독립적인 데이터 분석을 시작하기 위한 추가 학습 리소스 제안

데이터 과학을 학습하는 방법은 다양하며, 온라인 강좌, 오픈소스 자료, 도서, 실습 플랫폼, 커뮤니티, 유튜브 강좌, 무료 학습 자료, 블로그 및 웹사이트 등을 활용하면 체계적으로 학습할 수 있다.

6.1 온라인 강좌

- Coursera의 IBM Data Analyst Professional Certificate와 Google Data Analytics Professional Certificate
- DataCamp의 데이터 과학 및 분석 코스
- edX의 Harvard University 데이터 과학 관련 강좌
- Udacity의 데이터 분석 관련 나노디그리 프로그램

6.2 오픈소스 학습 자료

- "The Open Source Data Science Masters" 웹사이트
- GitHub의 데이터 과학 프로젝트 및 튜토리얼

6.3 도서

- "Python for Data Analysis" by Wes McKinney
- "R for Data Science" by Hadley Wickham and Garrett Grolemund
- "Data Analytics Made Accessible" by Anil Maheshwari

6.4 실습 플랫폼

- Kaggle : 데이터 과학 경진대회 및 데이터셋 제공
- DataQuest : 인터랙티브 데이터 과학 학습 플랫폼
- Google Colab : 무료 Jupyter 노트북 환경

6.5 커뮤니티 및 포럼

- Stack Overflow : 프로그래밍 관련 질문 및 답변
- Reddit의 r/datascience : 데이터 과학 관련 토론 및 정보 공유
- LinkedIn의 데이터 분석 관련 그룹

6.6 유튜브 채널

- Mo Chen의 데이터 분석 튜토리얼 및 포트폴리오 프로젝트 플레이리스트
- Data School
- StatQuest with Josh Starmer
- Simplilearn의 데이터 분석 튜토리얼

6.7 무료 학습 자료

- Khan Academy의 데이터 분석 관련 무료 강좌
- FreeCodeCamp의 Python을 이용한 데이터 분석 과정
- Google Cloud의 무료 머신러닝 코스

- MIT OpenCourseWare의 데이터 분석 및 통계 관련 강의 자료

6.8 블로그 및 웹사이트

- Towards Data Science (Medium 출판물)
- KDnuggets
- Analytics Vidhya